装版

メートルくんとキログラムくん

と単位の仲間たち

うえたに夫婦

監修
国立研究開発法人産業技術総合研究所
計量標準総合センター

大和書房

はじめに

こんにちは、理系イラストレーターのうえたに夫婦です。

名前の通り、夫婦で活動しています（元化粧品メーカー研究員の夫と全然理系じゃない妻。この「はじめに」は夫が書いてます）。

さて、本書は単位がテーマのマンガです。ゆるいマンガなので誤解されるかもしれませんが、単位のことを真面目に書いています。

単位とは、ご存知の通りメートルとかキログラムのこと。「いやいや、単位でしょ？　普段から使ってるし、知ってる知ってる」って言う方もいるかもしれません。ですが、「国際単位系」といって、世界的に決められた「単位に関するルール」があり、7つの基本単位があることはご存知ですか？

その7つはSI基本単位と呼ばれ、メートル（長さ）、キログラム（質量）、秒（時間）、カンデラ（光度）、モル（物質量）、アンペア（電流）、ケルビン（熱力学温度）を指しています。本書ではこの「SI基本単位」のことを「SI7（エスアイセブン）」と勝手に命名し、キャラクターにしてしまいました（というか、本書に出てくる単位は全てキャラクターになってます）。

そして、このキャラクターたちがマンガで単位のことを紹介していく形なので、小中学生にも楽しく読んでもらえると思っています。この本によって「単位」が理解でき、理数系の科目も得意になる……かもしれません。また、「うるう秒を入れる理由」や「ケルビンという単位が生まれた経緯」「カンデラの定義解説」など、ややマニアックなことも書きました。なので、日頃から単位に接することが多い理系の方にも楽しんでもらえると思っています。

本書の最後の章では、メートルくんたちが産業技術総合研究所（通称：産総研）を案内するマンガも描いてます。というのも、「世界的に決められた単位に関するルールがある」と右に書きましたが、このルールは科学技術の進歩に伴ってアップデートされていきます。その際、日本代表として議論に参加するのが産総研にある計量標準総合センターの研究者の方々なのです。この研究所ではメートル原器などの重要な資産の管理や、単位に関する最先端の研究が行われています。それらを一部ではありますが紹介しましたので、それも楽しんでほしいです。

本書を作るにあたり、監修をしてくださった産業技術総合研究所 計量標準総合センターの皆さま、さらにコラムを書いてくださった同センターの平井さん、安田さん、藤井さん、山田さん、金子さん、そして編集者の小宮さんのおかげで楽しい本ができました。

普段何気なく使用している単位ですが、そこに込められた歴史や科学技術を感じてもらえると嬉しいです。それでは、単位の世界へレッツゴー。

うえたに夫婦

ザ☆単位のマンガ　目次

わくわく
はじまるよ～

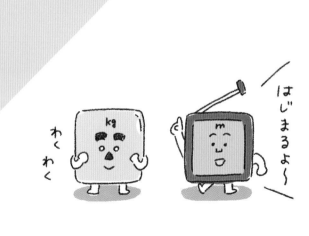

第 1 章

単位って何？

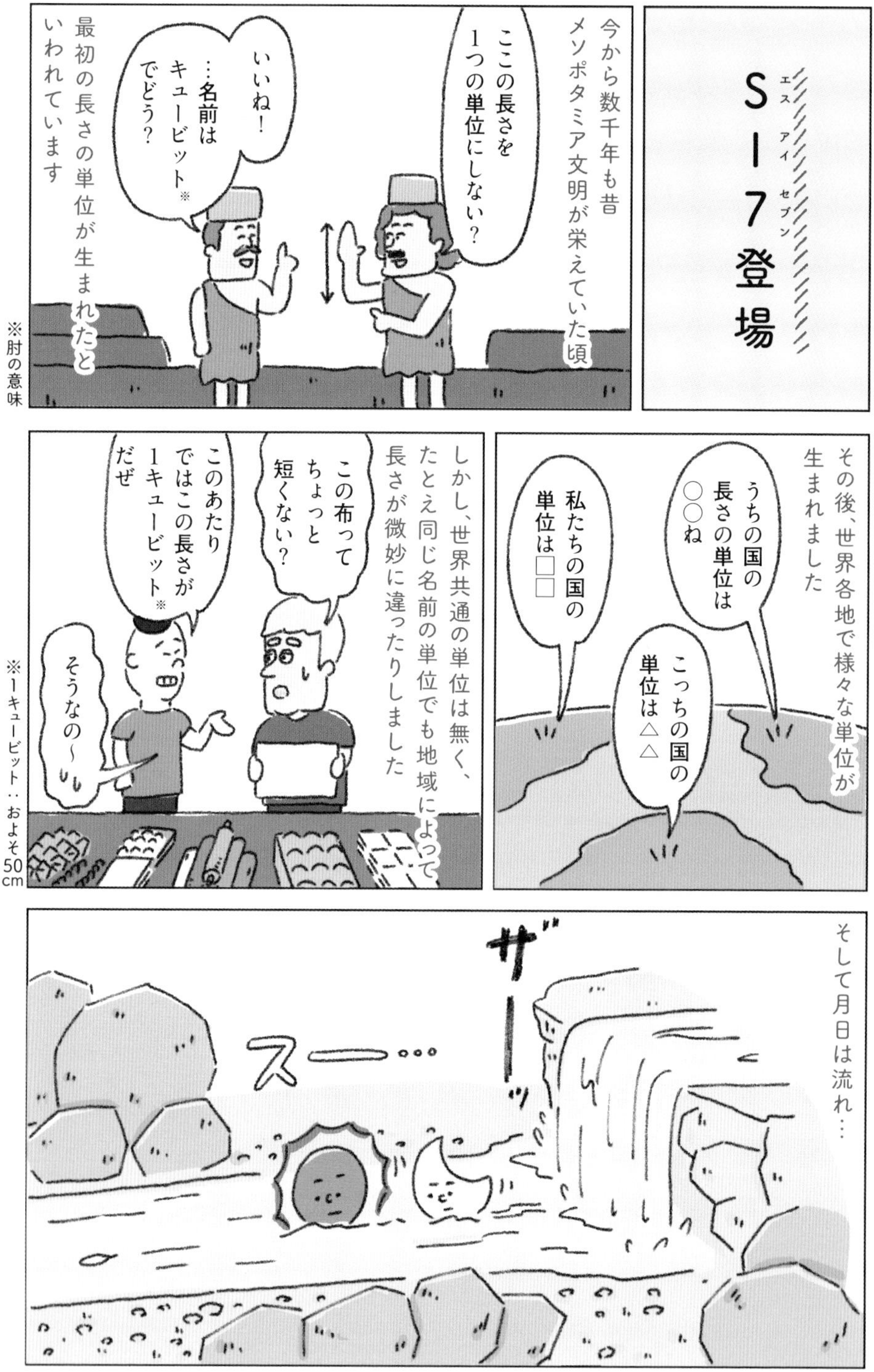
S《エス》I《アイ》7《セブン》登場
今から数千年も昔
メソポタミア文明が栄えていた頃
ここの長さを1つの単位にしない?
いいね!
…名前はキュービット※でどう?
最初の長さの単位が生まれたといわれています
※肘の意味
その後、世界各地で様々な単位が生まれました
うちの国の長さの単位は○○ね
私たちの国の単位は□□
こっちの国の単位は△△
しかし、世界共通の単位は無く、たとえ同じ名前の単位でも地域によって長さが微妙に違ったりしました
この布ってちょっと短くない?
このあたりではこの長さが1キュービット※だぜ
そうなの〜
※1キュービット:およそ50cm
そして月日は流れ…
ザー
スー…

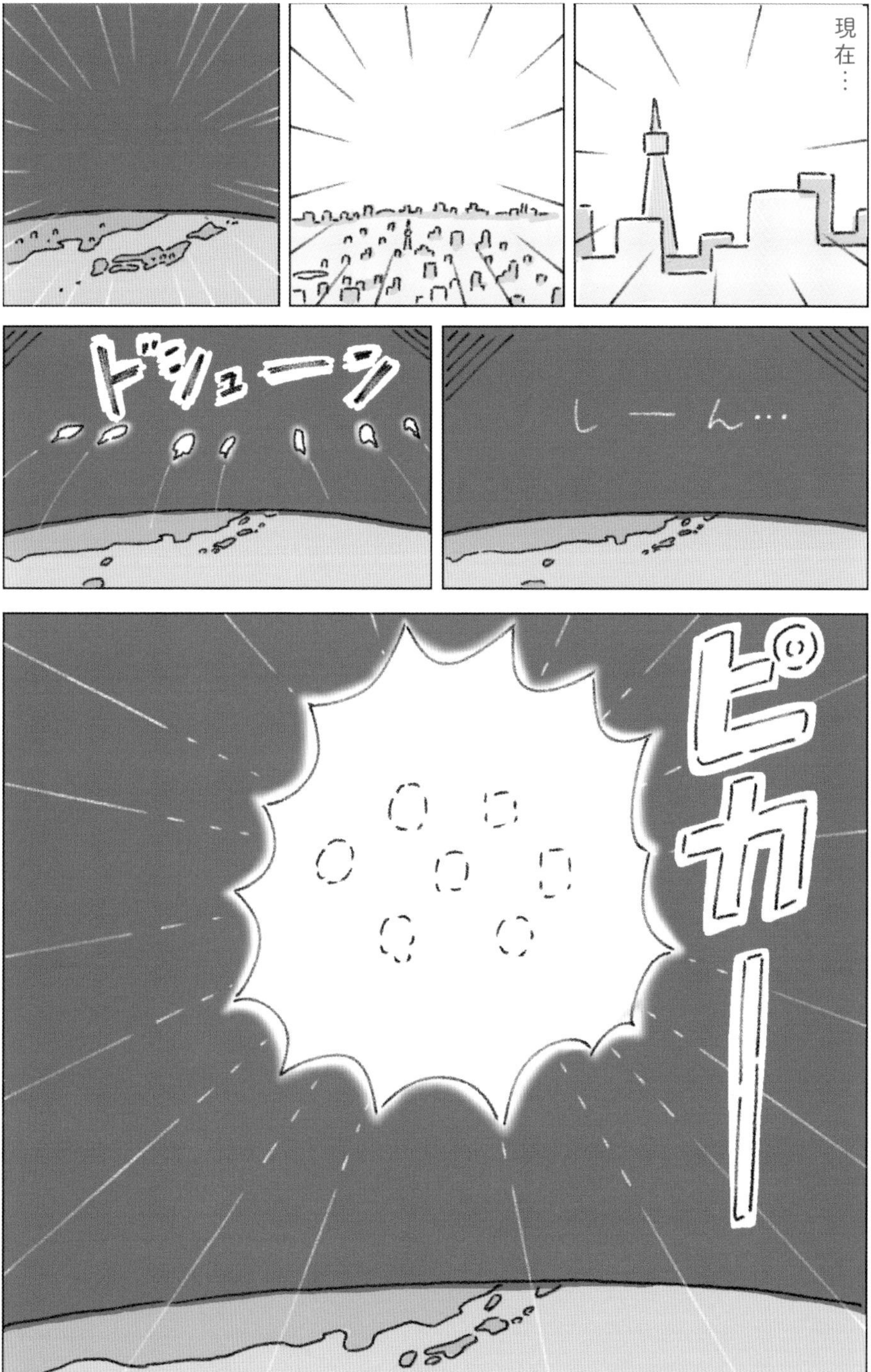
現在…
ドシューン
しーん…
ピカー

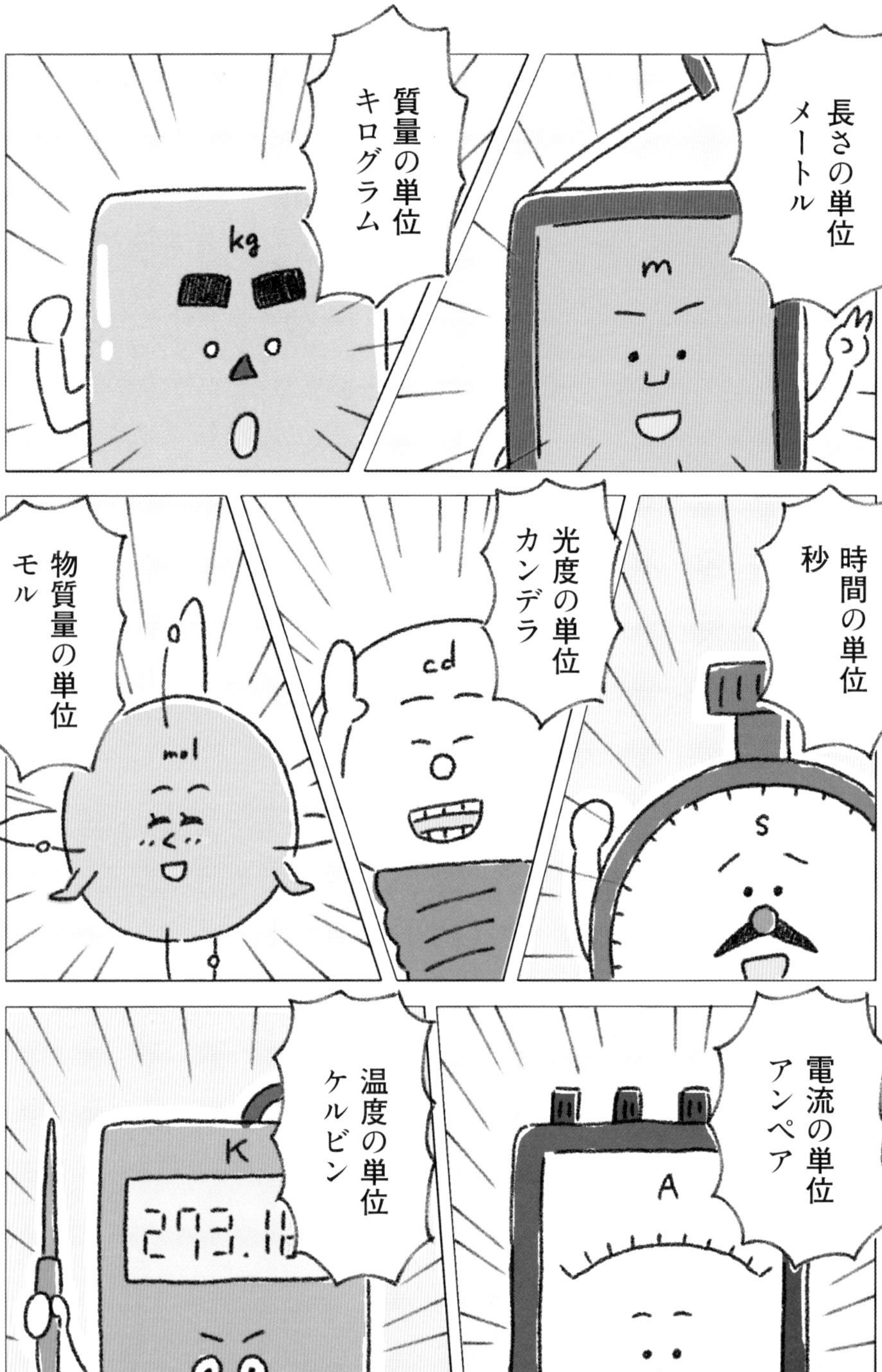
長さの単位
メートル
m
質量の単位
キログラム
kg
時間の単位
秒
s
光度の単位
カンデラ
cd
物質量の単位
モル
mol
電流の単位
アンペア
A
温度の単位
ケルビン
K

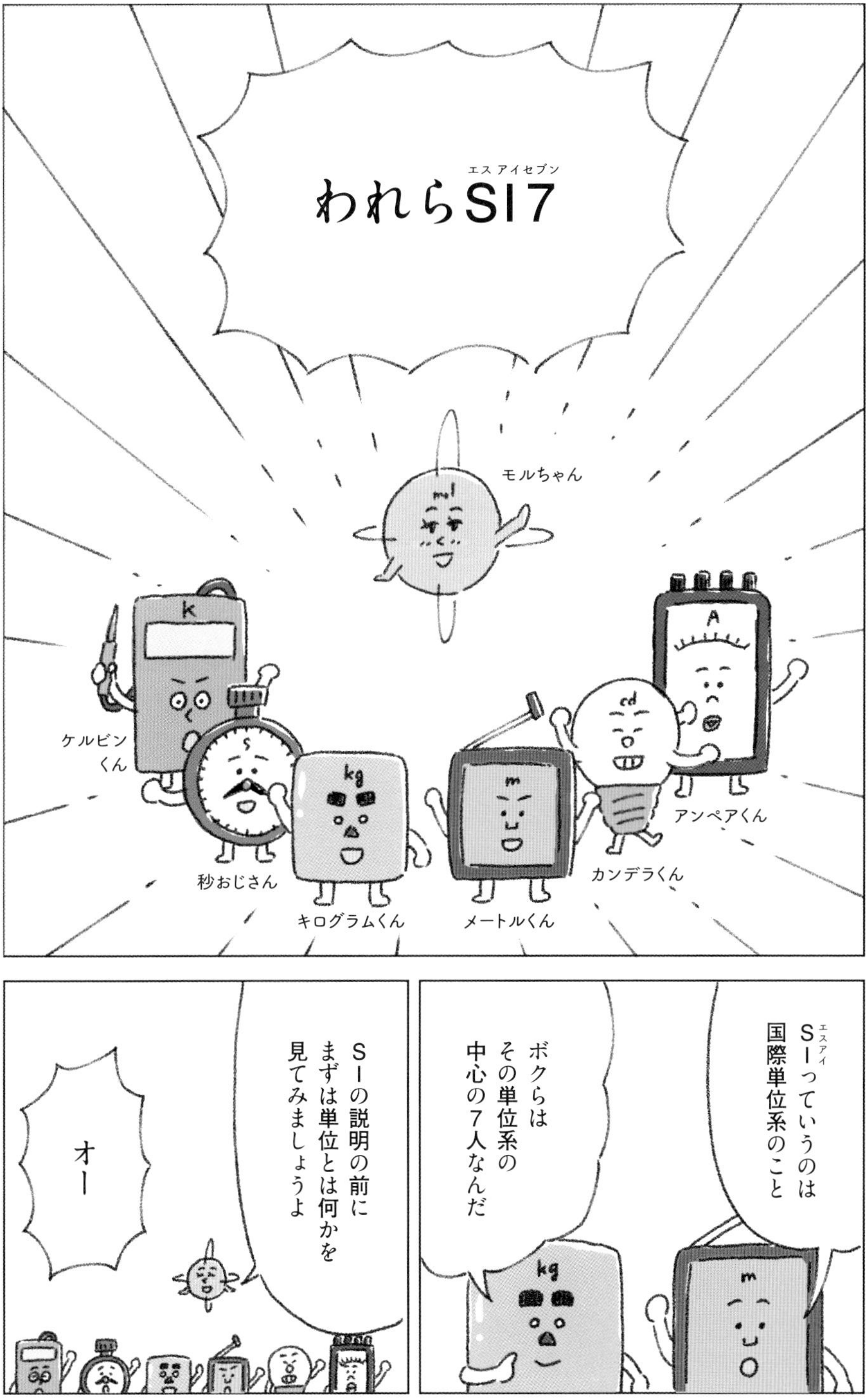
われらSI7《エスアイセブン》
モルちゃん
ケルビンくん
アンペアくん
秒おじさん
キログラムくん
メートルくん
カンデラくん
SI《エスアイ》っていうのは国際単位系のこと
ボクらはその単位系の中心の7人なんだ
SIの説明の前にまずは単位とは何かを見てみましょうよ
オー

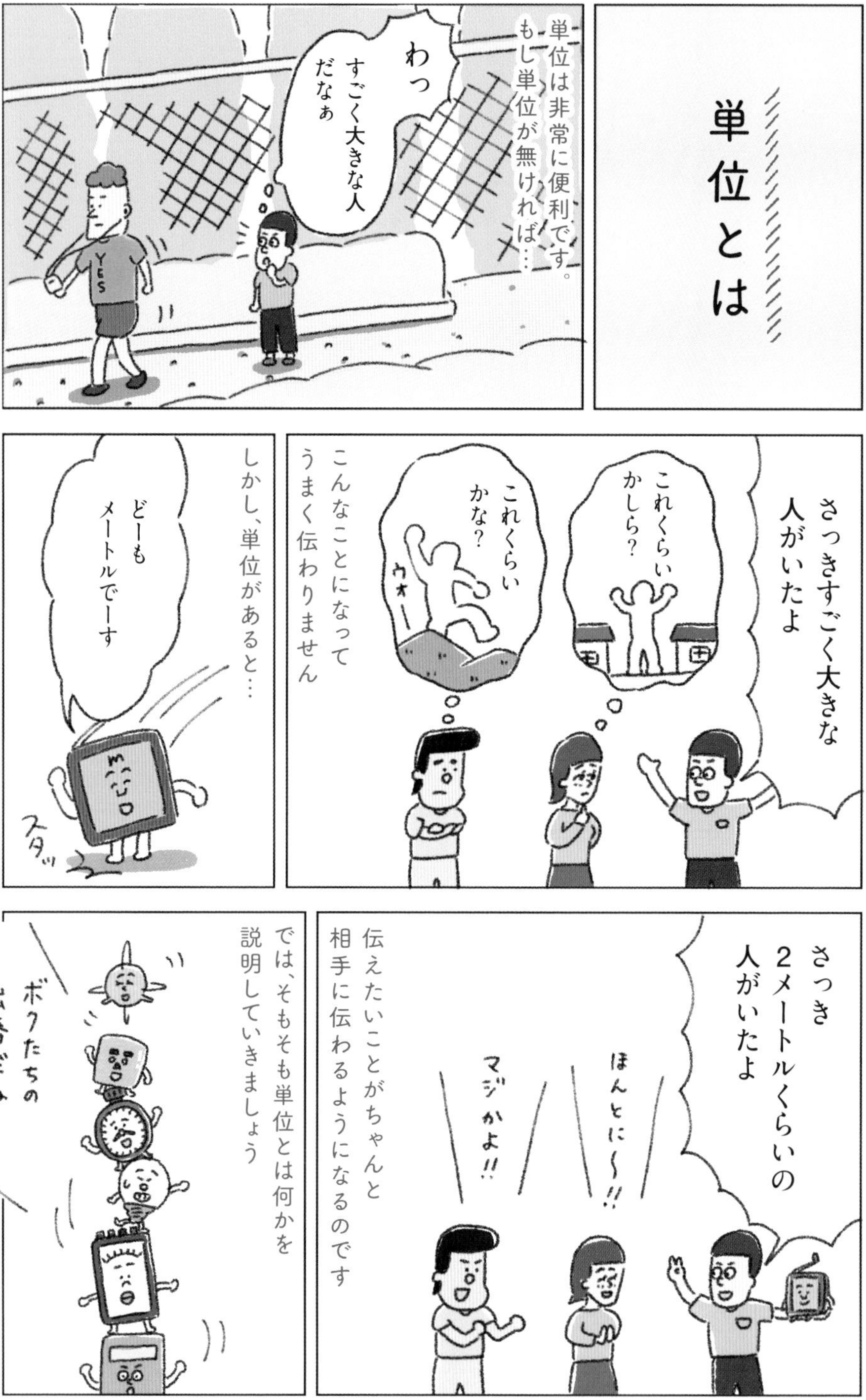
単位とは
単位は非常に便利です。
もし単位が無ければ…
わっ
すごく大きな人
だなぁ
さっきすごく大きな
人がいたよ
これくらい
かしら?
これくらい
かな?
ウオー
こんなことになって
うまく伝わりません
しかし、単位があると…
どーも
メートルでーす
スタッ
さっき
2メートルくらいの
人がいたよ
ほんとに〜!!
マジかよ!!
伝えたいことがちゃんと
相手に伝わるようになるのです
では、そもそも単位とは何かを
説明していきましょう
ボクたちの
出番だね〜

まずはこれを見て
量っていうのは2種類あるんだ

量

連続量

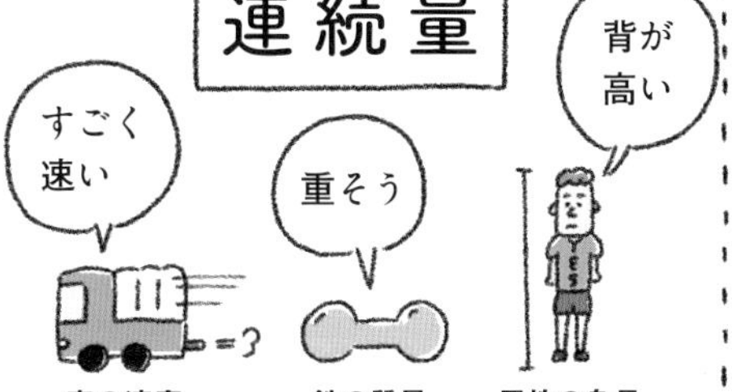
すごく速い
重そう
背が高い

車の速度　鉄の質量　男性の身長 など

はからないと正確に数値化できない量のこと

⇩

これを数値化するために、人が決めた基準を単位という（メートルやキログラムなど）

⇩

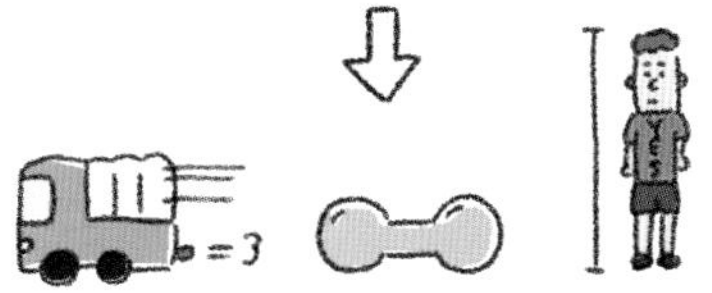

100 km/h　10 kg　2 m

こっち こっち
では次にSI単位の紹介だよ〜

分離量

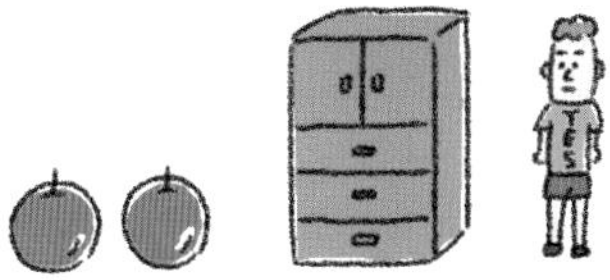

リンゴ →2個　タンス →1棹《さお》　男性 →1人　など

ぱっと見で数値化できる量のこと

⇩

単位は不要（個や棹などは助数詞という）

この助数詞は単位とは言わないのよ

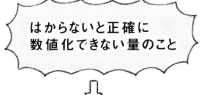

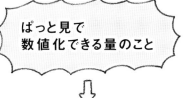

国際単位系（SI）

世界に様々な単位がある中でも世界共通で使えるように作られた単位システムのことをSIといいます

SI

Système International d'Unitésの略
日本語では「国際単位系」という。
7つの基本単位を元に構成されている。
科学技術の進歩に伴ってその都度、
更新されている

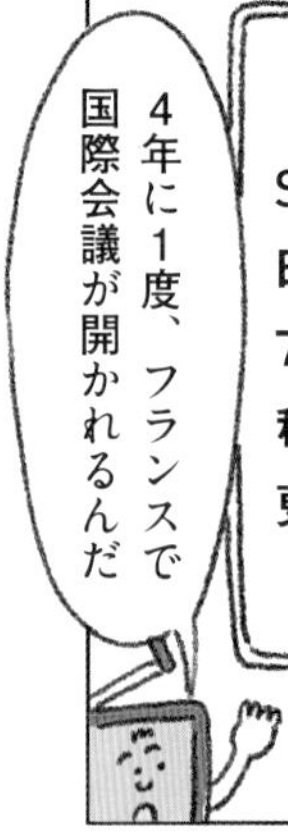
4年に1度、フランスで国際会議が開かれるんだ

国際単位系SIの構成

① SI基本単位…SIの基本となる7つの単位

長さ	質量	時間	電流	温度	光度	物質量
メートル（m）	キログラム（kg）	秒（s）	アンペア（A）	ケルビン（K）	カンデラ（cd）	モル（mol）

② SI組立単位…SI基本単位を組み合わせた単位

速さ：メートル毎秒（m/s）
密度：キログラム毎立方メートル（kg/m^3）
面積：平方メートル（m^2）　など

③ SI接頭語…単位の前に付けることで、大きい量や小さい量を表すことが可能

ミリ（m）、ナノ（n）、メガ（M）、テラ（T）　など

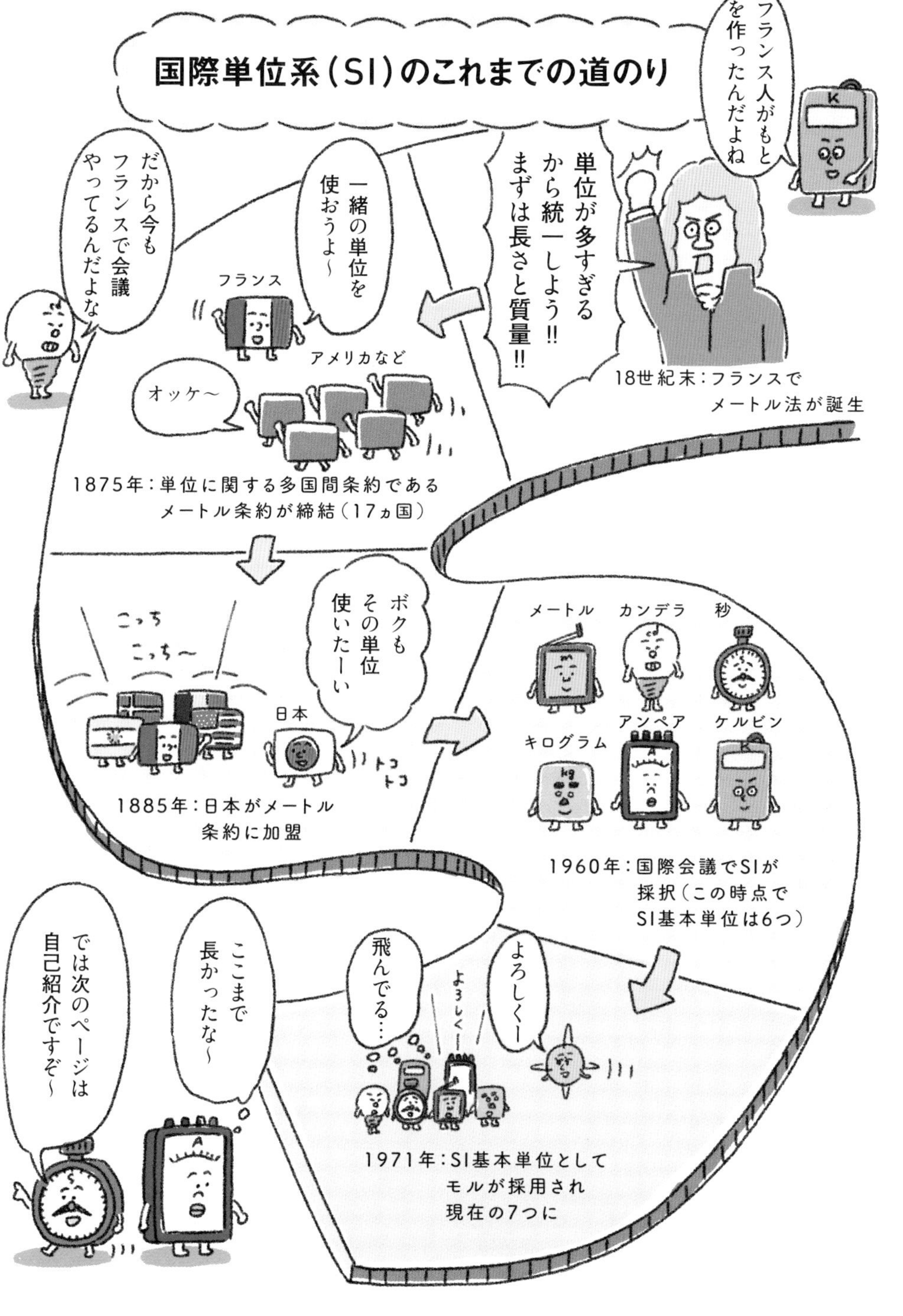

国際単位系(SI)のこれまでの道のり
フランス人がもとを作ったんだよね
単位が多すぎるから統一しよう!!まずは長さと質量!!
18世紀末:フランスでメートル法が誕生
一緒の単位を使おうよ~
フランス
アメリカなど
オッケ~
だから今もフランスで会議やってるんだよな
1875年:単位に関する多国間条約であるメートル条約が締結(17ヵ国)
こっちこっち~
ボクもその単位使いたーい
日本
トコトコ
1885年:日本がメートル条約に加盟
メートル
カンデラ
秒
キログラム
アンペア
ケルビン
1960年:国際会議でSIが採択(この時点でSI基本単位は6つ)
よろしくー
よろしくー
飛んでる…
1971年:SI基本単位としてモルが採用され現在の7つに
ここまで長かったな~
では次のページは自己紹介ですぞ~

① SI基本単位

……基本の7つの単位。長さ、質量、時間、電流、温度、光度、物質量。

われら SI7※

※この本の中だけの名称

メートルくん

古代ギリシャ語のメトロン(測ること)が名前の由来なんだ

【量】長さ

【単位名称】メートル

【単位記号】m

【定義】光が真空中で1/299792458秒の間に進む長さ

キログラムくん

国際キログラム原器はフランスの国際度量衡局で保管されてるよ〜

【量】質量

【単位名称】キログラム

【単位記号】kg

【定義】国際キログラム原器の質量

秒おじさん

3千年も前から時間は六十進法だったんですゾ

【量】時間

【単位名称】秒

【単位記号】s

【定義】セシウム133原子の基底状態の2つの超微細構造準位の間の遷移に対応する放射の周期の9192631770倍の継続時間

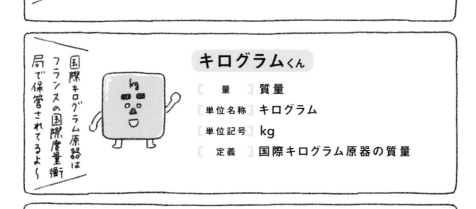

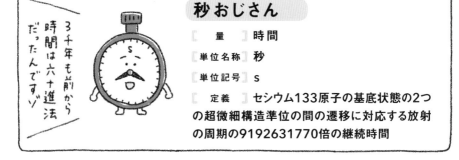

アンペアくん

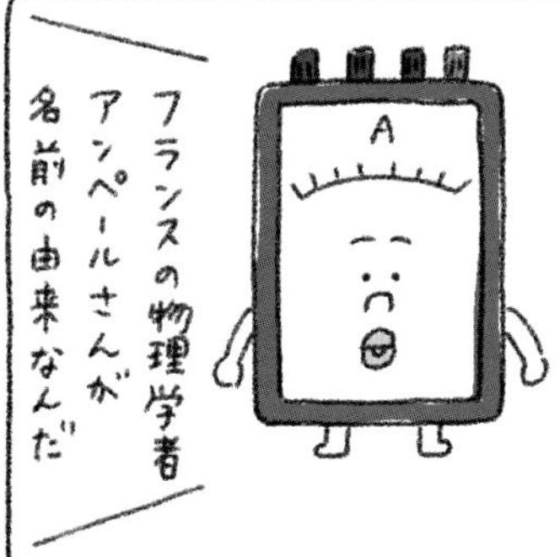
フランスの物理学者
アンペールさんが
名前の由来なんだ
A

〔量〕電流

〔単位名称〕アンペア

〔単位記号〕A

〔定義〕真空中に1 m離して平行に置かれた十分に長く細い電線において、1 mあたりに2×10^{-7} Nの力が働くときの電線に流れる電流

ケルビンくん

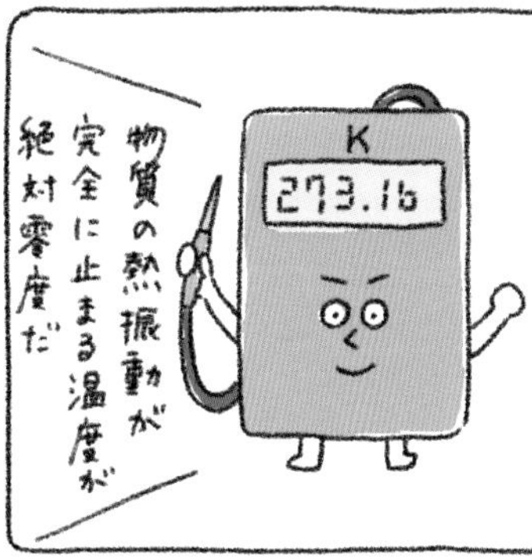
物質の熱振動が
完全に止まる温度が
絶対零度だ
K
273.16

〔量〕熱力学温度

〔単位名称〕ケルビン

〔単位記号〕K

〔定義〕水の三重点の熱力学温度の1/273.16

カンデラくん

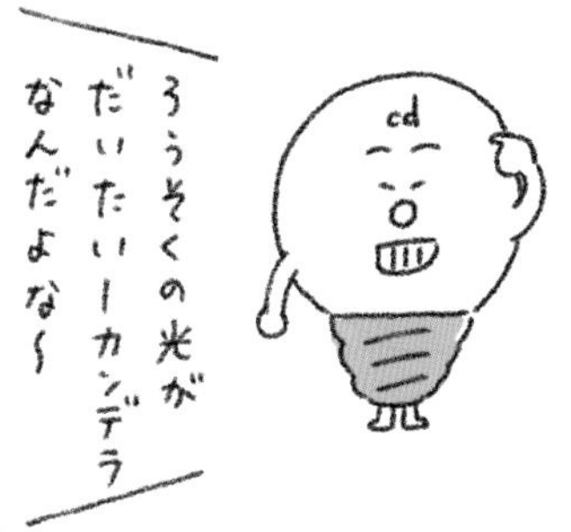
ろうそくの光が
だいたい1カンデラ
なんだよな〜
cd

〔量〕光度

〔単位名称〕カンデラ

〔単位記号〕cd

〔定義〕周波数540×10^{12} Hzの単色放射を放出し、所定の方向におけるその放射強度が1/683 W/srである光源の、その方向における光度

モルちゃん

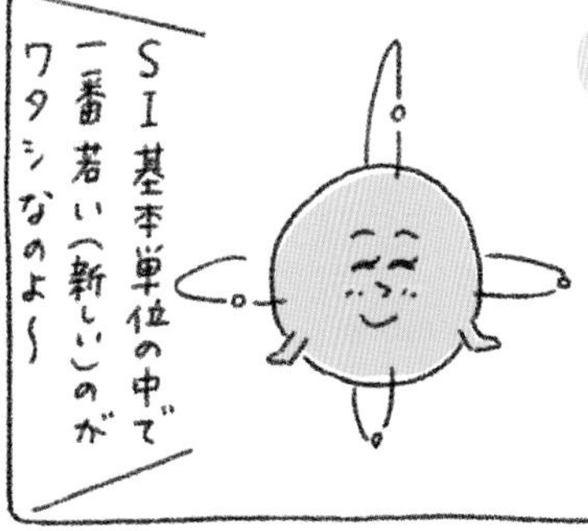
SI基本単位の中で
一番若い(新しい)のが
ワタシなのよ〜

〔量〕物質量

〔単位名称〕モル

〔単位記号〕mol

〔定義〕0.012 kgの炭素12に含まれる原子の数と等しい数の要素粒子を含む物質量（厳密な定義はP.163参照）

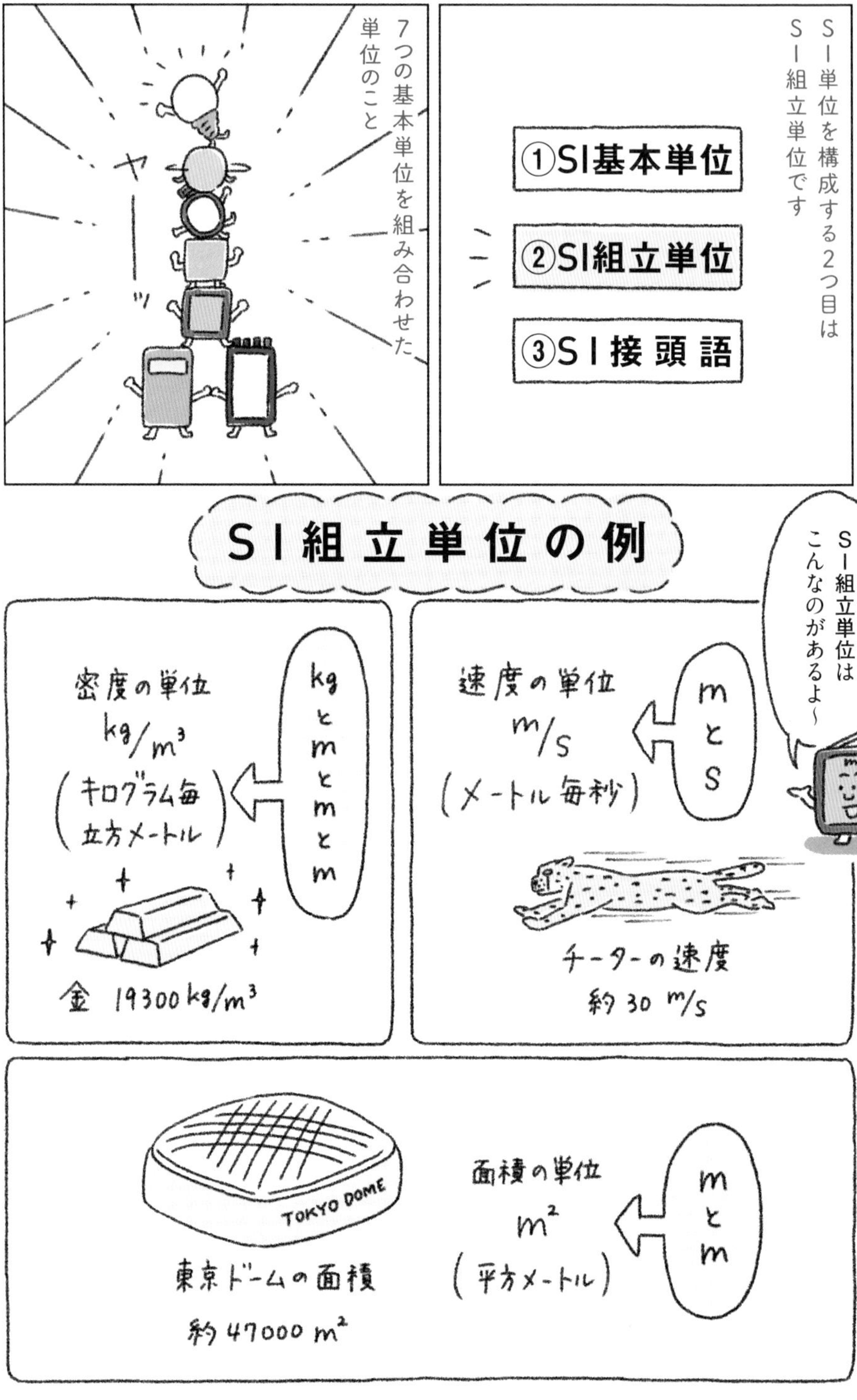
SI単位を構成する2つ目はSI組立単位です
①SI基本単位
②SI組立単位
③SI接頭語
7つの基本単位を組み合わせた単位のこと
ヤーッ
SI組立単位の例
SI組立単位はこんなのがあるよ〜
速度の単位
m/s
(メートル毎秒)
mとs
チーターの速度
約30 m/s
密度の単位
kg/m^3
(キログラム毎立方メートル)
kgとmとmとm
金 19300 kg/m^3
TOKYO DOME
東京ドームの面積
約47000 m^2
面積の単位
m^2
(平方メートル)
mとm

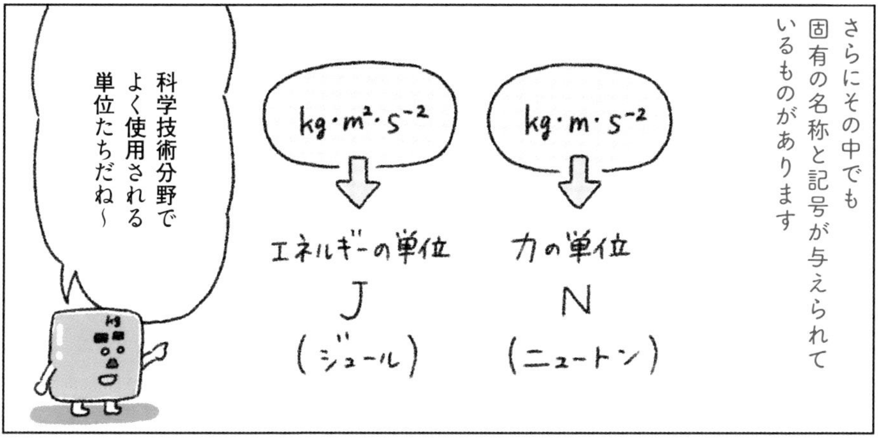

さらにその中でも固有の名称と記号が与えられているものがあります
kg·m·s⁻²
力の単位
N
(ニュートン)
kg·m²·s⁻²
エネルギーの単位
J
(ジュール)
科学技術分野でよく使用される単位たちだね〜
kg

固有の名称と記号を持つSI組立単位

全部で22コもあるのよ〜

名称	記号	組立量	SI基本単位による表し方
ラジアン	rad	平面角	$m \cdot m^{-1}=1$
ステラジアン	sr	立体角	$m^2 \cdot m^{-2}=1$
ヘルツ	Hz	周波数	s^{-1}
ニュートン	N	力	$m \cdot kg \cdot s^{-2}$
パスカル	Pa	圧力、応力	$m^{-1} \cdot kg \cdot s^{-2}$
ジュール	J	エネルギー、仕事、熱量	$m^2 \cdot kg \cdot s^{-2}$
ワット	W	電力、仕事率、放射束	$m^2 \cdot kg \cdot s^{-3}$
クーロン	C	電荷、電気量	$s \cdot A$
ボルト	V	電位差(電圧)、起電力	$m^2 \cdot kg \cdot s^{-3} \cdot A^{-1}$
ファラド	F	静電容量	$m^{-2} \cdot kg^{-1} \cdot s^4 \cdot A^2$
オーム	Ω	電気抵抗	$m^2 \cdot kg \cdot s^{-3} \cdot A^{-2}$
ジーメンス	S	コンダクタンス	$m^{-2} \cdot kg^{-1} \cdot s^3 \cdot A^2$
ウェーバ	Wb	磁束	$m^2 \cdot kg \cdot s^{-2} \cdot A^{-1}$
テスラ	T	磁束密度	$kg \cdot s^{-2} \cdot A^{-1}$
ヘンリー	H	インダクタンス	$m^2 \cdot kg \cdot s^{-2} \cdot A^{-2}$
セルシウス度	℃	セルシウス温度	K
ルーメン	lm	光束	$cd \cdot sr$
ルクス	lx	照度	$cd \cdot sr \cdot m^{-2}$
ベクレル	Bq	(放射性核種の)放射能	s^{-1}
グレイ	Gy	吸収線量・カーマ	$m^2 \cdot s^{-2}$
シーベルト	Sv	(各種の)線量当量	$m^2 \cdot s^{-2}$
カタール	kat	酵素活性	$s^{-1} \cdot mol$

計量標準総合センターのホームページより抜粋し再構成

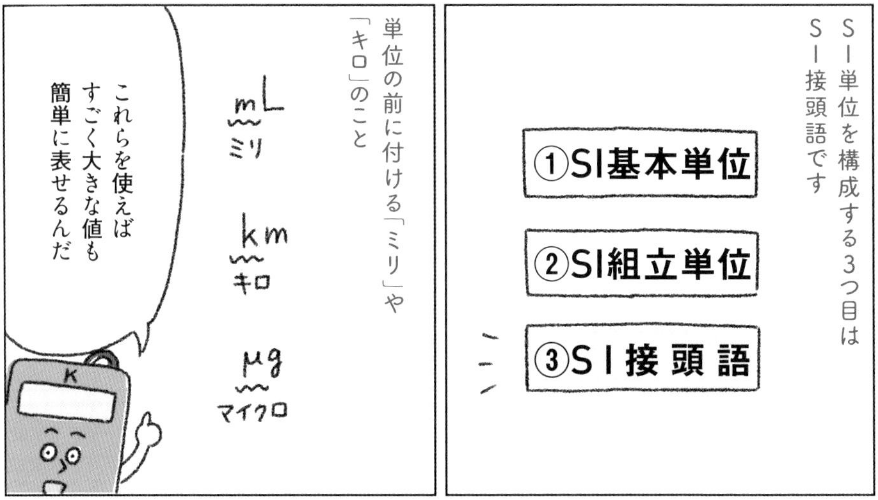
SI単位を構成する3つ目は
SI接頭語です
①SI基本単位
②SI組立単位
③SI接頭語
単位の前に付ける「ミリ」や
「キロ」のこと
mL
ミリ
km
キロ
μg
マイクロ
これらを使えば
すごく大きな値も
簡単に表せるんだ

SI接頭語一覧

接頭語	記号	乗数	
ヨタ	Y	10^{24}	1 000 000 000 000 000 000 000 000
ゼタ	Z	10^{21}	1 000 000 000 000 000 000 000
エクサ	E	10^{18}	1 000 000 000 000 000 000
ペタ	P	10^{15}	1 000 000 000 000 000
テラ	T	10^{12}	1 000 000 000 000
ギガ	G	10^{9}	1 000 000 000
メガ	M	10^{6}	1 000 000
キロ	k	10^{3}	1 000
ヘクト	h	10^{2}	100
デカ	da	10	10
デシ	d	10^{-1}	0.1
センチ	c	10^{-2}	0.01
ミリ	m	10^{-3}	0.001
マイクロ	μ	10^{-6}	0.000 001
ナノ	n	10^{-9}	0.000 000 001
ピコ	p	10^{-12}	0.000 000 000 001
フェムト	f	10^{-15}	0.000 000 000 000 001
アト	a	10^{-18}	0.000 000 000 000 000 001
ゼプト	z	10^{-21}	0.000 000 000 000 000 000 001
ヨクト	y	10^{-24}	0.000 000 000 000 000 000 000 001

普段なかなか
目にしないものも
あるよね～

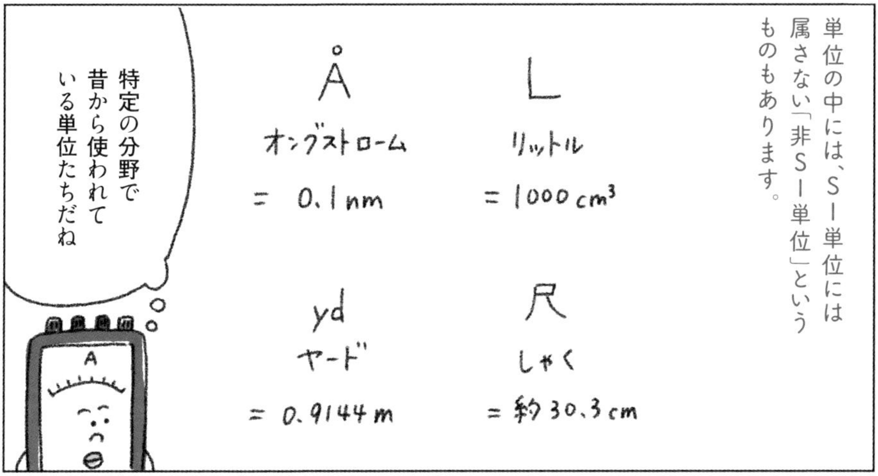

非SI単位 例

SIに属さないが、SIと併用される単位

名称	記号	SI単位による値
分	min	1 min=60 s
時	h	1 h=3600 s
日	d	1 d=86400 s
度	°	1°=(π/180) rad
分	′	1′=(π/10800) rad
秒	″	1″=(π/648000) rad
ヘクタール	ha	1 ha=10^4 m^2
リットル	L,l	1 L=10^3 cm^3=10^{-3} m^3
トン	t	1 t=10^3 kg
天文単位	au	1 au=149597870700 m

SIに属さないが、SIと併用されるその他の単位
（推奨しないが使用する際にはSI単位との対応関係を示すことが望まれる）

名称	記号	SI単位による値
バール	bar	1 bar=10^5 Pa
水銀柱ミリメートル	mmHg	1 mmHg=133.322 Pa
オングストローム	Å	1 Å=0.1 nm=10^{-10} m
海里	M	1 M=1852 m
バーン	b	1 b=10^{-28} m^2
ノット	kn	1 kn=(1852/3600) m/s

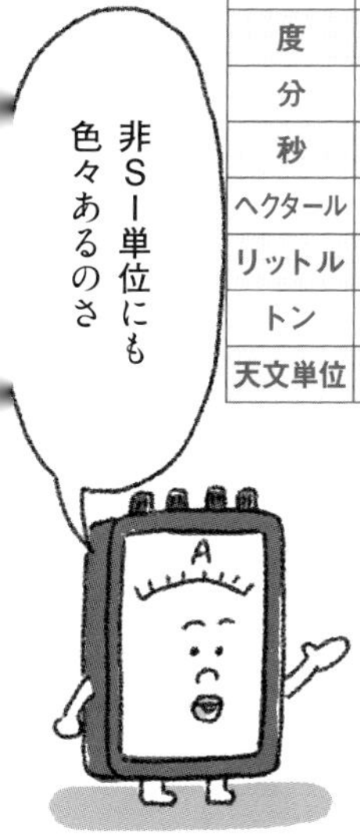

SIに属さないその他の単位の例（推奨しない）

名称	記号	SI単位による値
標準大気圧	atm	1 atm=101325 Pa
カロリー	cal	1 cal=4.1858 J(「15°C」カロリー)
ミクロン	μ	1 μ=1 μm=10^{-6} m
尺	尺	1尺=(10/33) m
ヤード	yd	1 yd=0.9144 m

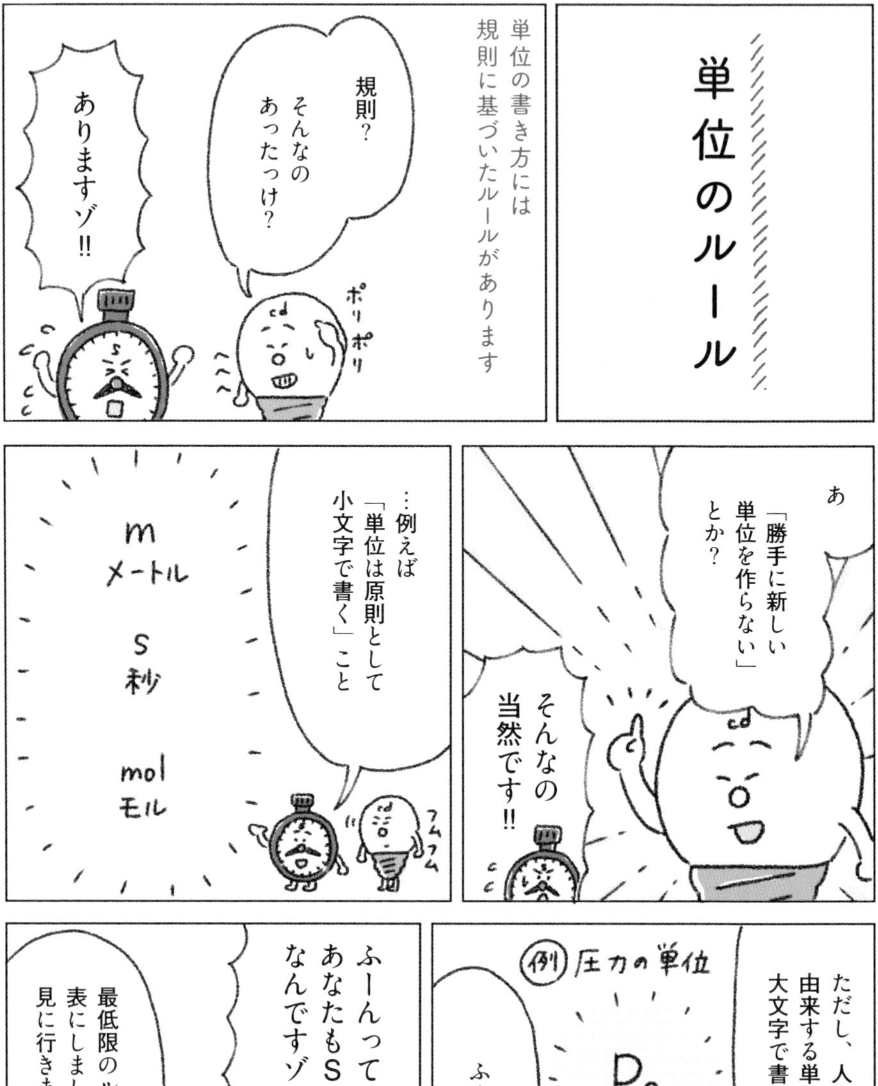

単位のルール
単位の書き方には規則に基づいたルールがあります
規則？そんなのあったっけ？
ポリポリ
ありますゾ!!
あ
「勝手に新しい単位を作らない」とか？
そんなの当然です!!
…例えば「単位は原則として小文字で書く」こと
m
メートル
s
秒
mol
モル
フムフム
ただし、人名に由来する単位は大文字で書いて下さい
例 圧力の単位
Pa
パスカル
わたしの名前～
ふ～ん
フランスの物理学者パスカルさん
ふーんって…あなたもSI7なんですゾ!!
最低限のルールを表にしましたので見に行きましょう
わかったよ…

けっこうルール
あるんだな〜

単位を書くときのルール（一部）

少なくとも
これらは覚えて
下さいね

☆単位記号は立体（ローマン体）で書く。原則として小文字で表記するが、人名に由来する単位は大文字で表記する

○

m　s　Pa　Ω
メートル　秒　パスカル　オーム

×

メートルを表したいのに…
大文字のM　イタリック体の*m*

☆接頭語と単位記号の間に空白をあけない

○

km　μg

×

スペース↓ k m　スペース↓ μ g

☆接頭語を合成してはいけない

○

nm　ps
ナノメートル　ピコ秒

×

mμm　mns
ミリマイクロメートル　ミリナノ秒

☆単位記号の積は空白か中点で表し、商は水平の線、斜線、もしくは負の指数で表す。1つの表現の中で斜線を複数回用いてはならない

○

スペース↓ N m　N・m　m/s　$\frac{m}{s}$　$m \cdot s^{-1}$

×

m/s/s

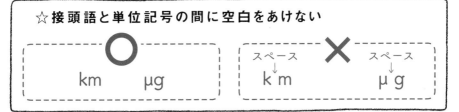

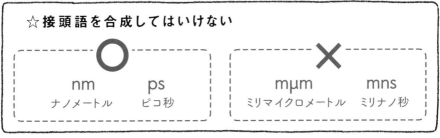

わかりました？
うーん…

第 2 章

長さ

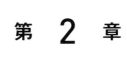

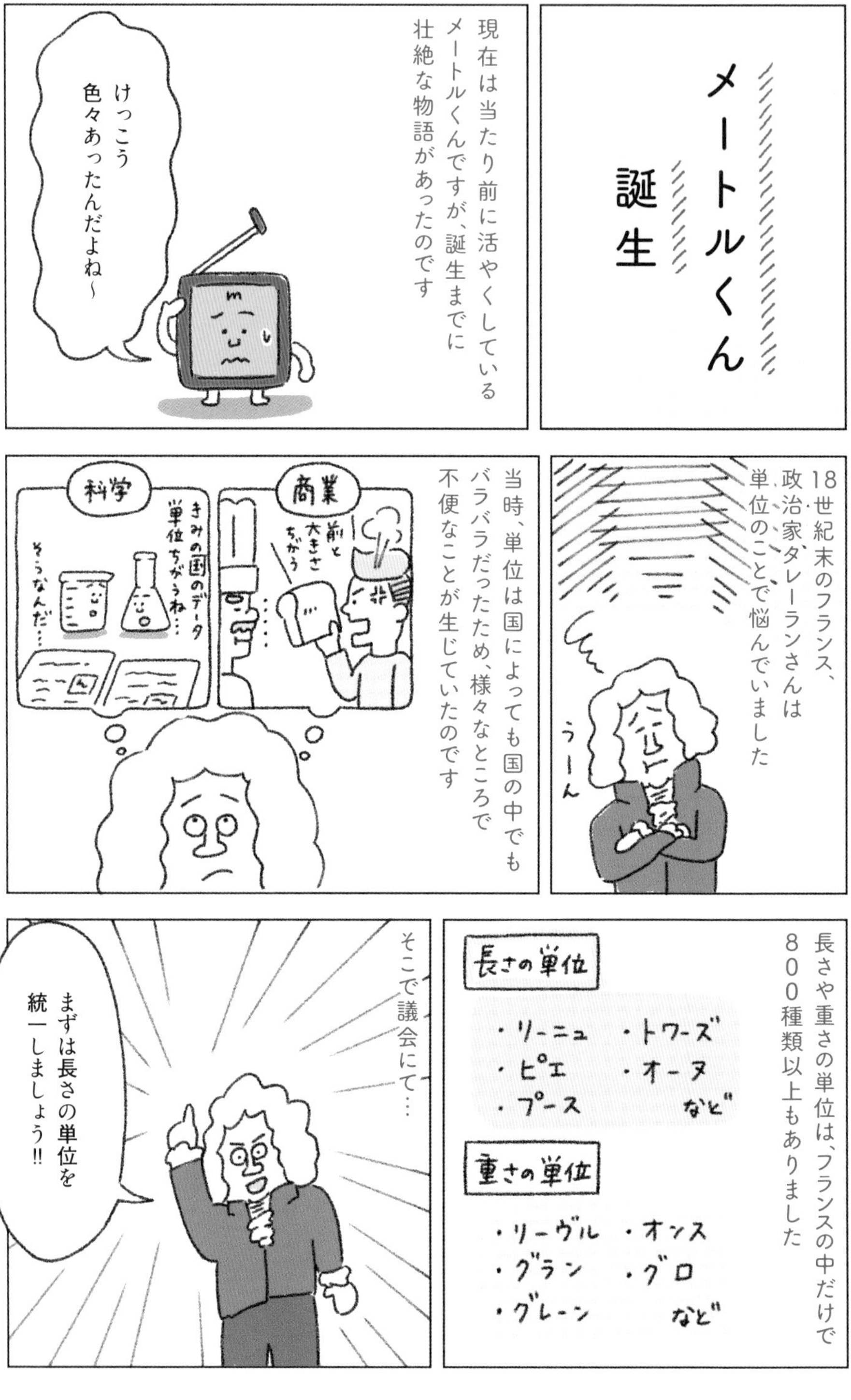

メートルくん誕生
現在は当たり前に活やくしているメートルくんですが、誕生までに壮絶な物語があったのです
けっこう色々あったんだよね～
18世紀末のフランス、政治家タレーランさんは単位のことで悩んでいました
うーん
当時、単位は国によっても国の中でもバラバラだったため、様々なところで不便なことが生じていたのです
商業
前と大きさちがう
……
科学
きみの国のデータ単位ちがうね…
そうなんだ…
長さや重さの単位は、フランスの中だけで800種類以上もありました
長さの単位
・リーニュ ・トワーズ ・ピエ ・オーヌ ・プース など
重さの単位
・リーヴル ・オンス ・グラン ・グロ ・グレーン など
そこで議会にて…
まずは長さの単位を統一しましょう!!

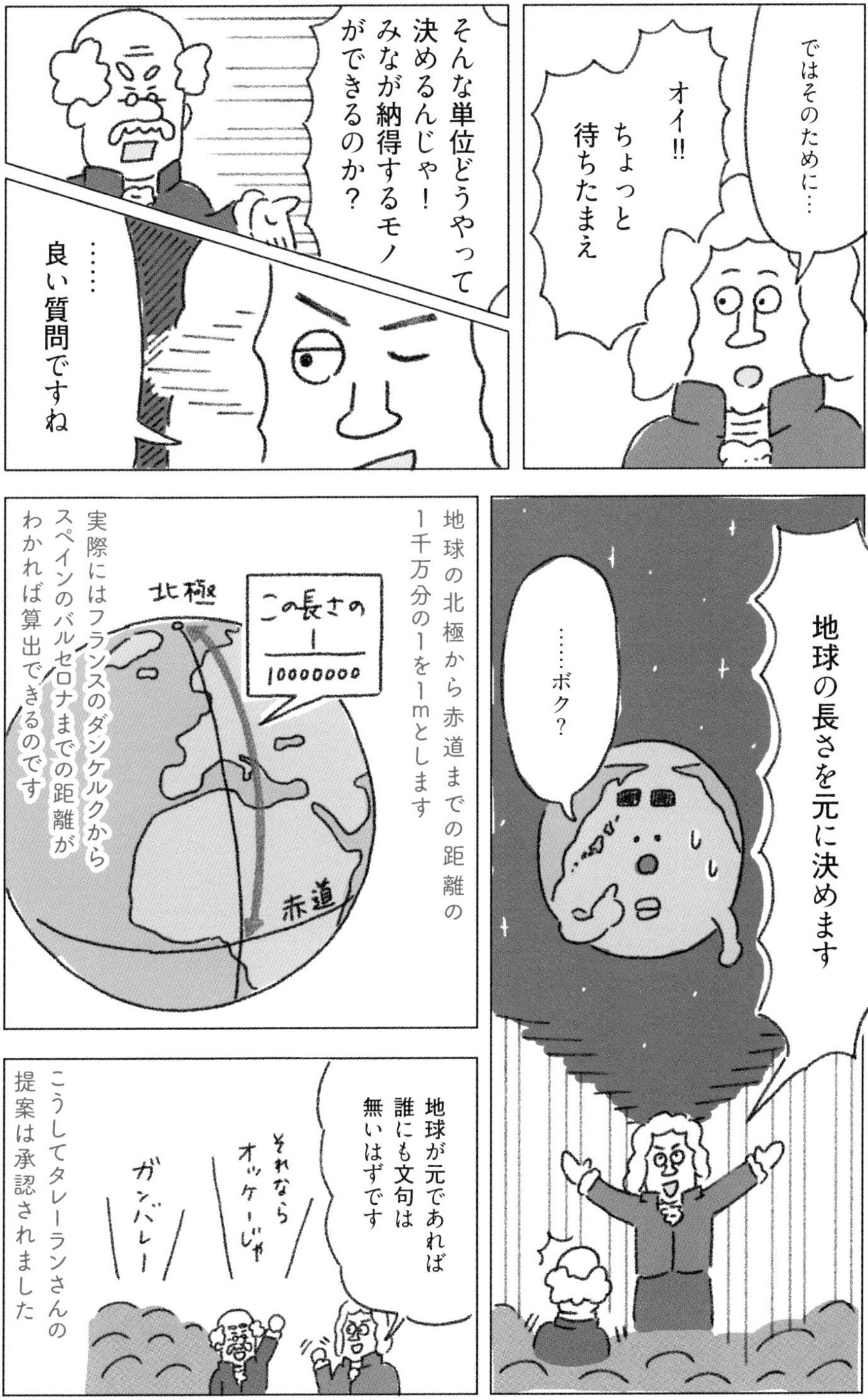
ではそのために…
オイ!! ちょっと待ちたまえ
そんな単位どうやって決めるんじゃ！みなが納得するモノができるのか？
……良い質問ですね
地球の長さを元に決めます
……ボク？
地球の北極から赤道までの距離の1千万分の1を1mとします
この長さの 1/10000000
北極
赤道
実際にはフランスのダンケルクからスペインのバルセロナまでの距離がわかれば算出できるのです
地球が元であれば誰にも文句は無いはずです
それならオッケーじゃ
ガンバレー
こうしてタレーランさんの提案は承認されました

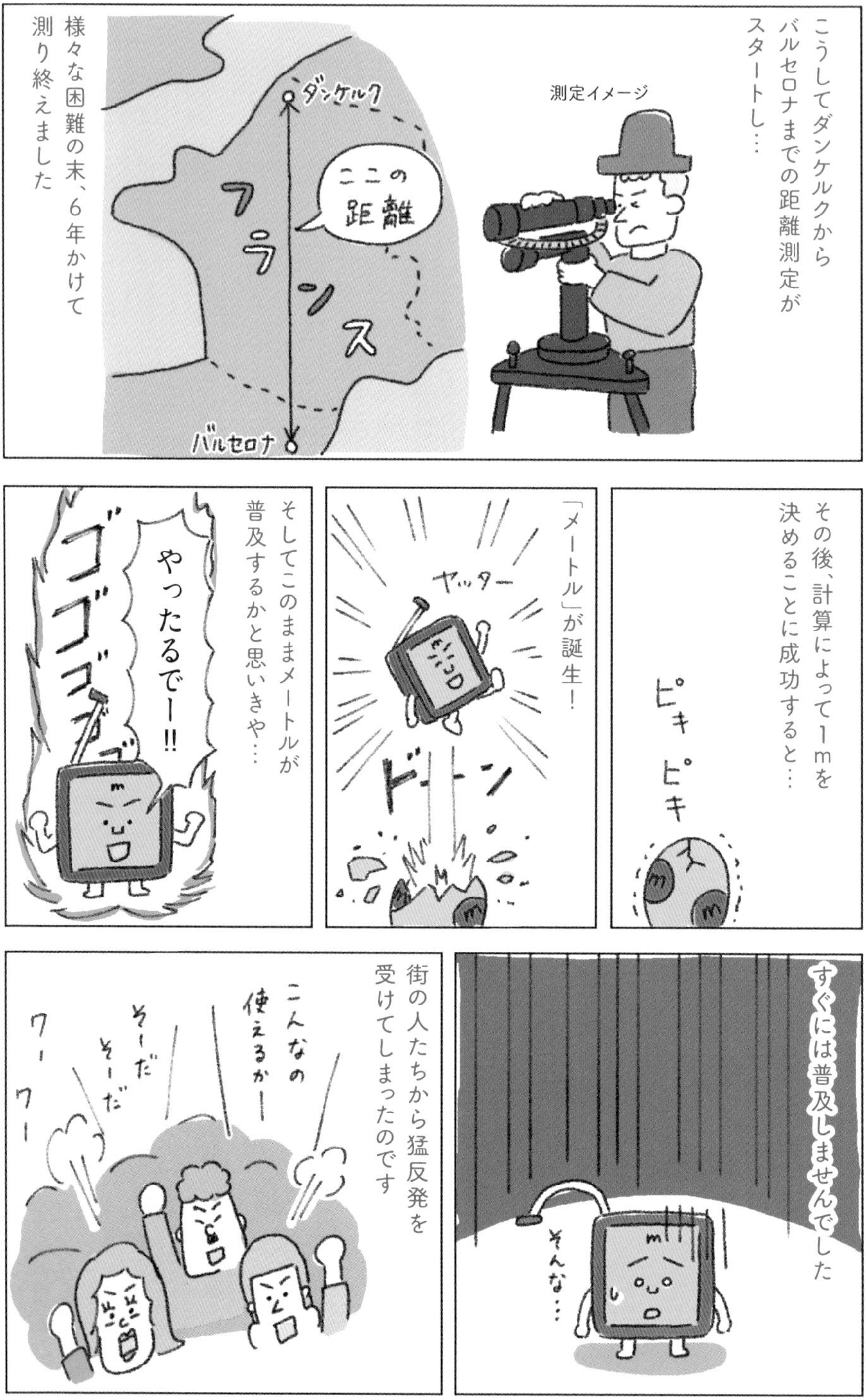

こうしてダンケルクから
バルセロナまでの距離測定が
スタートし…
測定イメージ
ダンケルク
ここの距離
フランス
バルセロナ
様々な困難の末、6年かけて
測り終えました
その後、計算によって1mを
決めることに成功すると…
ピキ
ピキ
「メートル」が誕生!
ヤッター
ドーン
そしてこのままメートルが
普及するかと思いきや…
やったるでー!!
ゴゴゴゴ
すぐには普及しませんでした
そんな…
街の人たちから猛反発を
受けてしまったのです
こんなの使えるかー
そーだ
そーだ
ワー
ワー

メートル誕生まで簡単イメージ図

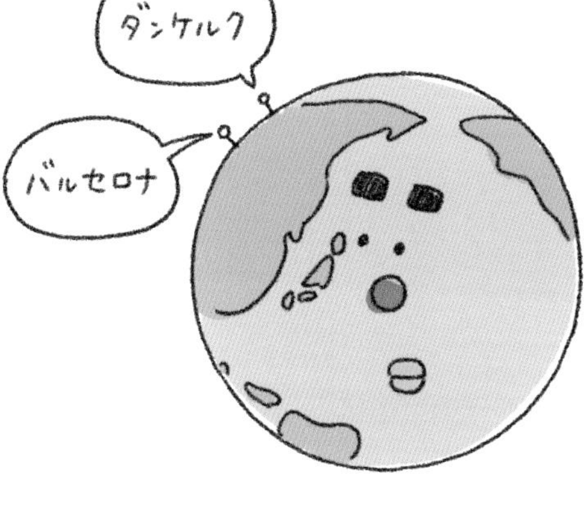
ダンケルク
バルセロナ

①ダンケルクからバルセロナまでの距離を正確に測る

三角測量っていう
方法で測ったんだよ

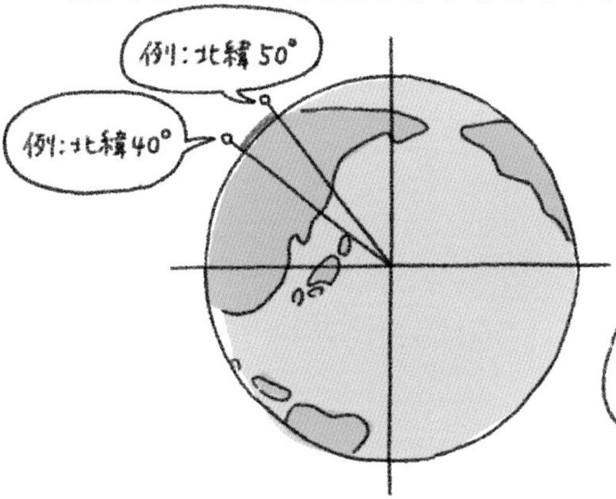
例：北緯50°
例：北緯40°

②それぞれの地点での緯度を求めて差を計算する

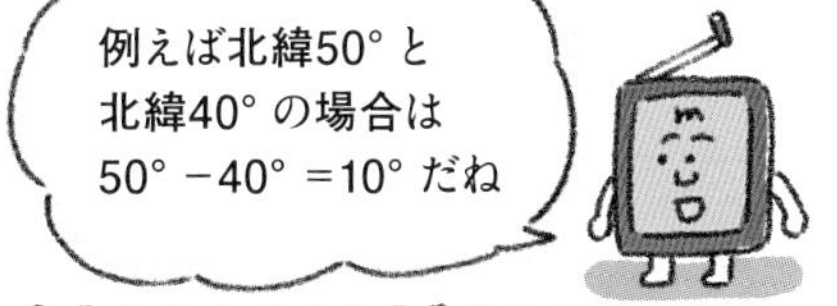
例えば北緯50°と
北緯40°の場合は
50°−40°＝10°だね

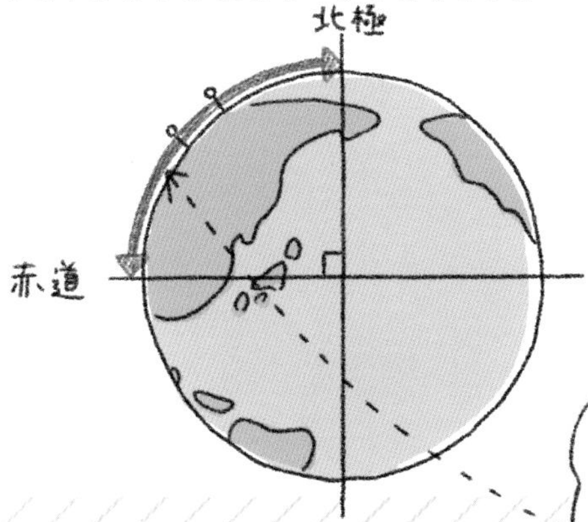
北極
赤道

③計算した角度から90°に換算し北極から赤道までの距離を求め、それを1/10000000して、メートルを決定

10°の場合は実際に
測った距離を9倍
すれば、ここの距離が
わかるってこと〜

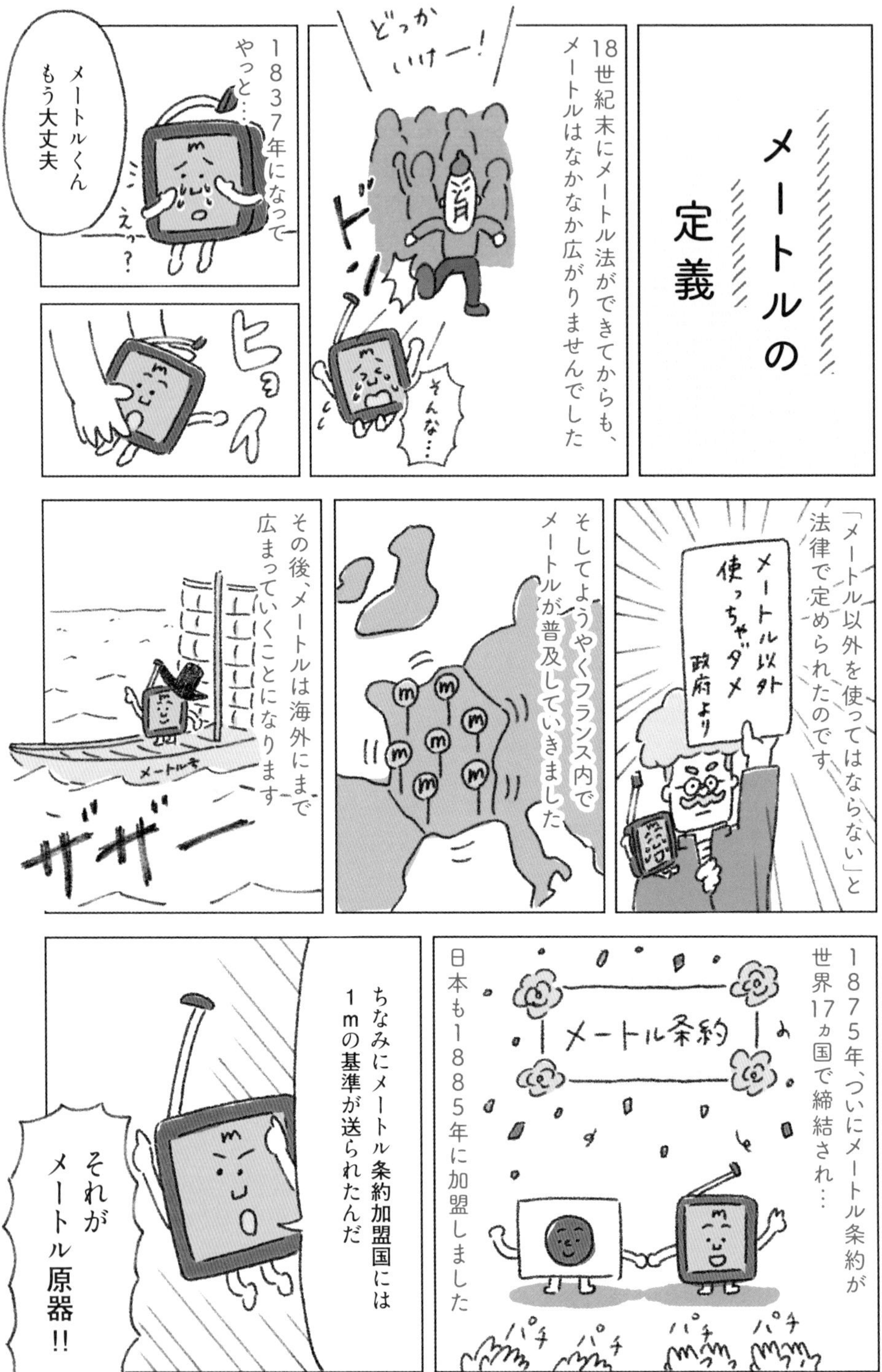

メートルの定義
18世紀末にメートル法ができてからも、メートルはなかなか広がりませんでした
どっかいけー!
ドンッ
そんな…
1837年になってやっと…
メートルくん もう大丈夫
えっ?
ヒョイ
「メートル以外を使ってはならない」と法律で定められたのです
メートル以外使っちゃダメ 政府より
そしてようやくフランス内でメートルが普及していきました
その後、メートルは海外にまで広まっていくことになります
メートル号
ザザー
1875年、ついにメートル条約が世界17ヵ国で締結され…
メートル条約
日本も1885年に加盟しました
パチ
パチ
パチ
パチ
ちなみにメートル条約加盟国には1mの基準が送られたんだ
それがメートル原器!!

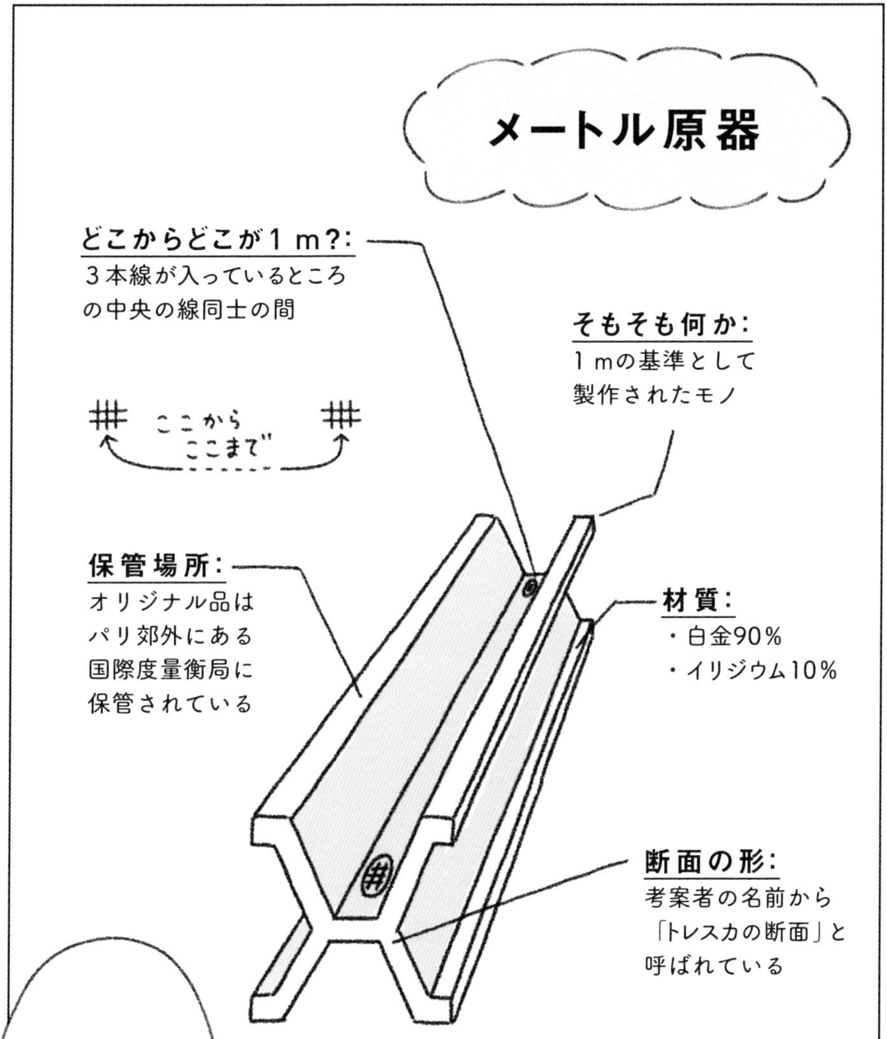
メートル原器
どこからどこが１ｍ?:
３本線が入っているところの中央の線同士の間
ここから
ここまで
そもそも何か:
１ｍの基準として製作されたモノ
保管場所:
オリジナル品はパリ郊外にある国際度量衡局に保管されている
材質:
・白金90％
・イリジウム10％
断面の形:
考案者の名前から「トレスカの断面」と呼ばれている
曲げに強く形が変わりにくい形なのさ
トレスカさん
日本に送られたものは産業技術総合研究所が保管しているよ～

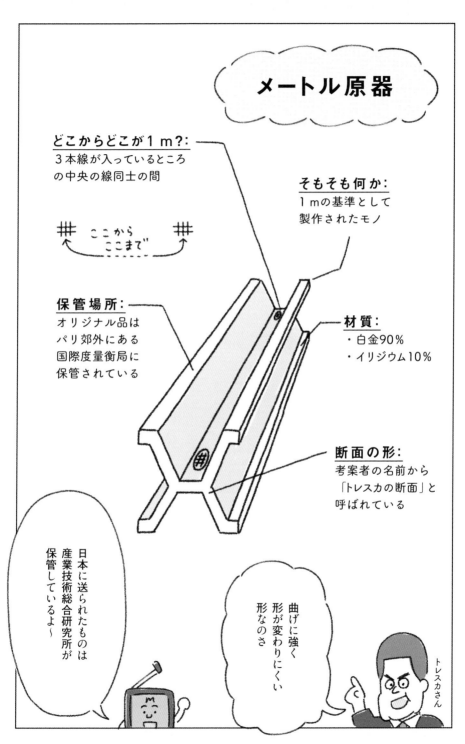

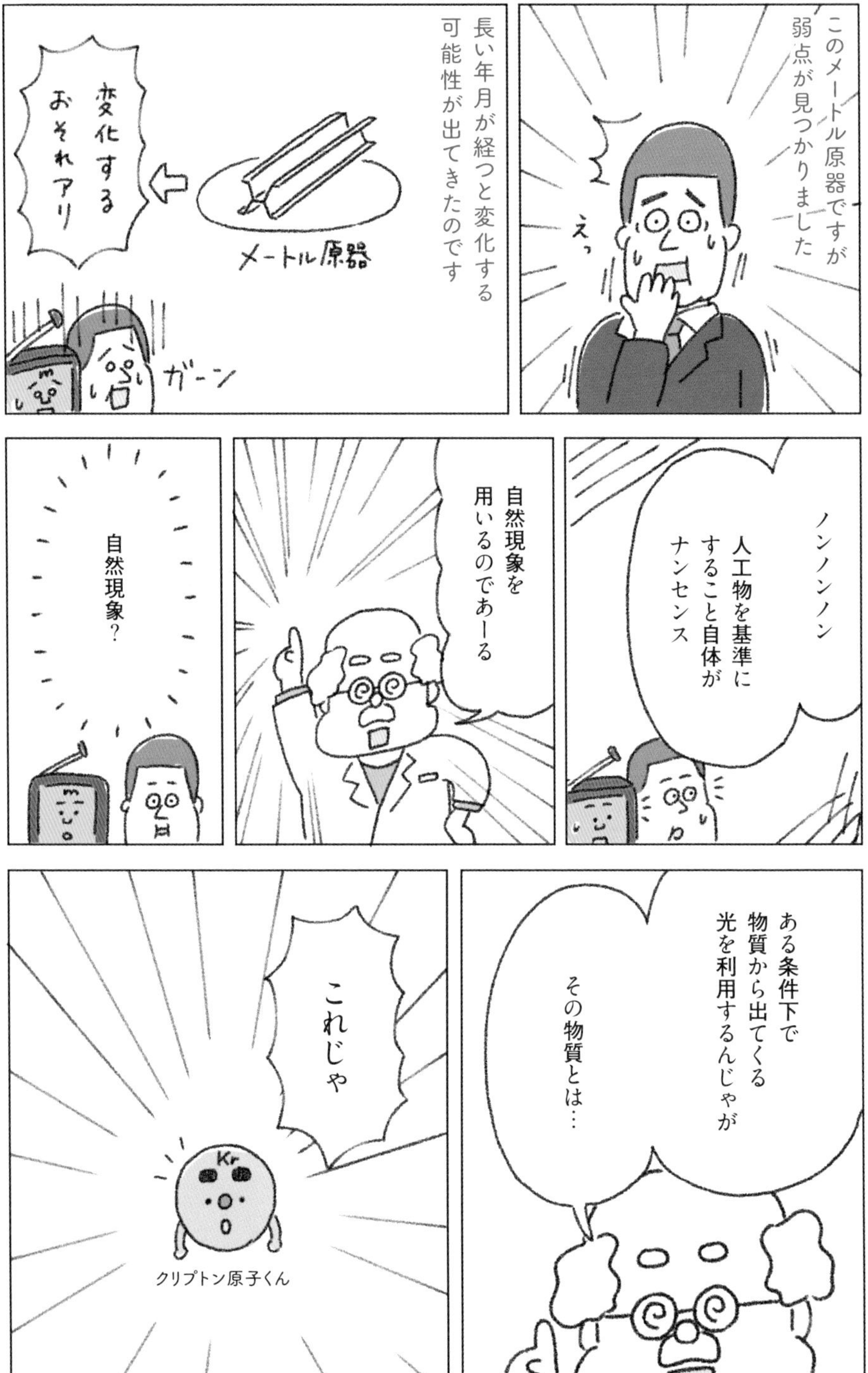
このメートル原器ですが
弱点が見つかりました
えっ
長い年月が経つと変化する
可能性が出てきたのです
メートル原器
変化する
おそれアリ
ガーン
ノンノンノン
人工物を基準に
すること自体が
ナンセンス
自然現象を
用いるのであーる
自然現象？
ある条件下で
物質から出てくる
光を利用するんじゃが
その物質とは…
これじゃ
Kr
クリプトン原子くん

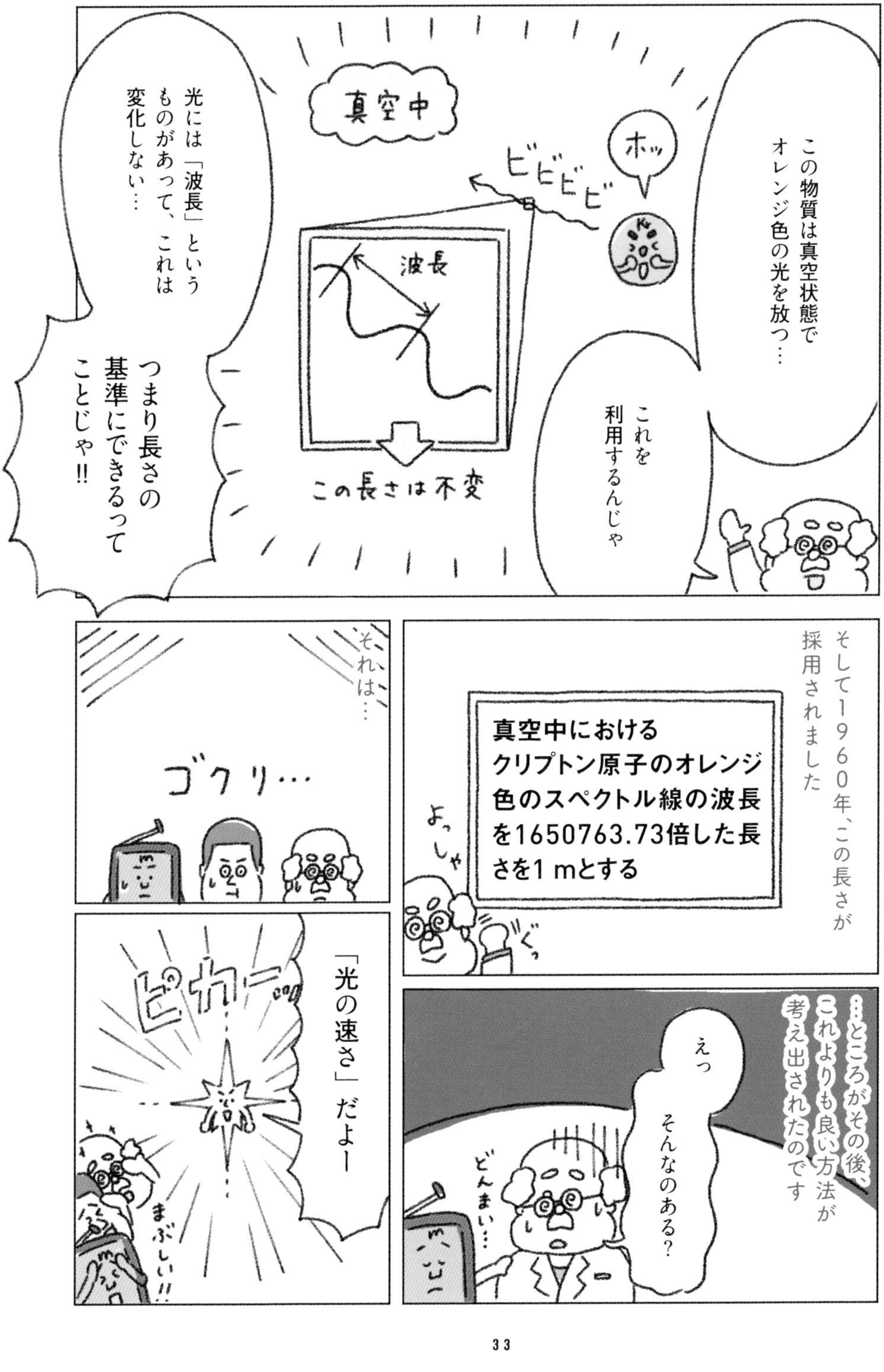

この物質は真空状態でオレンジ色の光を放つ…
ホッ
ビビビビ
真空中
波長
この長さは不変
これを利用するんじゃ
光には「波長」というものがあって、これは変化しない…
つまり長さの基準にできるってことじゃ!!
そして1960年、この長さが採用されました
真空中におけるクリプトン原子のオレンジ色のスペクトル線の波長を1650763.73倍した長さを1mとする
よっしゃ
ぐっ
…ところがその後、これよりも良い方法が考え出されたのです
えっ
そんなのある?
どんまい…
それは…
ゴクリ…
「光の速さ」だよー
ピカー
まぶしい!!

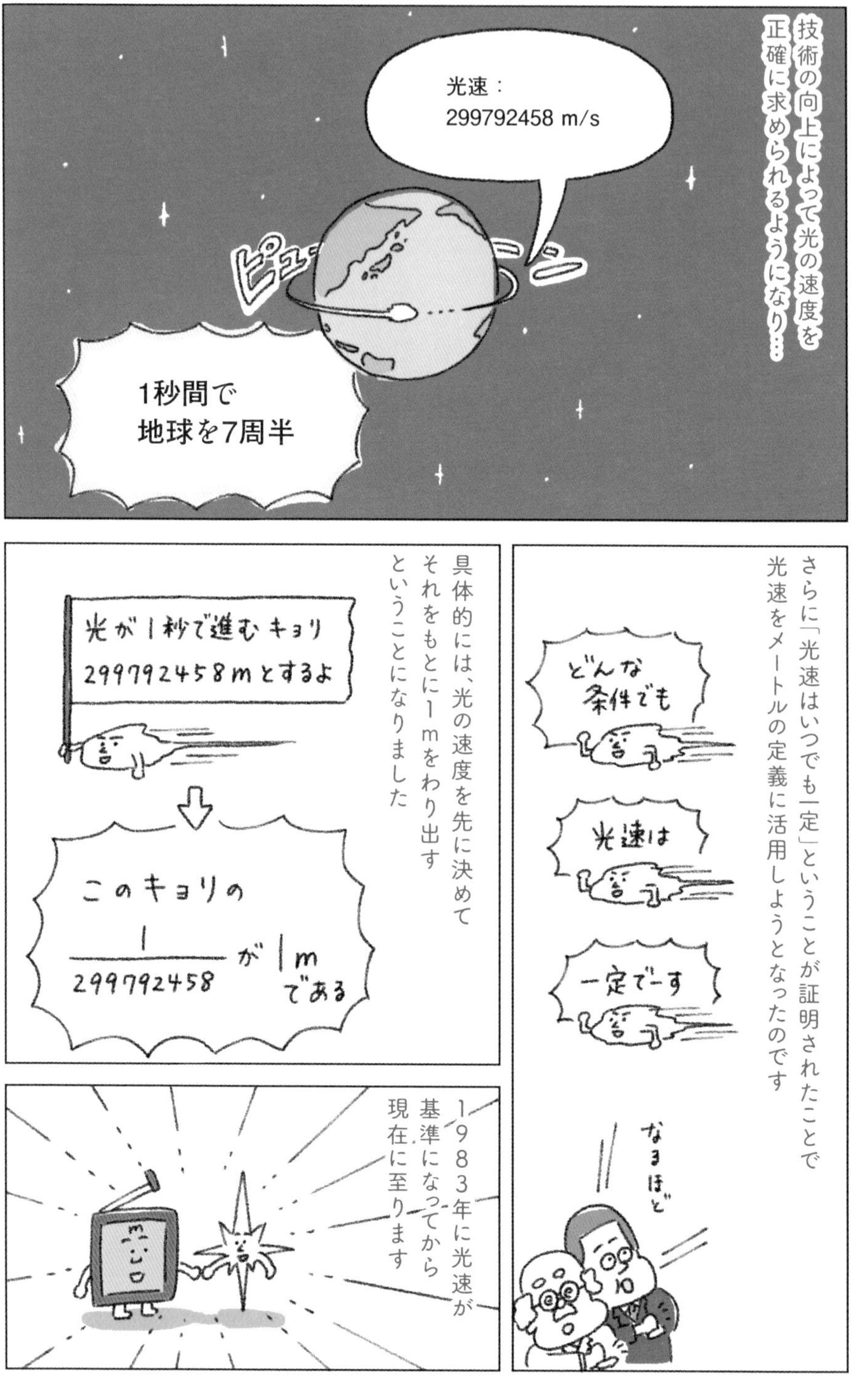

技術の向上によって光の速度を正確に求められるようになり…
光速：299792458 m/s
ピュー
1秒間で地球を7周半
さらに「光速はいつでも一定」ということが証明されたことで光速をメートルの定義に活用しようとなったのです
どんな条件でも
光速は
一定でーす
なるほど
具体的には、光の速度を先に決めてそれをもとに1mをわり出すということになりました
光が1秒で進むキョリ 299792458mとするよ
このキョリの 1/299792458 が1mである
1983年に光速が基準になってから現在に至ります

メートルの定義の移り変わり

北極
赤道

18世紀末
地球の子午線の
北極〜赤道までの
長さの1/10000000

ボクが
誕生〜

地球は絶対不変でなく
時間とともに変化すること
が判明したので…

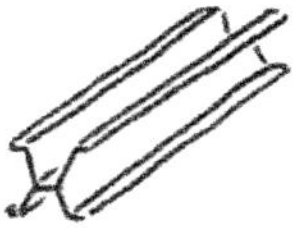

1889年
国際メートル原器
の長さ

自然物体から
人工物に
変えたんだ

結局、これも
時間がたつと
変化するので…

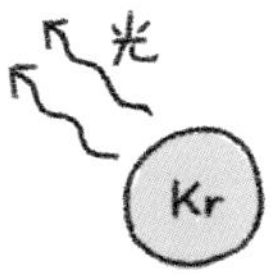
光
Kr

1960年
クリプトン原子
の光の波長の
1650763.73倍

このときに
自然現象に
なったんだね

光速を精密に
測定できるようになり…

光

1983年
光が真空中で1/299792458秒の間に
進む距離

現在の
定義だね〜

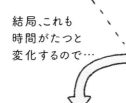

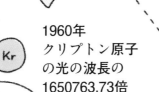

メートルくん

単位記号　**m**

定義

光が真空中で
1／299792458秒の間に進む距離

長さの例

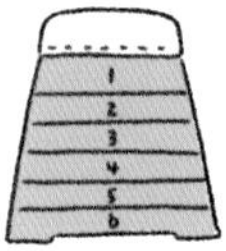

6段のとび箱の高さ
約0.8 m

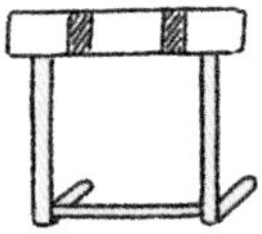

成人男子競技用
ハードルの高さ
約1.1 m

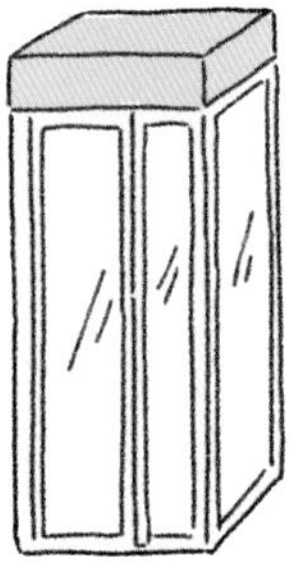

電話ボックスの
高さ
2.26 m

プチ情報

古代ギリシャ語の
メトロン（はかること）が
名前の由来

特技

色んなモノの長さを
はかること

性格

少しおっちょこちょい
だががんばりやさん

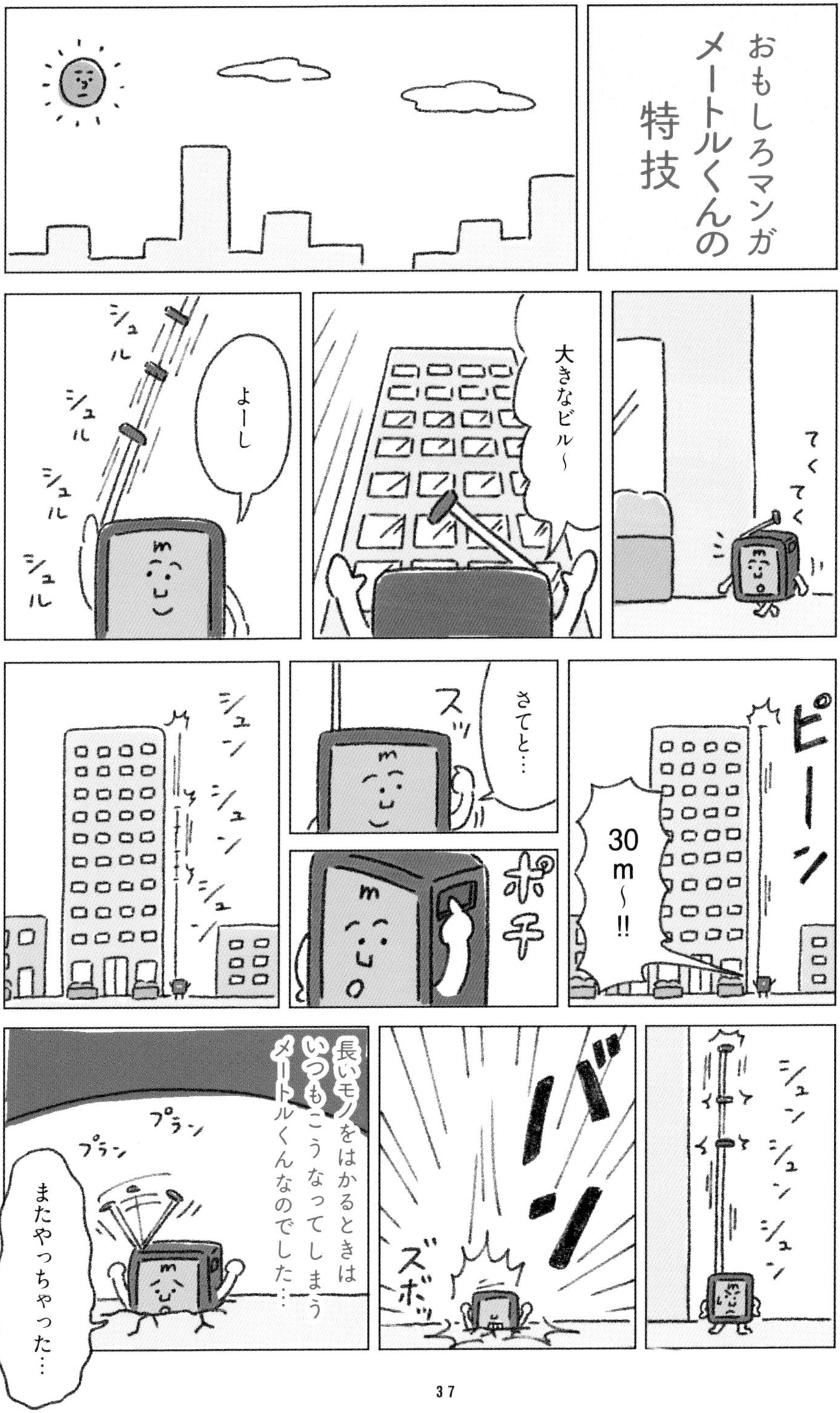
おもしろマンガ
メートルくんの特技
てくてく
大きなビル～
よーし
シュル
シュル
シュル
シュル
ピーン
30m～!!
さてと…
スッ
ポチ
シュン
シュン
シュン
シュン
シュン
シュン
バン
ズボッ
長いモノをはかるときはいつもこうなってしまうメートルくんなのでした…
プラン
プラン
またやっちゃった…

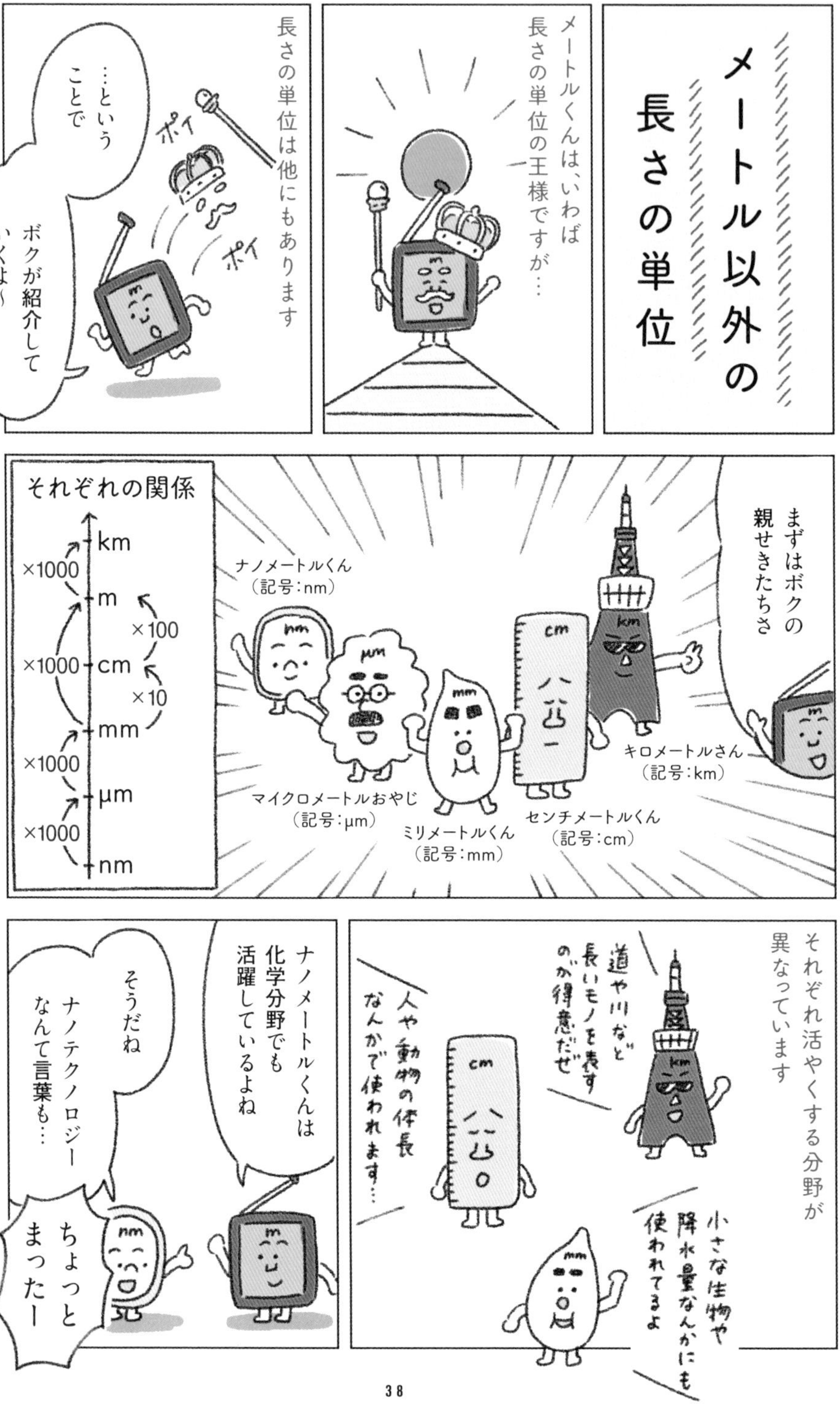

メートル以外の長さの単位
メートルくんは、いわば長さの単位の王様ですが…
長さの単位は他にもあります
ポイ
ポイ
…ということで
ボクが紹介していくよ～
まずはボクの親せきたちさ
キロメートルさん（記号：km）
センチメートルくん（記号：cm）
ミリメートルくん（記号：mm）
マイクロメートルおやじ（記号：μm）
ナノメートルくん（記号：nm）
それぞれの関係
km
×1000
m
×100
×1000
cm
×10
mm
×1000
μm
×1000
nm
それぞれ活やくする分野が異なっています
道や川など長いモノを表すのが得意だぜ
人や動物の体長なんかで使われます…
小さな生物や降水量なんかにも使われてるよ
ナノメートルくんは化学分野でも活躍しているよね
そうだね
ナノテクノロジーなんて言葉も…
ちょっとまったー

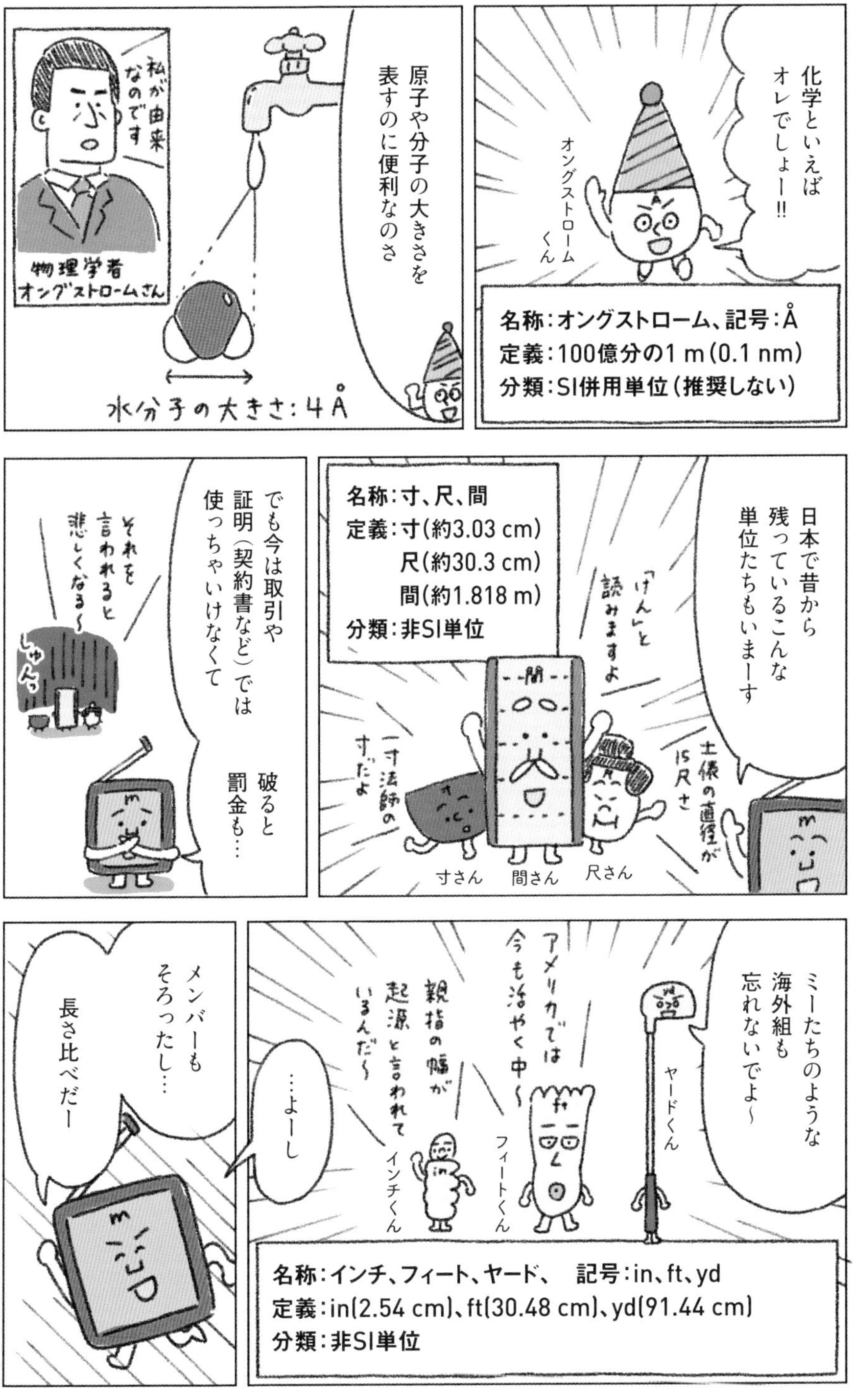
化学といえばオレでしょー!!
オングストロームくん
名称：オングストローム、記号：Å
定義：100億分の1 m（0.1 nm）
分類：SI併用単位（推奨しない）
原子や分子の大きさを表すのに便利なのさ
私が由来なのです
物理学者 オングストロームさん
水分子の大きさ：4Å
日本で昔から残っているこんな単位たちもいまーす
名称：寸、尺、間
定義：寸（約3.03 cm）
尺（約30.3 cm）
間（約1.818 m）
分類：非SI単位
「けん」と読みますよ
土俵の直径が15尺さ
一寸法師のすだよ
寸さん
間さん
尺さん
でも今は取引や証明（契約書など）では使っちゃいけなくて
破ると罰金も…
それを言われると悲しくなる〜
しゅん
ミーたちのような海外組も忘れないでよ〜
ヤードくん
アメリカでは今も活やく中〜
親指の幅が起源と言われているんだ〜
フィートくん
インチくん
名称：インチ、フィート、ヤード、 記号：in、ft、yd
定義：in（2.54 cm）、ft（30.48 cm）、yd（91.44 cm）
分類：非SI単位
メンバーもそろったし…
長さ比べだー
…よーし

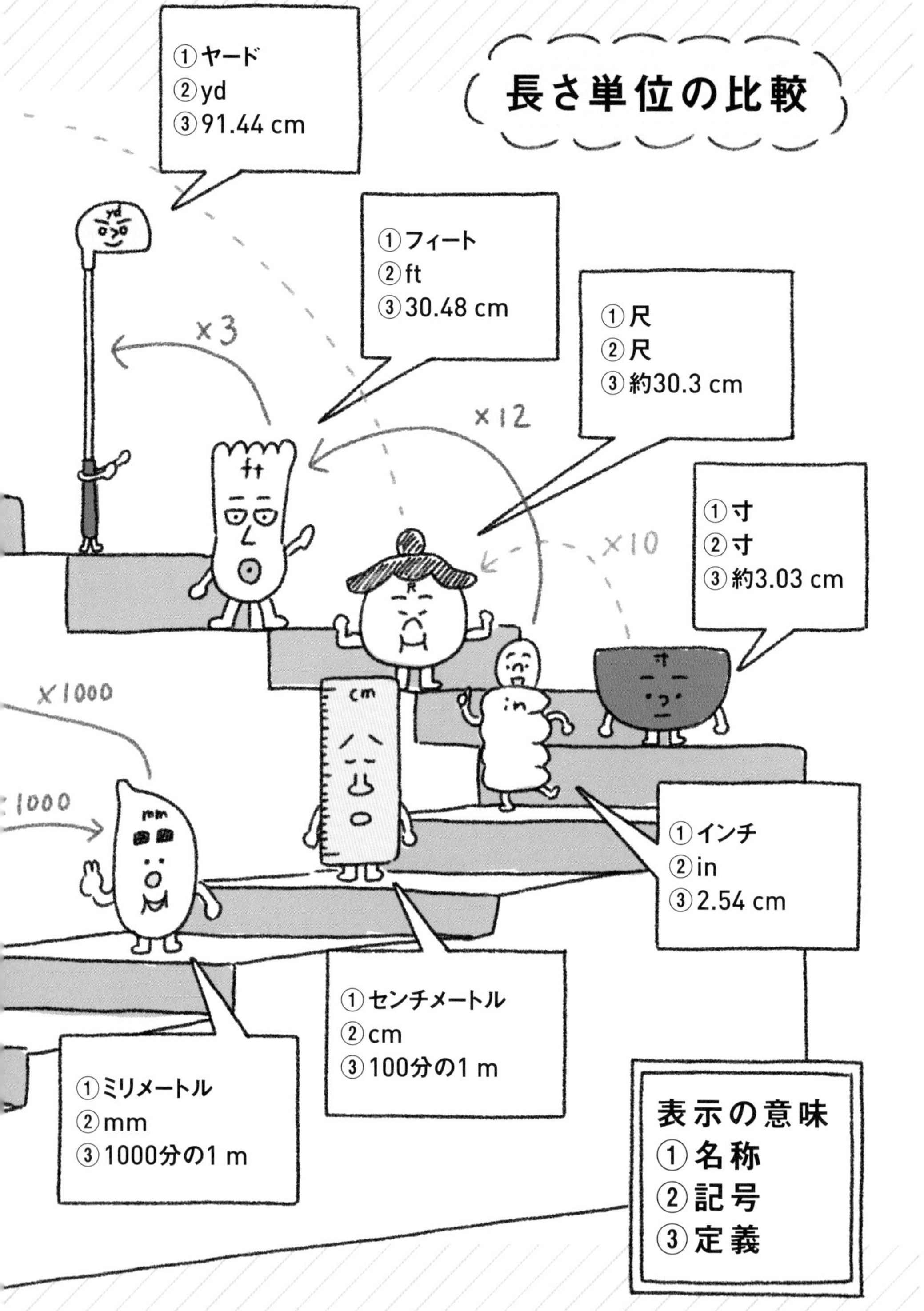
長さ単位の比較
①ヤード
②yd
③91.44 cm
①フィート
②ft
③30.48 cm
①尺
②尺
③約30.3 cm
①寸
②寸
③約3.03 cm
×3
×12
×10
①インチ
②in
③2.54 cm
×1000
×1000
①ミリメートル
②mm
③1000分の1 m
①センチメートル
②cm
③100分の1 m
表示の意味
①名称
②記号
③定義

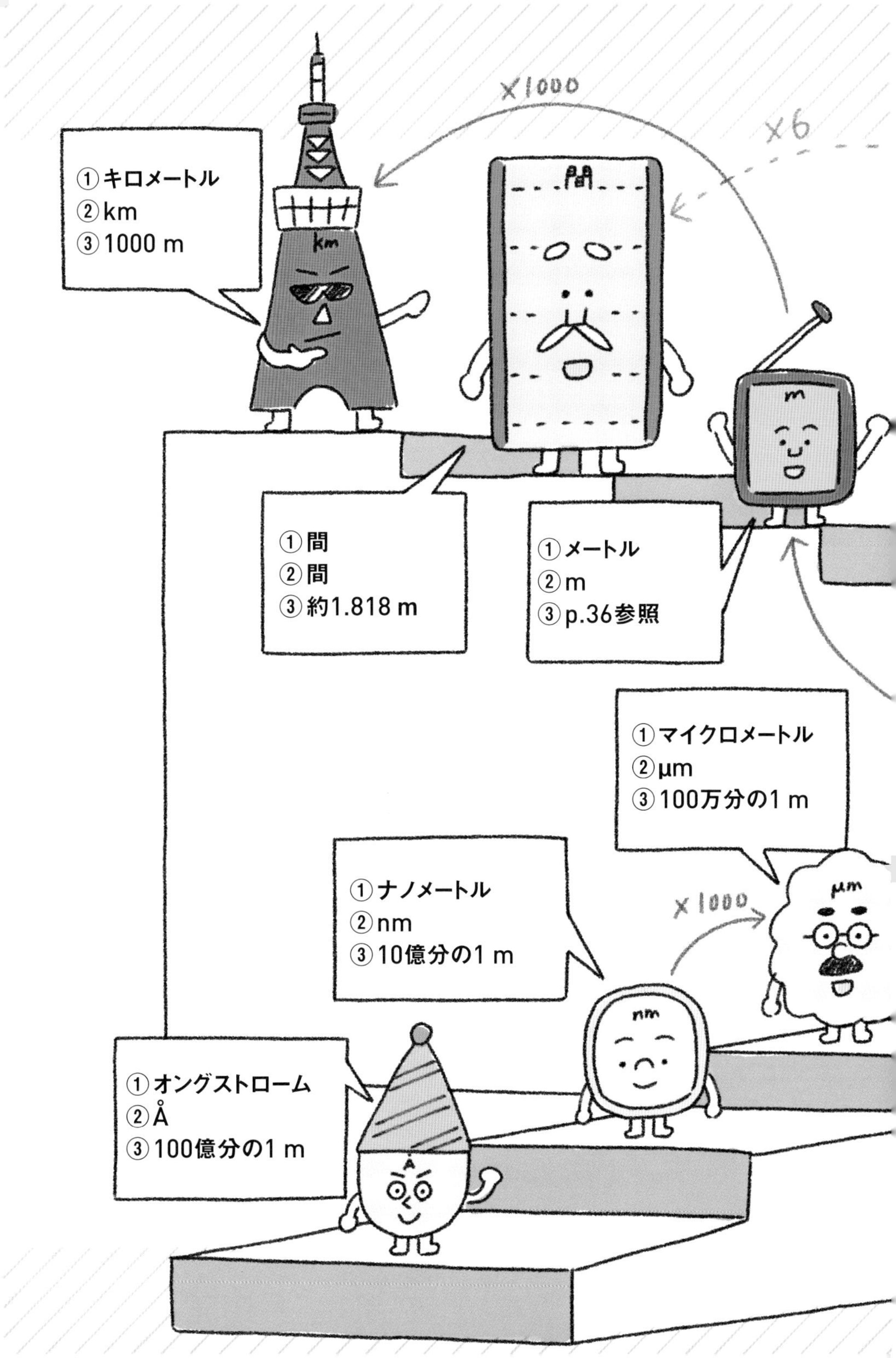
①キロメートル
②km
③1000 m
km
×1000
×6
①間
②間
③約1.818 m
①メートル
②m
③p.36参照
m
①マイクロメートル
②µm
③100万分の1 m
µm
×1000
①ナノメートル
②nm
③10億分の1 m
nm
①オングストローム
②Å
③100億分の1 m
Å

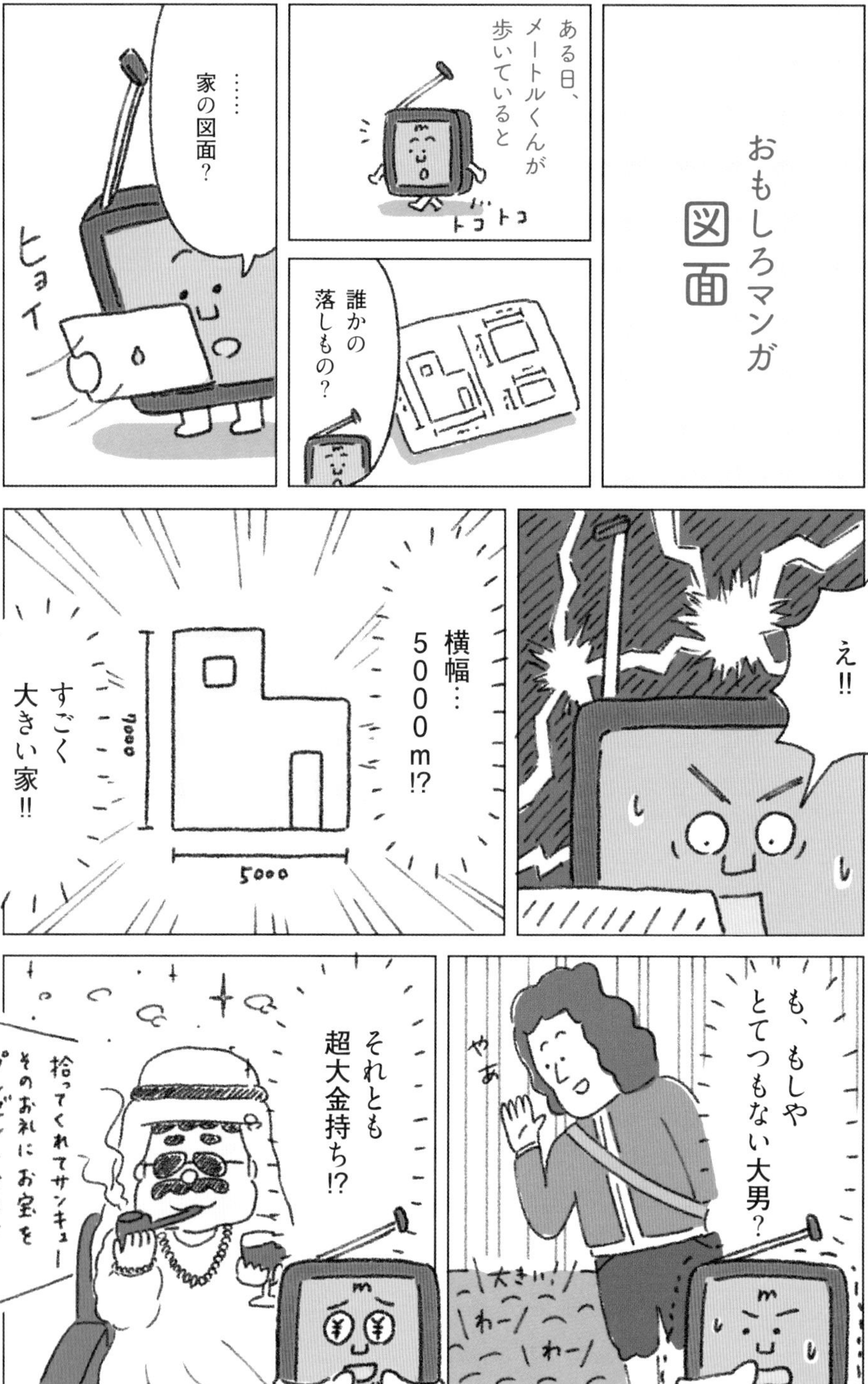

おもしろマンガ
図面
ある日、メートルくんが歩いていると
トコトコ
誰かの落しもの？
……家の図面？
ヒョイ
え!!
横幅…5000m!?
すごく大きい家!!
7000
5000
も、もしやとてつもない大男？
やあ
大きい!
わー
わー
それとも超大金持ち!?
拾ってくれてサンキュー そのお礼にお宝をプレゼントするよ…

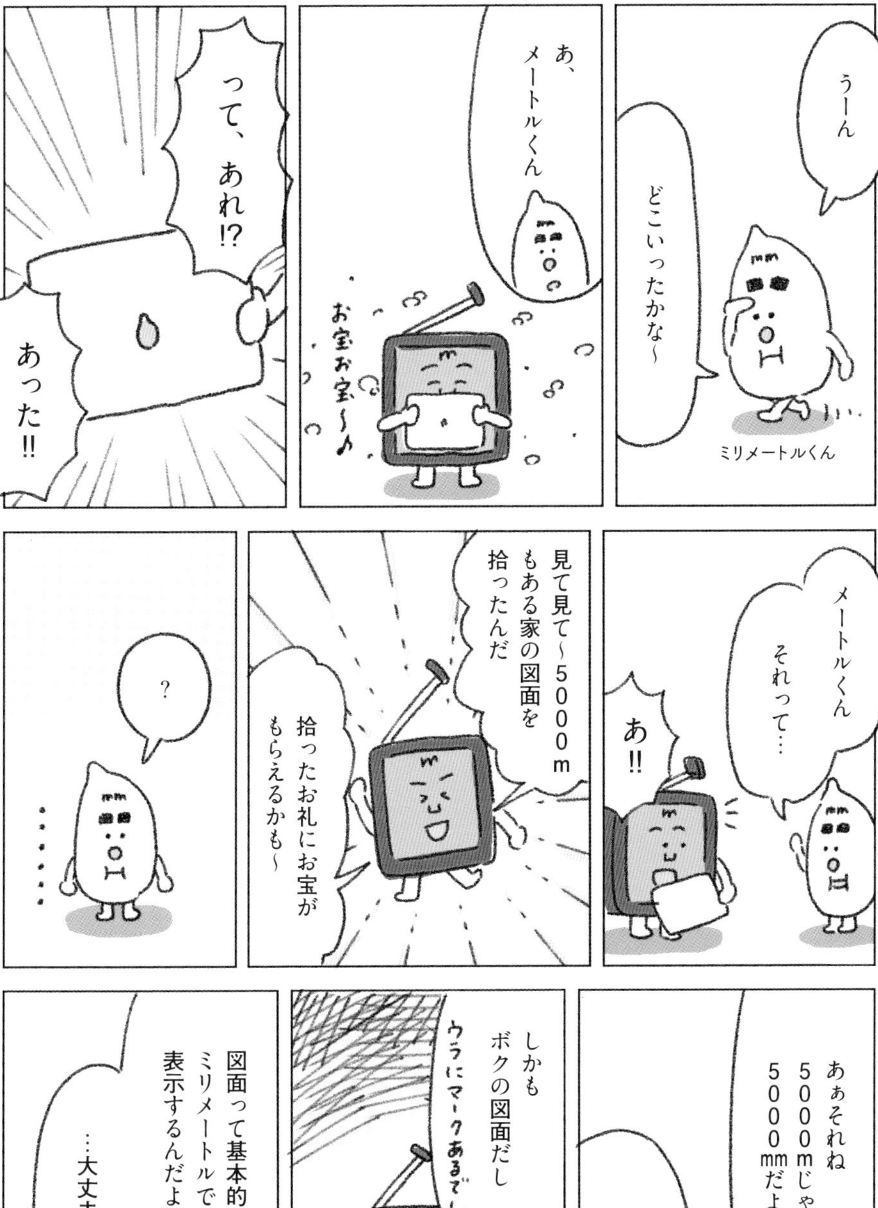
うーん
どこいったかな〜
ミリメートルくん
あ、メートルくん
お宝お宝〜♪
って、あれ!?
あった!!
メートルくん それって…
あ!!
見て見て〜5000mもある家の図面を拾ったんだ
拾ったお礼にお宝がもらえるかも〜
?
……
あぁそれね 5000mじゃなくて、5000㎜だよ
えっ
しかもボクの図面だし
ウラにマークあるでしょ?
図面って基本的にミリメートルで表示するんだよ
…大丈夫?
そんな〜

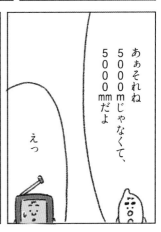

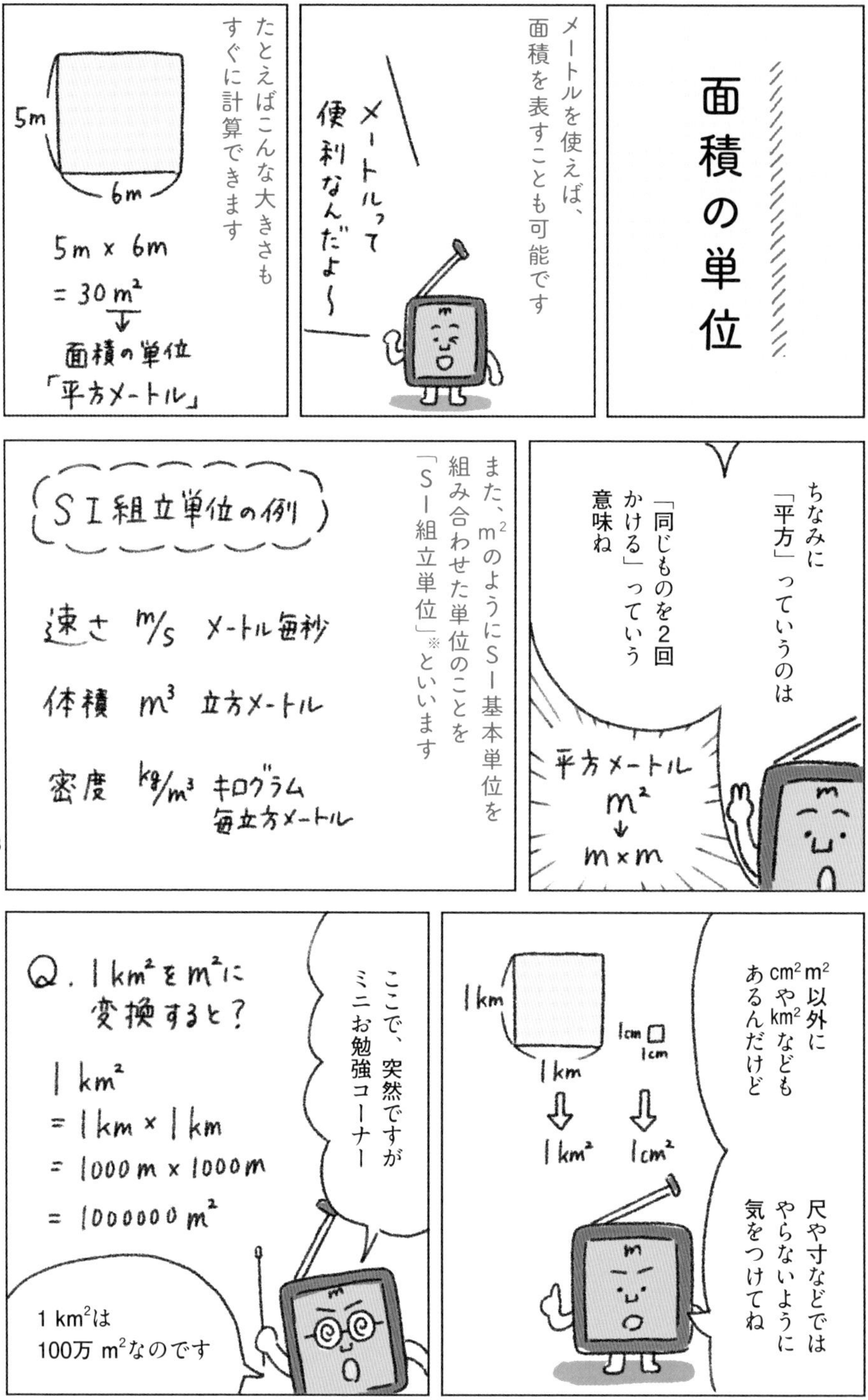
面積の単位
メートルを使えば、面積を表すことも可能です
メートルって便利なんだよ〜
たとえばこんな大きさもすぐに計算できます
5m
6m
5m × 6m
= 30m^2
面積の単位「平方メートル」
ちなみに「平方」っていうのは
「同じものを2回かける」っていう意味ね
平方メートル
m^2
m × m
また、m^2のようにSI基本単位を組み合わせた単位のことを「SI組立単位」※といいます
SI組立単位の例
速さ m/s メートル毎秒
体積 m^3 立方メートル
密度 kg/m^3 キログラム毎立方メートル
m^2以外にcm^2やkm^2などもあるんだけど
1km
1km
1km^2
1cm
1cm
1cm^2
尺や寸などではやらないように気をつけてね
ここで、突然ですがミニお勉強コーナー
Q. 1km^2をm^2に変換すると？
1 km^2
= 1km × 1km
= 1000m × 1000m
= 1000000 m^2
1 km^2は100万 m^2なのです

※P.18参照

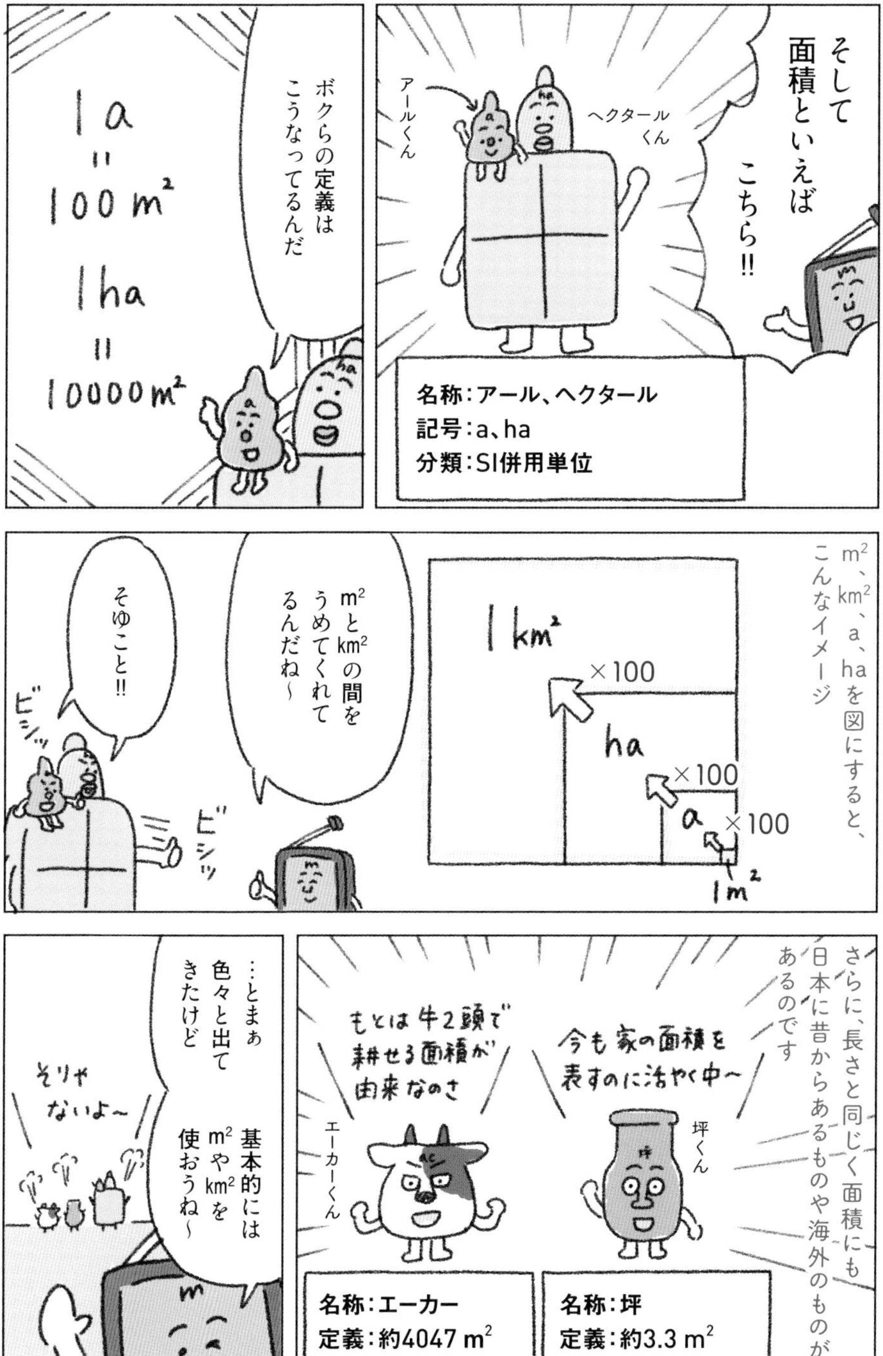

そして面積といえばこちら!!
アールくん
ヘクタールくん
名称：アール、ヘクタール
記号：a、ha
分類：SI併用単位
ボクらの定義はこうなってるんだ
1a = 100 m^2
1ha = 10000 m^2
m^2、km^2、a、haを図にすると、こんなイメージ
1 km^2
×100
ha
×100
a
×100
1 m^2
m^2とkm^2の間をうめてくれてるんだね~
ビシッ
そゆこと!!
ビシッ
さらに、長さと同じく面積にも日本に昔からあるものや海外のものがあるのです
今も家の面積を表すのに活やく中~
坪くん
名称：坪
定義：約3.3 m^2
分類：非SI単位
もとは牛2頭で耕せる面積が由来なのさ
エーカーくん
名称：エーカー
定義：約4047 m^2
分類：非SI単位
…とまぁ色々と出てきたけど
基本的にはm^2やkm^2を使おうね~
そりゃないよ~

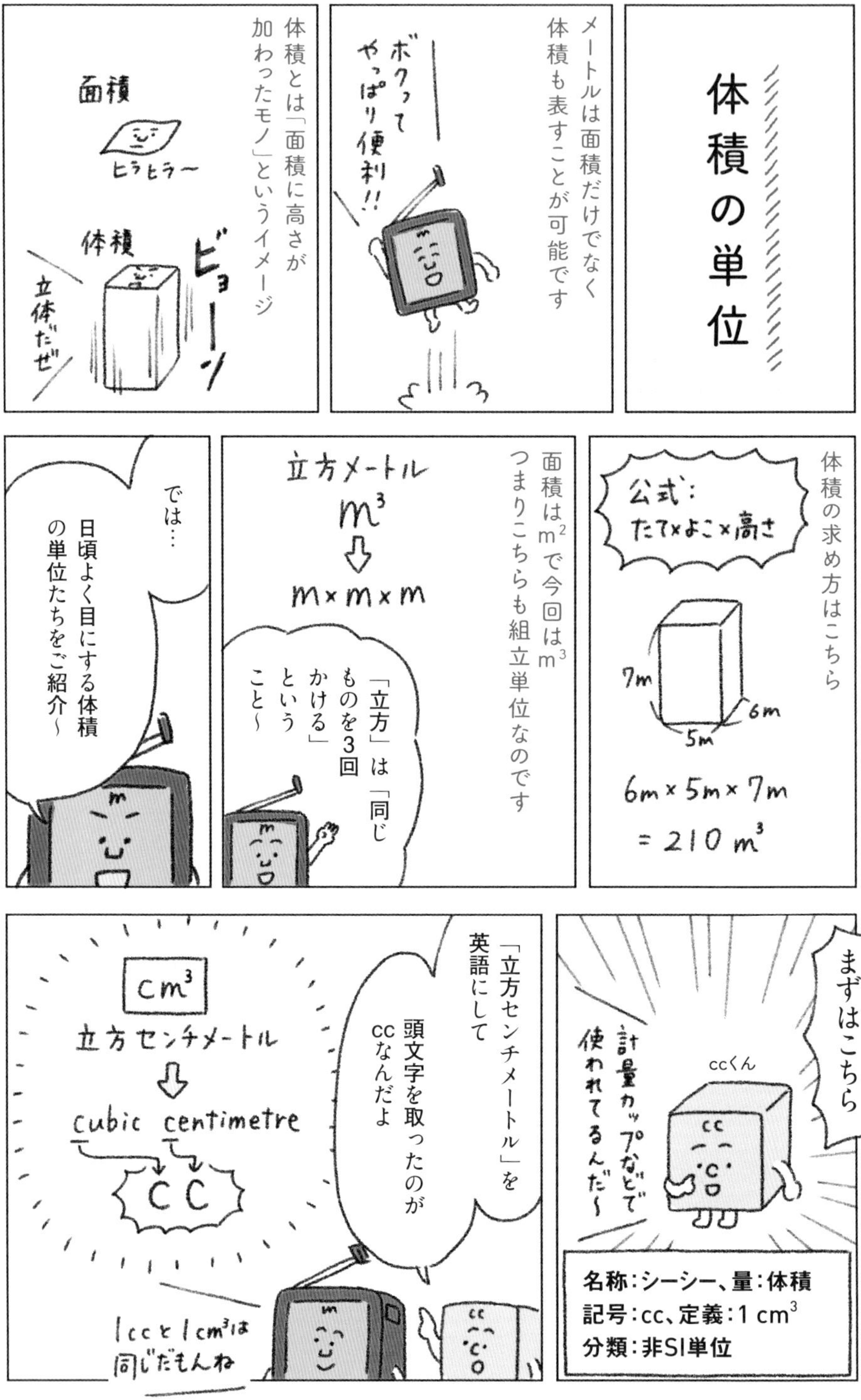
体積の単位
メートルは面積だけでなく
体積も表すことが可能です
ボクってやっぱり便利!!
体積とは「面積に高さが
加わったモノ」というイメージ
面積
ヒラヒラ〜
体積
ビョーン
立体だぜ
体積の求め方はこちら
公式：たて×よこ×高さ
7m
6m
5m
6m×5m×7m
$=210m^3$
面積はm^2で今回はm^3
つまりこちらも組立単位なのです
立方メートル
m^3
m×m×m
「立方」は「同じものを3回かける」ということ〜
では…
日頃よく目にする体積の単位たちをご紹介〜
まずはこちら
計量カップなどで使われてるんだ〜
ccくん
名称：シーシー、量：体積
記号：cc、定義：1 cm^3
分類：非SI単位
「立方センチメートル」を英語にして
頭文字を取ったのがccなんだよ
cm^3
立方センチメートル
cubic centimetre
cc
1ccと1cm^3は同じだもんね

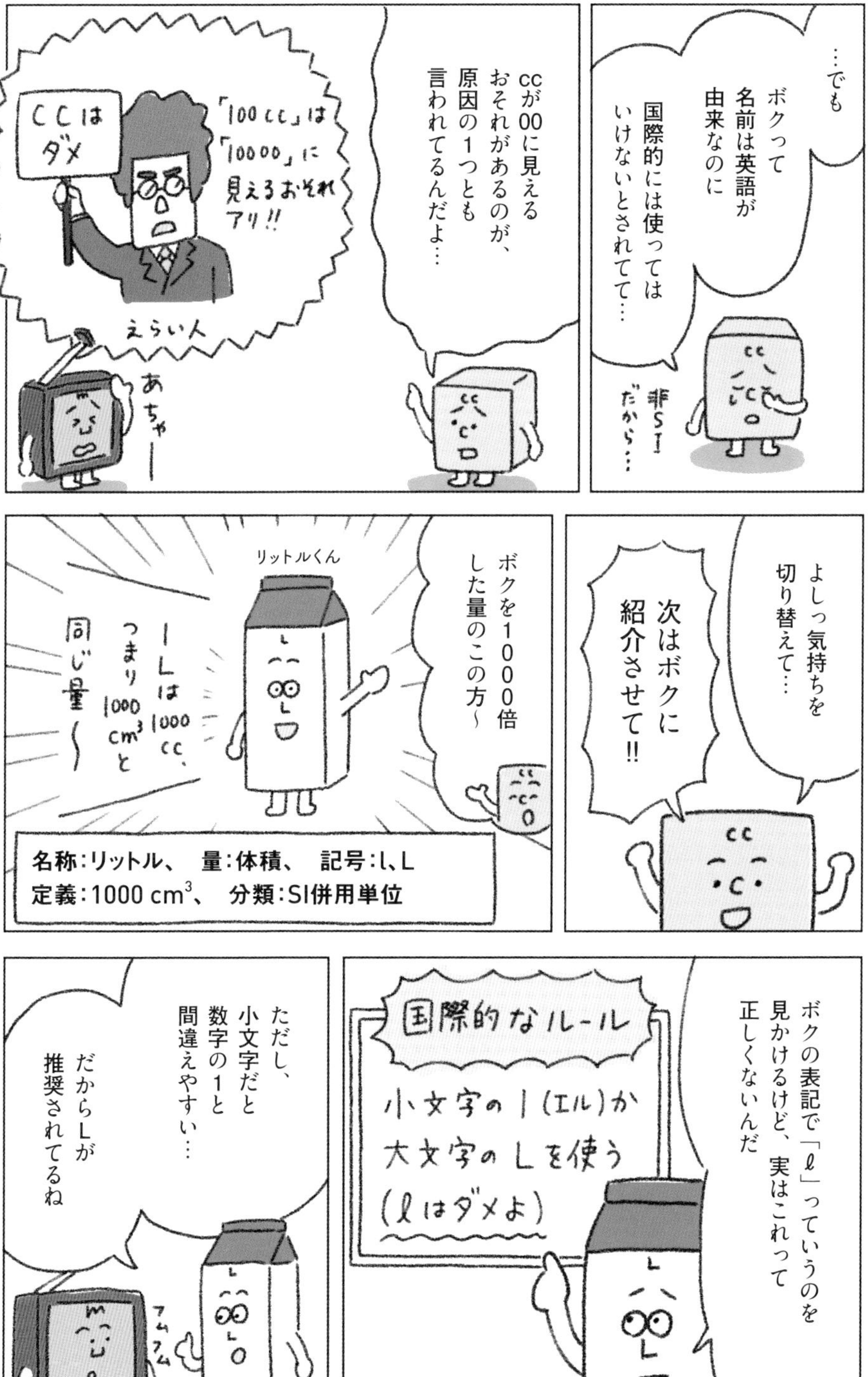
…でも
ボクって名前は英語が由来なのに
国際的には使ってはいけないとされてて…
非SIだから…
ccが00に見えるおそれがあるのが、原因の1つとも言われてるんだよ…
CCはダメ
「100cc」は「10000」に見えるおそれアリ!!
えらい人
あちゃー
よしっ気持ちを切り替えて…
次はボクに紹介させて!!
ボクを1000倍した量のこの方～
リットルくん
1Lは1000cc、つまり1000 cm^3 と同じ量～
名称:リットル、 量:体積、 記号:l、L
定義:1000 cm^3、 分類:SI併用単位
ボクの表記で「ℓ」っていうのを見かけるけど、実はこれって正しくないんだ
国際的なルール
小文字のl(エル)か大文字のLを使う(ℓはダメよ)
ただし、小文字だと数字の1と間違えやすい…
だからLが推奨されてるね
フムフム

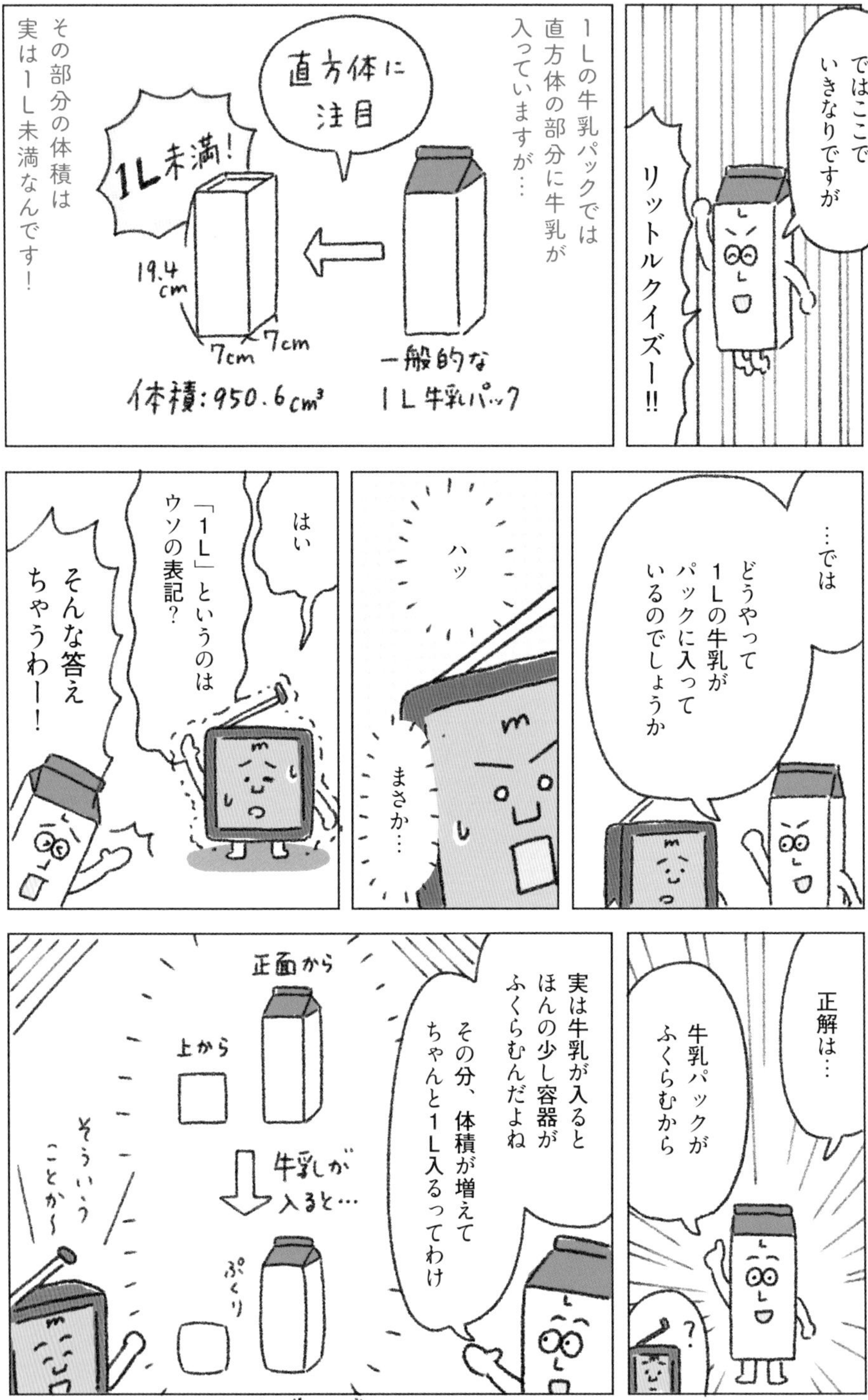

ではここで
いきなりですが
リットルクイズー!!
1Lの牛乳パックでは直方体の部分に牛乳が入っていますが…
直方体に注目
一般的な
1L牛乳パック
1L未満!
19.4cm
7cm
7cm
体積:950.6cm³
その部分の体積は実は1L未満なんです!
…では
どうやって1Lの牛乳がパックに入っているのでしょうか
ハッ
まさか…
はい
「1L」というのはウソの表記?
そんな答えちゃうわー!
正解は…
牛乳パックがふくらむから
?
実は牛乳が入るとほんの少し容器がふくらむんだよね
その分、体積が増えてちゃんと1L入るってわけ
正面から
上から
牛乳が入ると…
ぷくり
そういうことか~
※少し大げさに描いてます

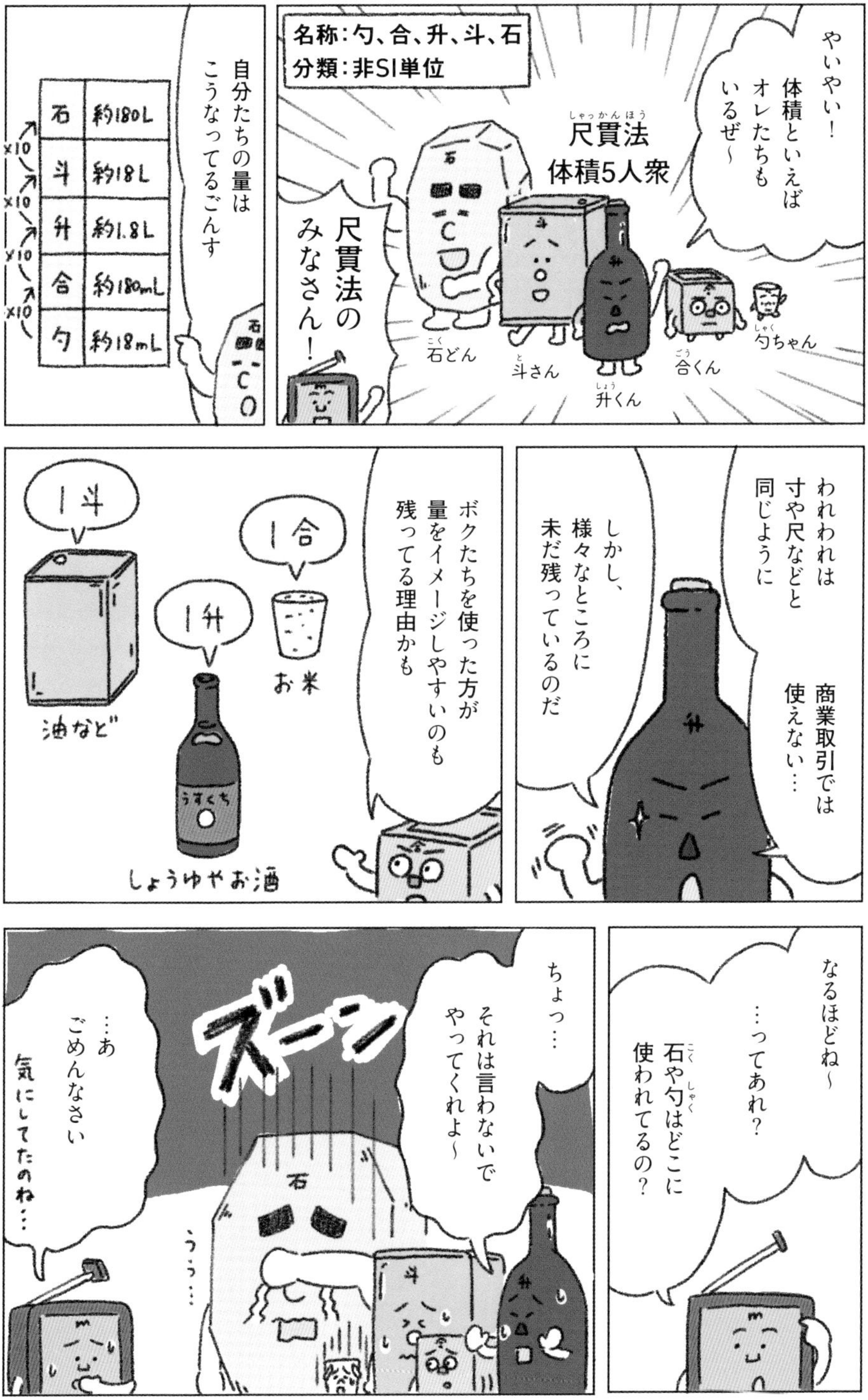
やいやい！
体積といえば オレたちも いるぜ〜
名称：勺、合、升、斗、石
分類：非SI単位
尺貫法《しゃっかんほう》
体積5人衆
尺貫法の みなさん！
石《こく》どん
斗《と》さん
升《しょう》くん
合《ごう》くん
勺《しゃく》ちゃん
自分たちの量は こうなってるごんす
石 約180L
斗 約18L
升 約1.8L
合 約180mL
勺 約18mL
×10
×10
×10
×10
われわれは 寸や尺などと 同じように
商業取引では 使えない…
しかし、 様々なところに 未だ残っているのだ
ボクたちを使った方が 量をイメージしやすいのも 残ってる理由かも
1斗
油など
1升
うすくち
しょうゆやお酒
1合
お米
なるほどね〜
…ってあれ？
石《こく》や勺《しゃく》はどこに 使われてるの？
ちょっ…
それは言わないで やってくれよ〜
ズーン
うっ…
…あ ごめんなさい
気にしてたのね…

COLUMN

やってみたい!? 単位の「聖地」巡り

平井亜紀子
産業技術総合研究所 計量標準総合センター
工学計測標準研究部門
ナノスケール標準研究グループ長

単位は色々な量を測るときの基準となります。いつでもどこでも誰でも共通して使える、普遍的なものでなければなりません。そしてその当時の測定の中で最も精密な測定で決められなければなりません。そのため、単位を決定するときには、その時代の最先端の知識や技術が使われました。また、それまで使われていた単位を捨て、新しい単位を人々に使ってもらうためには、普及のための宣伝活動も大事です。単位の決定や普及のための先人の努力が感じられる単位の「聖地」をご紹介しましょう。

「メートル」は1790年頃、パリを通る子午線弧の距離に基づいて決められましたが、それに遡《さかのぼ》ること約120年、1670年頃に天文学者ジャン・ピカールがこの子午線弧を0・3%程度の精度で求めています。パリ天文台（Observatoire de Paris）には、「子午線室」があり、子午線が部屋の中に明示され、芝生にも線が引かれています。また、1994年には、パリの経度を計算した天文学者フランソワ・アラゴを記念して、パリ市の北から南まで、子午線に沿って直径12cmのメダルが135個埋め込まれました。〝ARAGO〟の名前と方角を示す〝N〟、〝S〟の文字が浮き彫りになっています。いくつかはなくなっているようですが、ルーブル美術館やリュクサンブール公園にもあるので、観光のついでに探してみるのも楽しいでしょう。

子午線の測量の結果と1立方デシメートルの蒸留水の質量から、それぞれ、確定メートル原器と確定キログラム原器が作られました。これらは後に作られる国際原器とは違い白金製でした。確定メートル原器は約25×4ミリメートルの四角い断面をもつ板で、両端の面の間隔が1メートルとなっています。確定メートル原器、確定キログラム原器は共和国文書保管所（Archives de la République）に保管されたため、アルシーブ原器とも呼ばれています。現在のフランス国立公文書館に今も保管されているアルシーブ原器は一般には公開されていませんが、同時に作られたこれらの写しが、原器作製を担《にな》ったフランス国立工芸保存院付属のパリ工芸博物館（Musée des Arts et Métiers）に展示されており、誰でも見ることができます。

確定メートル原器を作製した1796年から1797年にかけて、人々にメートルを知ってもらうため、パリ市内16ヶ所に大理石製のメートル原器が設置されました。そのうちの2ヶ所、ヴァンドーム広場（13 Place Vendôme）とヴォージラール通り（36 rue Vaugirard）には今も建物の壁に原器が残っています。2つの金属板が1メートルの間隔をあけて埋め込まれており、10センチメートル毎、一部は1センチメートル毎の目盛が刻まれています。フランス南部のアグドやラ・バスティッド＝クレーランスにも、市民が1メートルを参照するために1800年頃市場などに設置されたメートル原器が壁に残っているそうです。

また、エッフェル塔の第一展望台の下に、フランスの科学に功績のあった72人のフランス人科学者の名前が刻まれているのをご存知ですか。前述のアラゴ、子午線測量を行ったドランブル、1立方デシメートルの水の質量を測ったラヴォアジェ、メートル原器を設計したトレスカ、単位の名になったアンペール、クーロンの名がありますので探してみましょう。

メートルの普及については、日本も手を尽くしました。昔は多くの小学校にあった二宮金次郎像は、昭和初期のメートル法普及のために、ちょうど1メートルの高さに作られているという話があります。実際はそうでない像も多いようですが、神奈川県の小田原城に隣接している報徳二宮神社の二宮金次郎像は、メートル法普及のために1メートルの高さに作られているという説明書きが付いています。また、宮城県蔵王の刈田岳山頂には、戦前、宮城県計量協会がメートル法の普及推進のため立てた幅30センチメートル高さ4メートルの御影石の指導標があります。

機会があればこれらの「聖地」を訪れ、先人の努力に想いを馳せてみてはいかがでしょうか。また、他にも単位ゆかりの地があるかもしれません。ぜひ探してみてください。

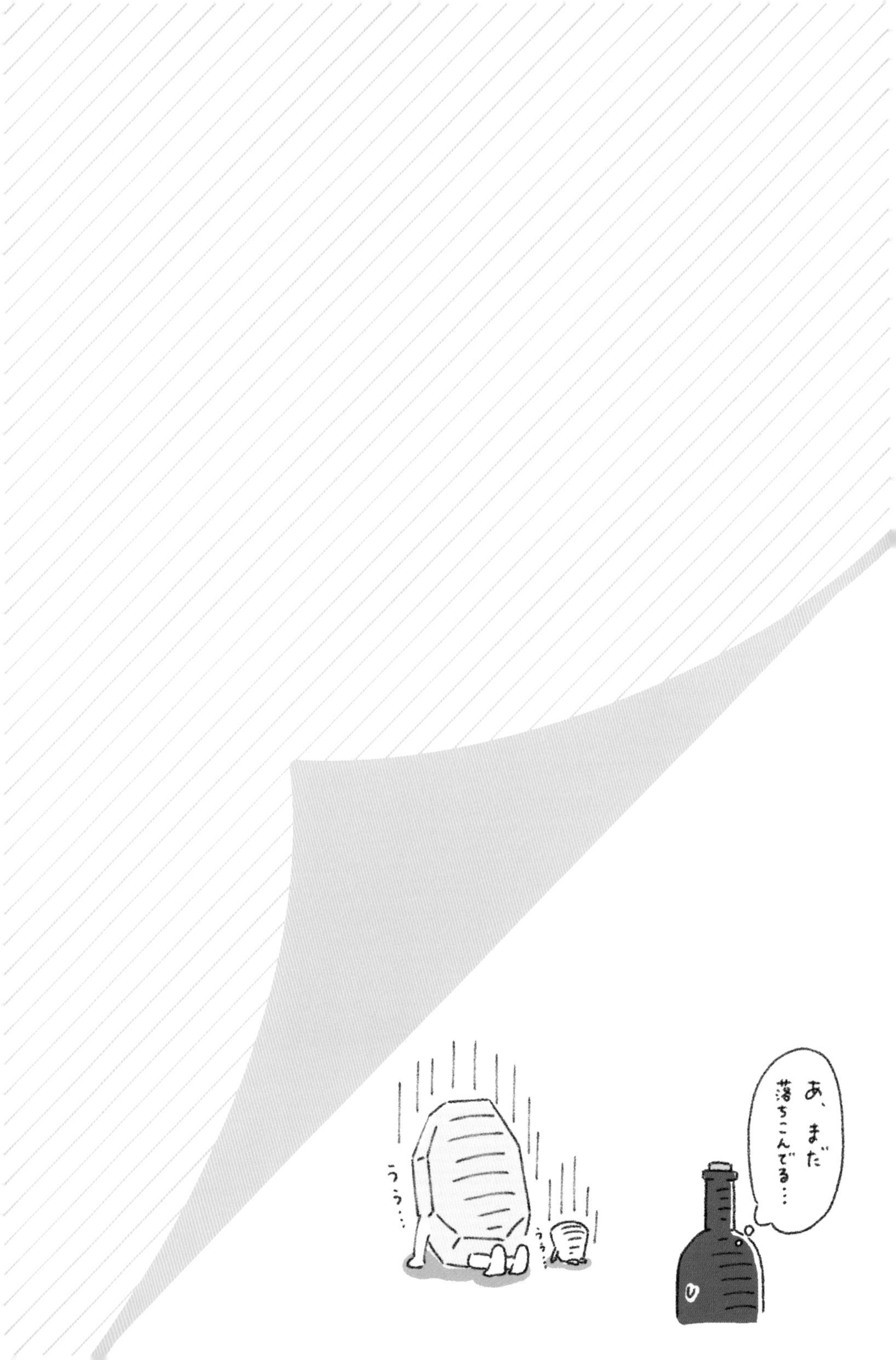
あ、まだ落ちこんでる…
うう…
うう…

第 3 章

時間

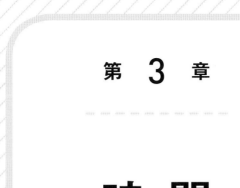

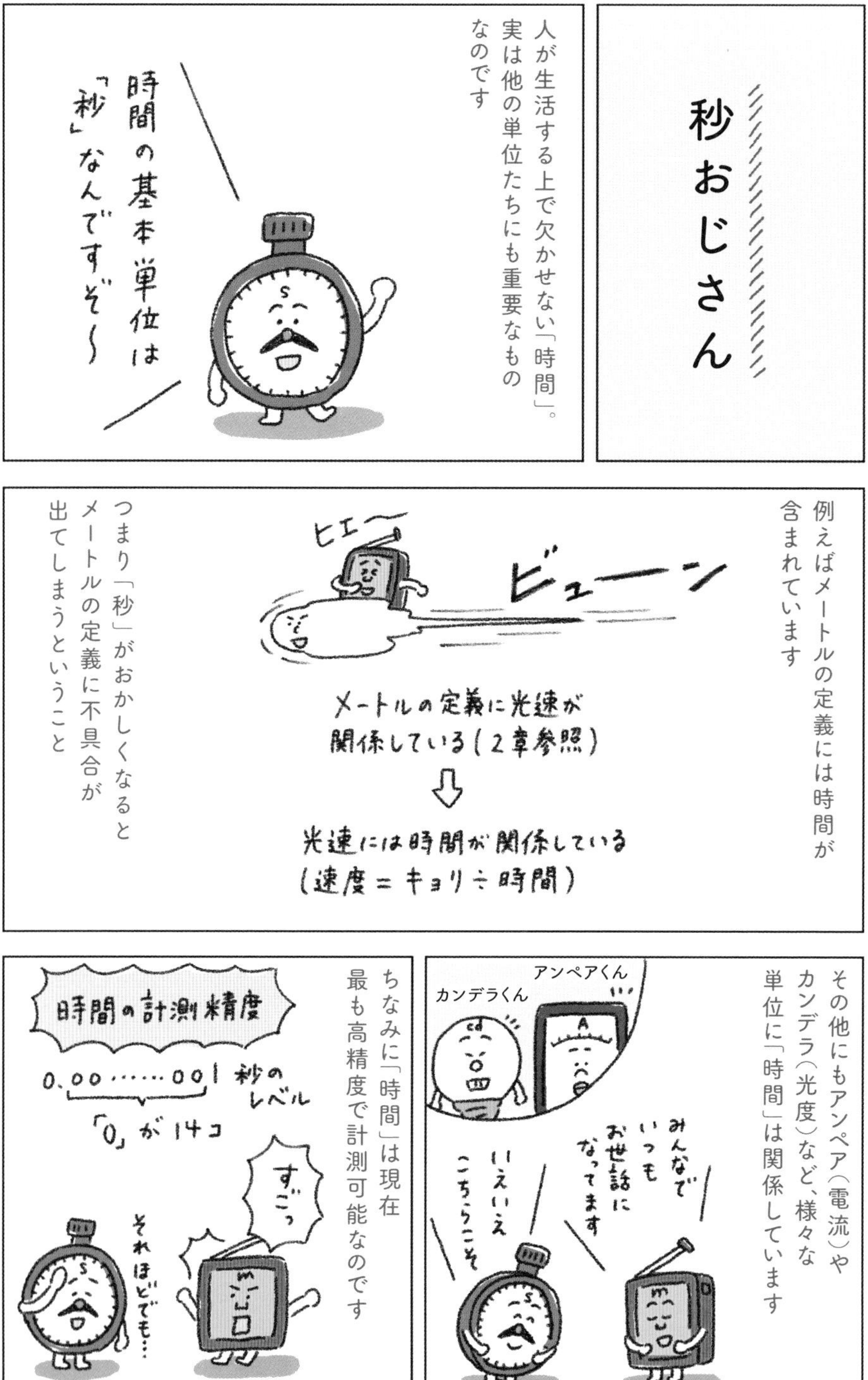
秒おじさん
人が生活する上で欠かせない「時間」。実は他の単位たちにも重要なものなのです
時間の基本単位は「秒」なんですぞ〜
例えばメートルの定義には時間が含まれています
ヒエ〜
ビューン
メートルの定義に光速が関係している（2章参照）
⇩
光速には時間が関係している（速度＝キョリ÷時間）
つまり「秒」がおかしくなるとメートルの定義に不具合が出てしまうということ
その他にもアンペア（電流）やカンデラ（光度）など、様々な単位に「時間」は関係しています
アンペアくん
カンデラくん
みんなでいつもお世話になってます
いえいえこちらこそ
ちなみに「時間」は現在最も高精度で計測可能なのです
時間の計測精度
0.00……001 秒のレベル
「0」が14コ
すごっ
それほどでも…

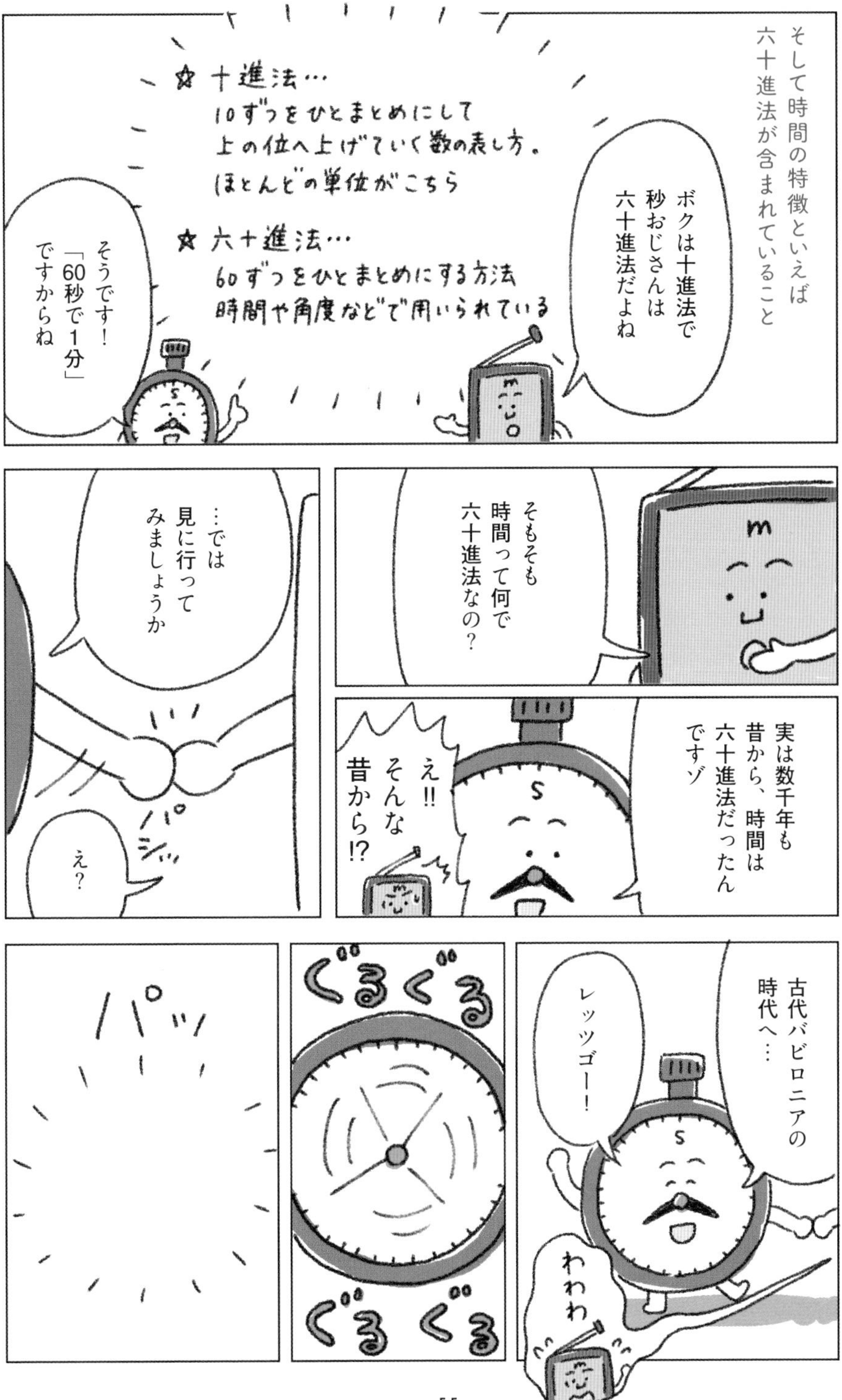
そして時間の特徴といえば
六十進法が含まれていること
ボクは十進法で
秒おじさんは
六十進法だよね
☆十進法…
10ずつをひとまとめにして
上の位へ上げていく数の表し方。
ほとんどの単位がこちら
☆六十進法…
60ずつをひとまとめにする方法
時間や角度などで用いられている
そうです!
「60秒で1分」
ですからね
そもそも
時間って何で
六十進法なの?
実は数千年も
昔から、時間は
六十進法だったん
ですゾ
え!!
そんな
昔から!?
…では
見に行って
みましょうか
パシッ
え?
古代バビロニアの
時代へ…
レッツゴー!
わわわ
ぐるぐる
ぐるぐる
パッ

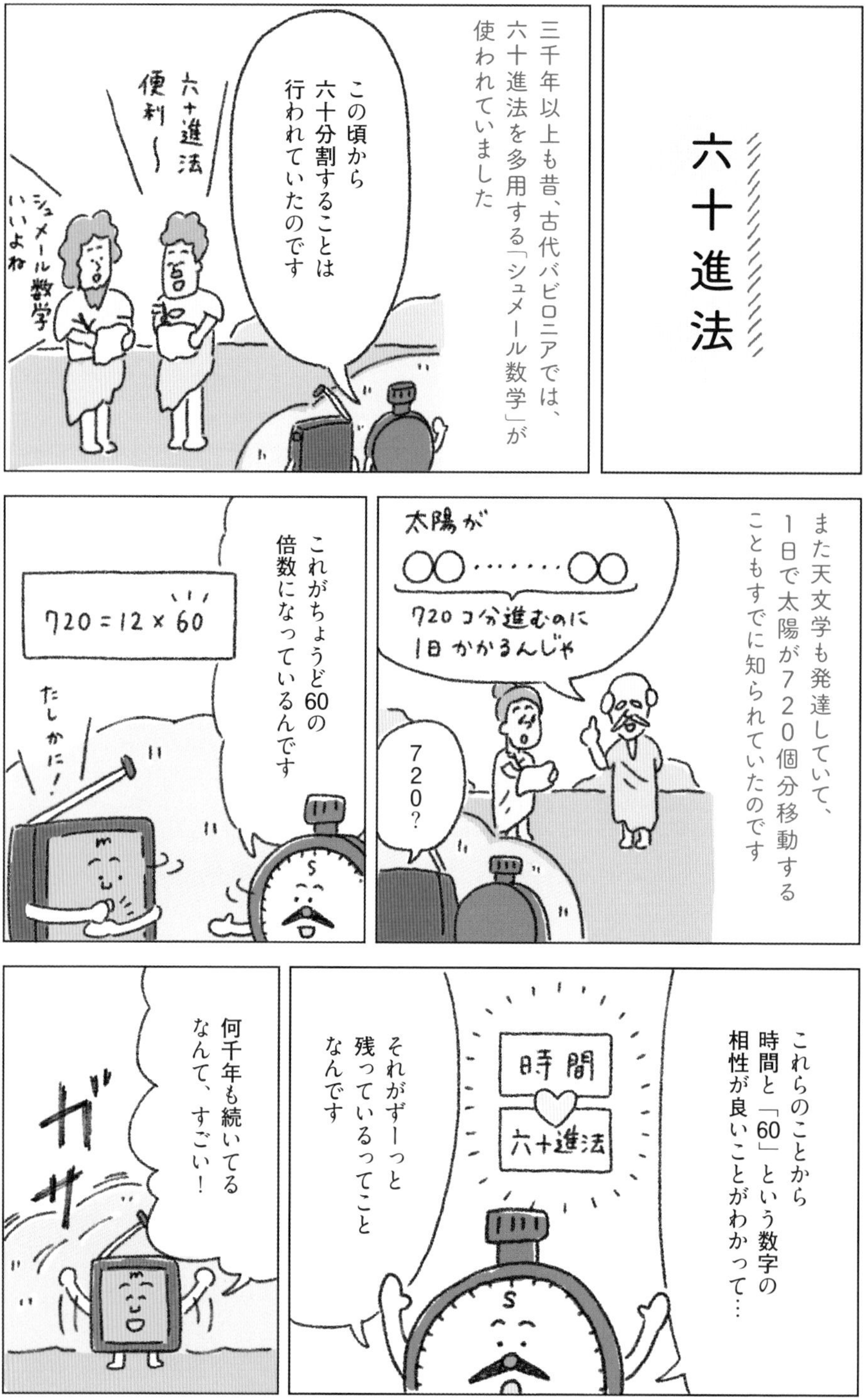
六十進法
三千年以上も昔、古代バビロニアでは、六十進法を多用する「シュメール数学」が使われていました
この頃から六十分割することは行われていたのです
六十進法便利〜
シュメール数学いいよね
また天文学も発達していて、1日で太陽が720個分移動することもすでに知られていたのです
太陽が
○○・・・・・・・○○
720コ分進むのに1日かかるんじゃ
720?
これがちょうど60の倍数になっているんです
720=12×60
たしかに!
これらのことから時間と「60」という数字の相性が良いことがわかって…
時間
六十進法
それがずーっと残っているってことなんです
何千年も続いてるなんて、すごい!
ガサ

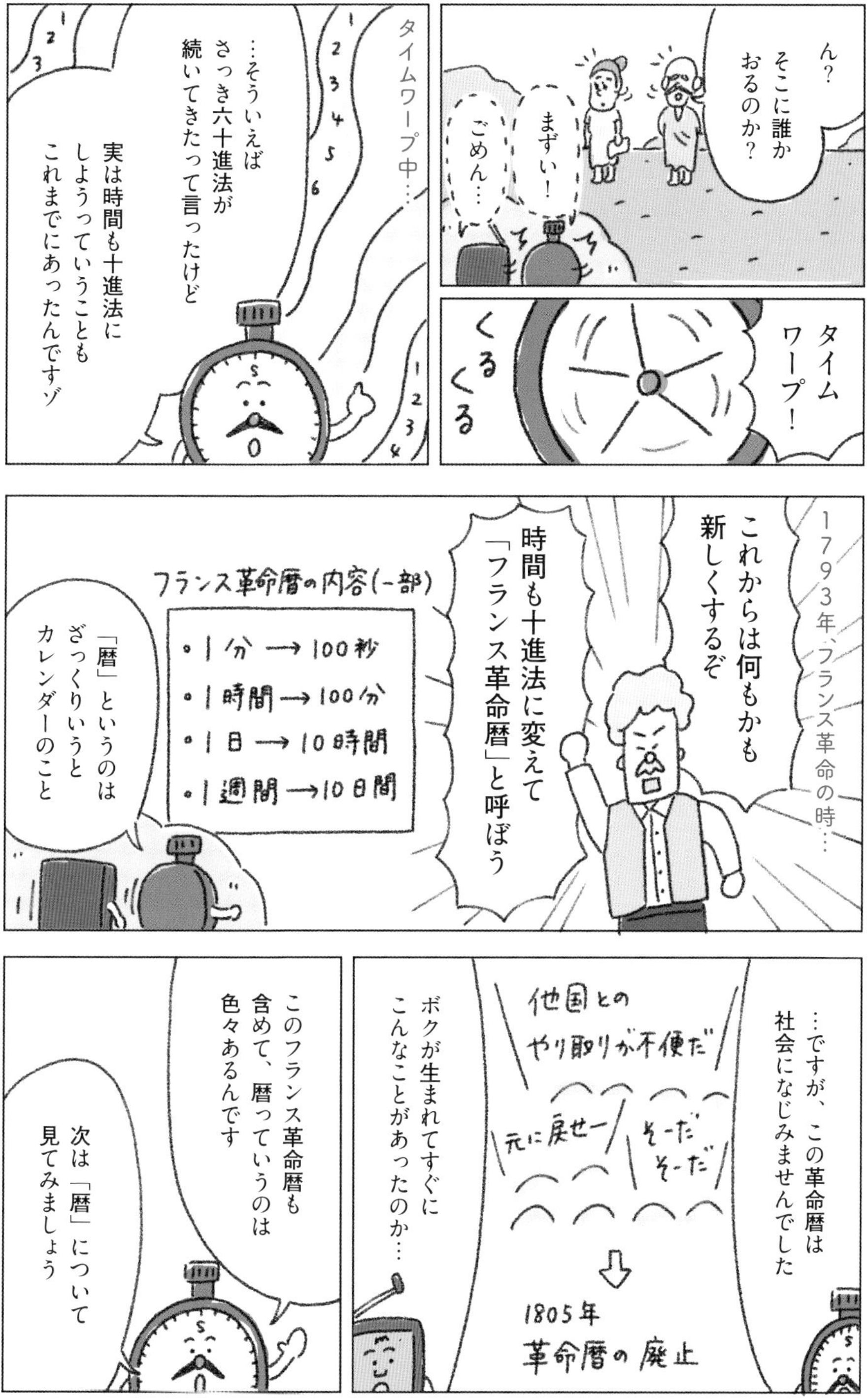

ん？
そこに誰か
おるのか？
まずい！
ごめん…
タイムワープ！
くるくる
タイムワープ中…
…そういえば
さっき六十進法が
続いてきたって言ったけど
実は時間も十進法に
しようっていうことも
これまでにあったんですゾ
1793年、フランス革命の時…
これからは何もかも
新しくするぞ
時間も十進法に変えて
「フランス革命暦」と呼ぼう
フランス革命暦の内容（一部）
・1分 → 100秒
・1時間 → 100分
・1日 → 10時間
・1週間 → 10日間
「暦」というのは
ざっくりいうと
カレンダーのこと
…ですが、この革命暦は
社会になじみませんでした
他国との
やり取りが不便だ
元に戻せー
そーだ
そーだ
1805年
革命暦の廃止
ボクが生まれてすぐに
こんなことがあったのか…
このフランス革命暦も
含めて、暦っていうのは
色々あるんです
次は「暦」について
見てみましょう

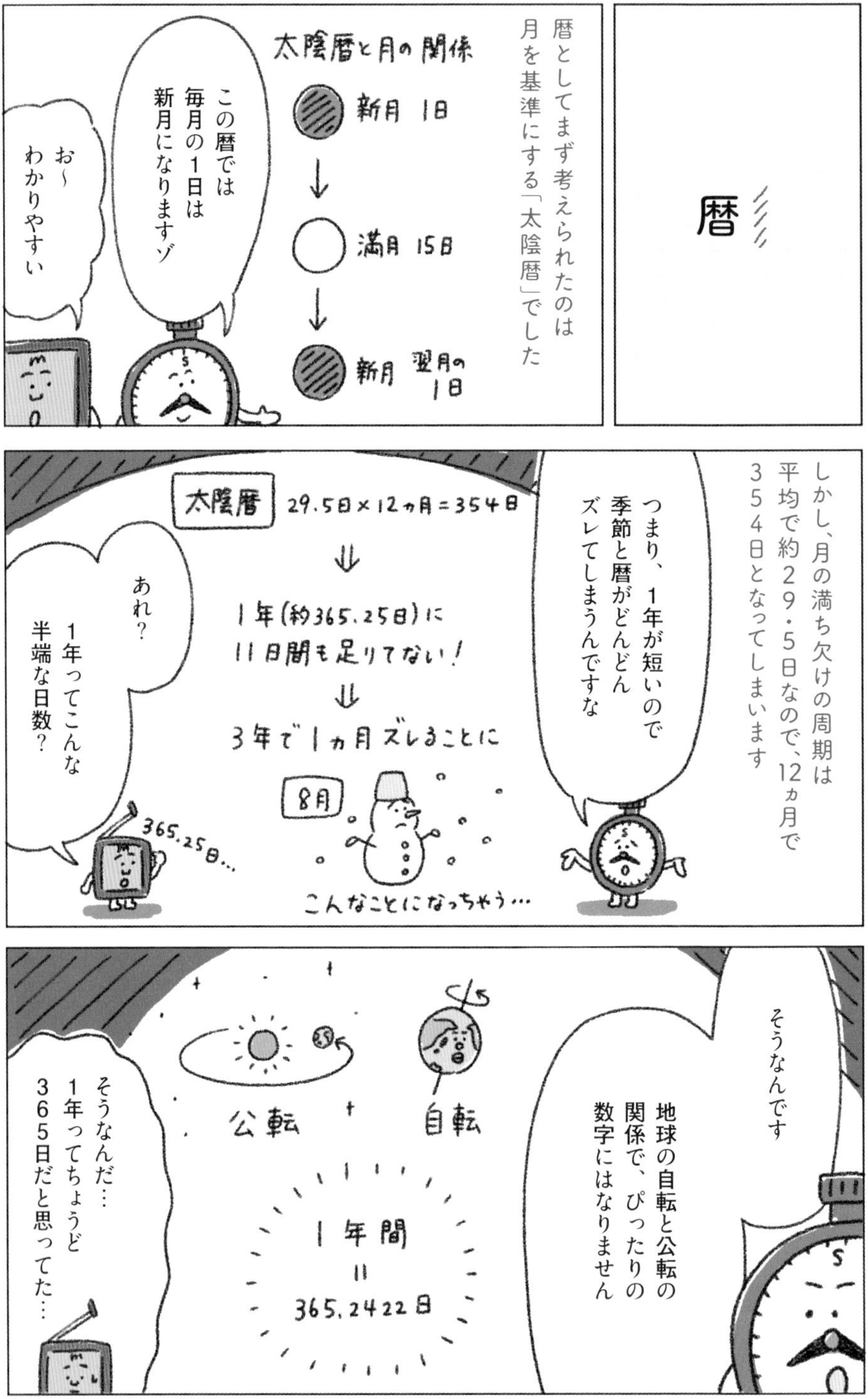
暦
暦としてまず考えられたのは月を基準にする「太陰暦」でした
太陰暦と月の関係
新月 1日
満月 15日
新月 翌月の1日
この暦では毎月の1日は新月になりますゾ
お〜 わかりやすい
しかし、月の満ち欠けの周期は平均で約29・5日なので、12ヵ月で354日となってしまいます
つまり、1年が短いので季節と暦がどんどんズレてしまうんですな
太陰暦 29.5日×12ヵ月＝354日
1年(約365.25日)に11日間も足りてない!
3年で1ヵ月ズレることに
8月
こんなことになっちゃう…
365.25日…
あれ? 1年ってこんな半端な日数?
そうなんです
地球の自転と公転の関係で、ぴったりの数字にはなりません
公転
自転
1年間 ＝ 365.2422日
そうなんだ… 1年ってちょうど365日だと思ってた…

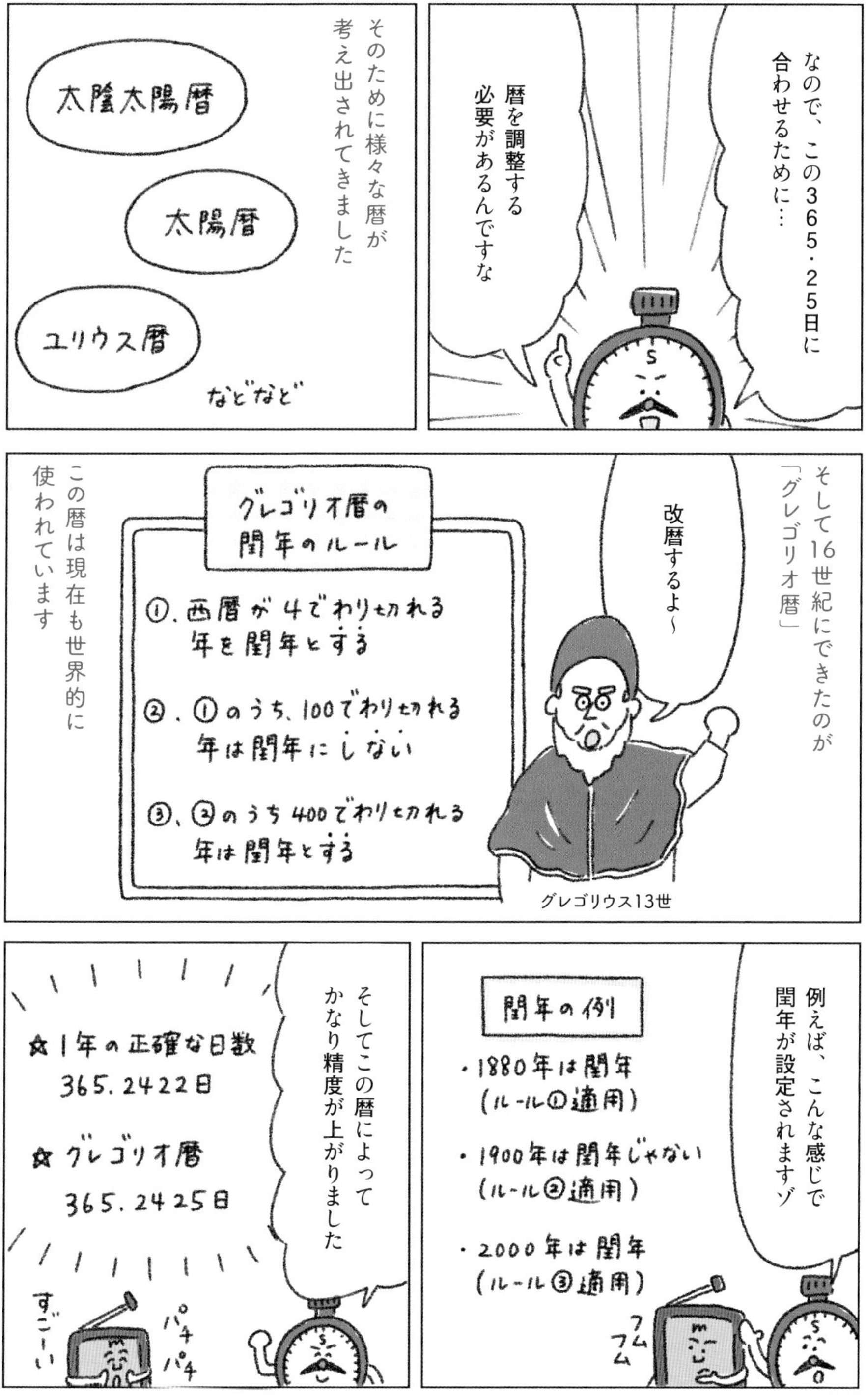

なので、この365・25日に合わせるために…
暦を調整する必要があるんですな
そのために様々な暦が考え出されてきました
太陰太陽暦
太陽暦
ユリウス暦
などなど
そして16世紀にできたのが「グレゴリオ暦」
改暦するよ～
グレゴリオ暦の閏年のルール
①、西暦が4でわり切れる年を閏年とする
②、①のうち、100でわり切れる年は閏年にしない
③、②のうち400でわり切れる年は閏年とする
グレゴリウス13世
この暦は現在も世界的に使われています
例えば、こんな感じで閏年が設定されますゾ
閏年の例
・1880年は閏年（ルール①適用）
・1900年は閏年じゃない（ルール②適用）
・2000年は閏年（ルール③適用）
フムフム
そしてこの暦によってかなり精度が上がりました
☆1年の正確な日数 365.2422日
☆グレゴリオ暦 365.2425日
すごーい
パチパチ

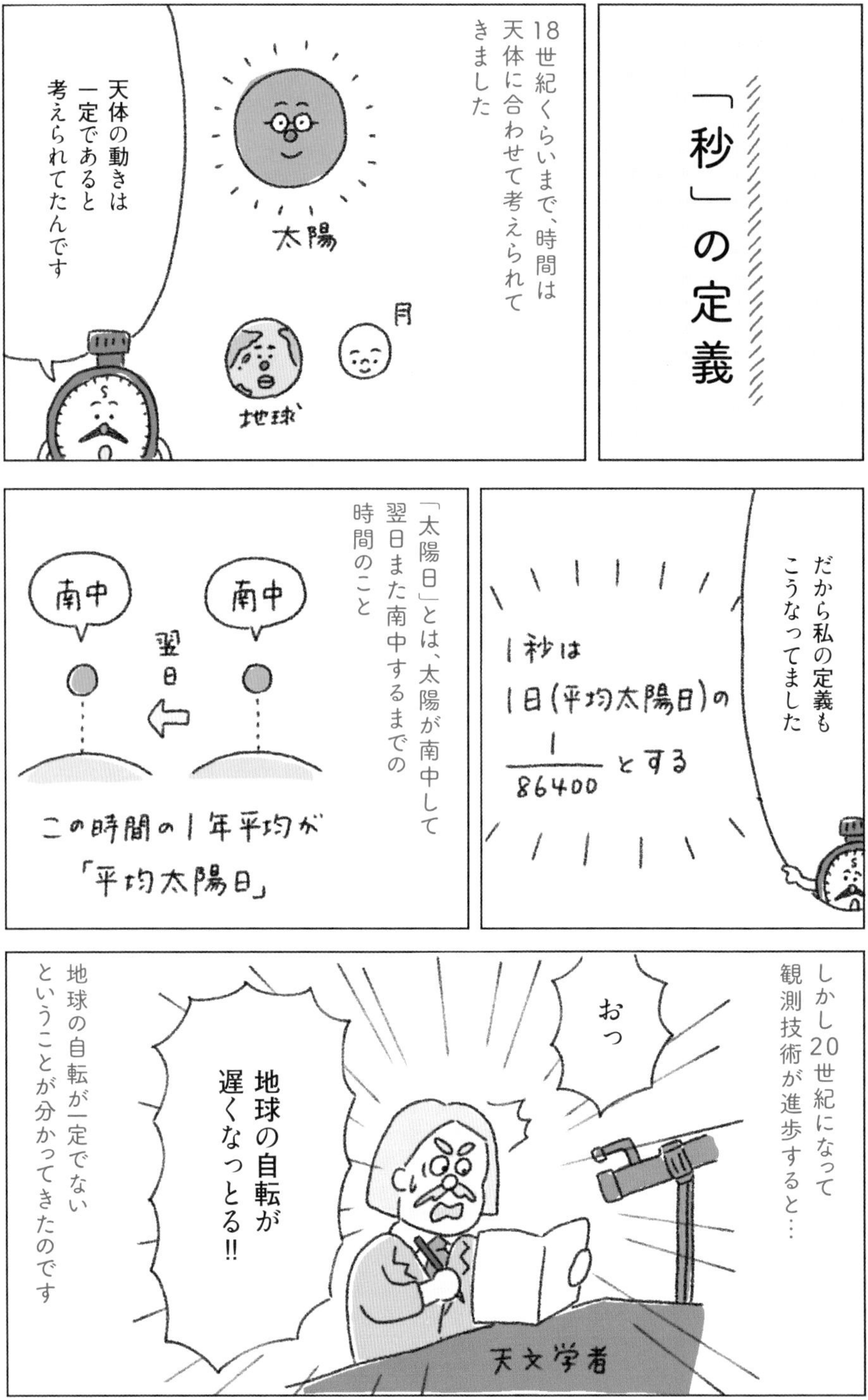
「秒」の定義
18世紀くらいまで、時間は天体に合わせて考えられてきました
太陽
月
地球
天体の動きは一定であると考えられてたんです
だから私の定義もこうなってました
1秒は
1日(平均太陽日)の
1/86400 とする
「太陽日」とは、太陽が南中して翌日また南中するまでの時間のこと
南中
南中
翌日
この時間の1年平均が
「平均太陽日」
しかし20世紀になって観測技術が進歩すると…
おっ
地球の自転が遅くなっとる!!
天文学者
地球の自転が一定でないということが分かってきたのです

南中：太陽が真南にくること

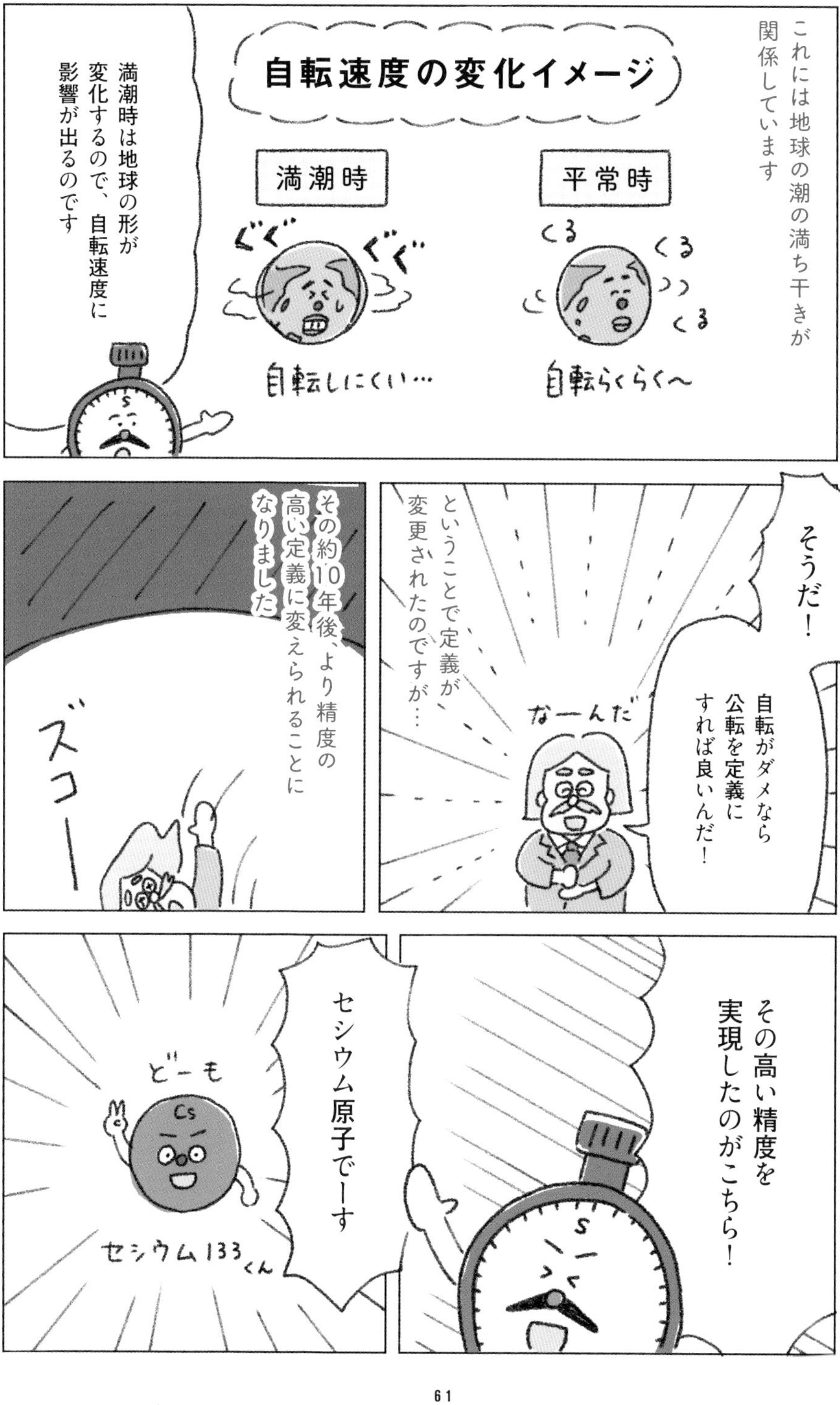

これには地球の潮の満ち干きが関係しています
自転速度の変化イメージ
平常時
くる
くる
くる
自転らくらく〜
満潮時
ぐぐ
ぐぐ
自転しにくい…
満潮時は地球の形が変化するので、自転速度に影響が出るのです
そうだ！
自転がダメなら公転を定義にすれば良いんだ！
なーんだ
ということで定義が変更されたのですが…
その約10年後、より精度の高い定義に変えられることになりました
ズコー
その高い精度を実現したのがこちら！
セシウム原子でーす
どーも
Cs
セシウム133くん

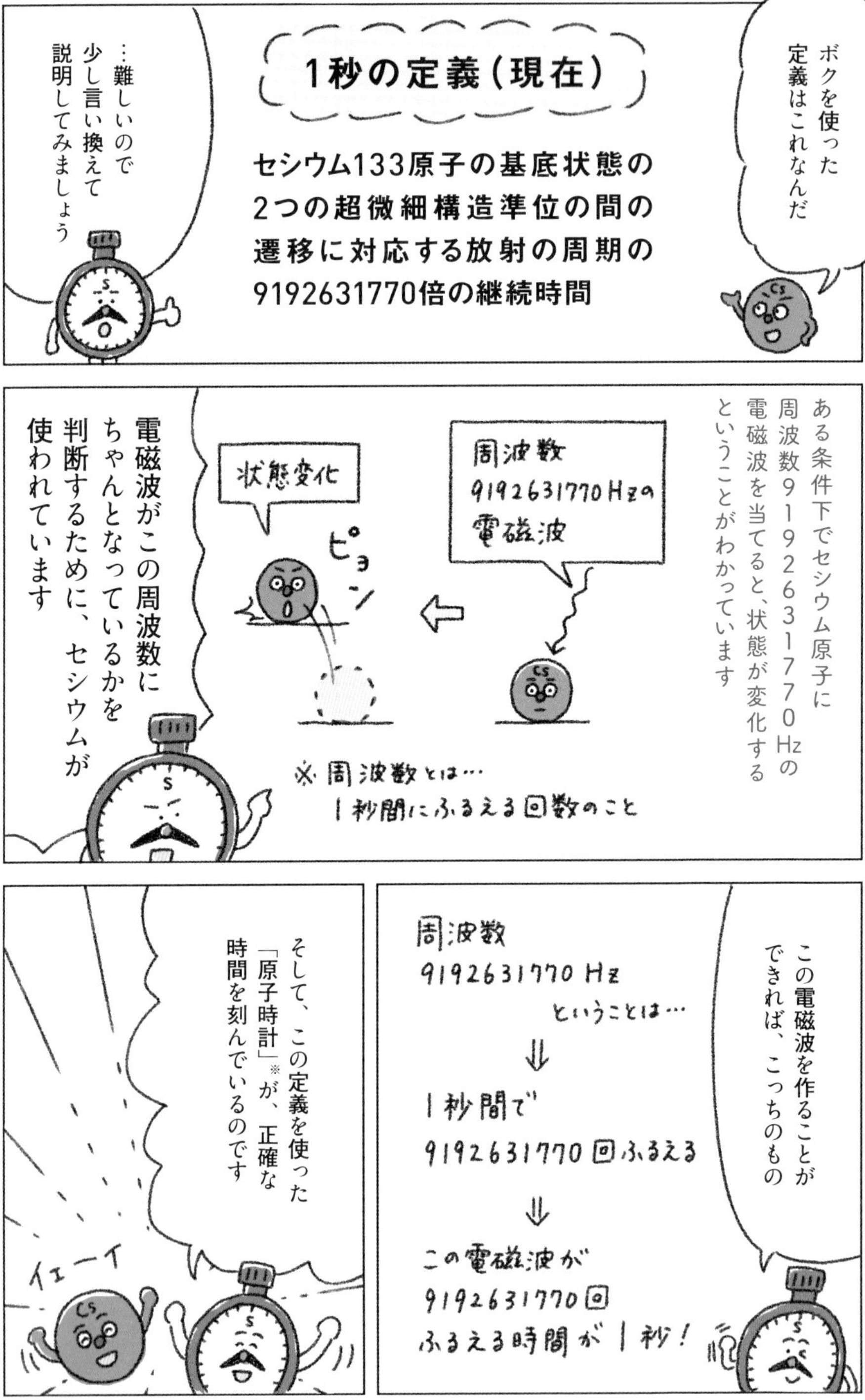
ボクを使った定義はこれなんだ
1秒の定義（現在）
セシウム133原子の基底状態の2つの超微細構造準位の間の遷移に対応する放射の周期の9192631770倍の継続時間
…難しいので少し言い換えて説明してみましょう
ある条件下でセシウム原子に周波数9192631770Hzの電磁波を当てると、状態が変化するということがわかっています
周波数 9192631770Hzの 電磁波
状態変化
ピョン
※周波数とは… 1秒間にふるえる回数のこと
電磁波がこの周波数にちゃんとなっているかを判断するために、セシウムが使われています
この電磁波を作ることができれば、こっちのもの
周波数 9192631770 Hz
ということは…
⇓
1秒間で 9192631770回ふるえる
⇓
この電磁波が 9192631770回 ふるえる時間が1秒！
そして、この定義を使った「原子時計」※が、正確な時間を刻んでいるのです
イェーイ

※原子時計：P.68参照

「秒」の定義の移り変わり

～1956年

平均太陽日の$\frac{1}{86400}$
※86400=24×60×60

地球の自転（1日）を
もとにしています

1956～1967年

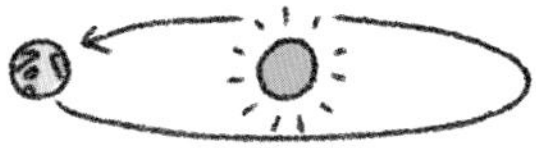

1900年1月0日（暦表時）における回帰年※の
$\frac{1}{31556925.9747}$
※回帰年：太陽が黄道上の春分点を通過してから
再び春分点を通過するまでの時間

基準が自転から
公転に変わりました

1967年～

セシウム133原子の基底状態の2つの
超微細構造準位の間の遷移に対応する放射の
周期の9192631770倍の継続時間

地球の動きから
独立したのです

秒おじさん

時間の例

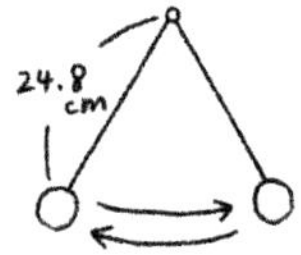

24.8 cmのひもの
ふりこが往復する
時間

約1 s

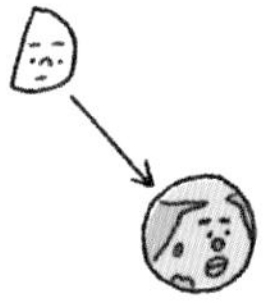

月の光が地球に
届くまでの時間

約1.3 s

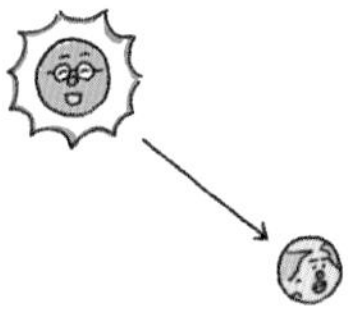

太陽の光が地球に
届くまでの時間

約500 s

単位記号　**s**

定義

セシウム133原子の基底状態の2つの超微細構造準位の間の遷移に対応する放射の周期の9192631770倍の継続時間

プチ情報

「秒」という漢字は稲の先の毛を表していて「かすか、わずか」という意味がある

特技

時間をはかること

性格

礼儀正しく、時間にきっちりしている

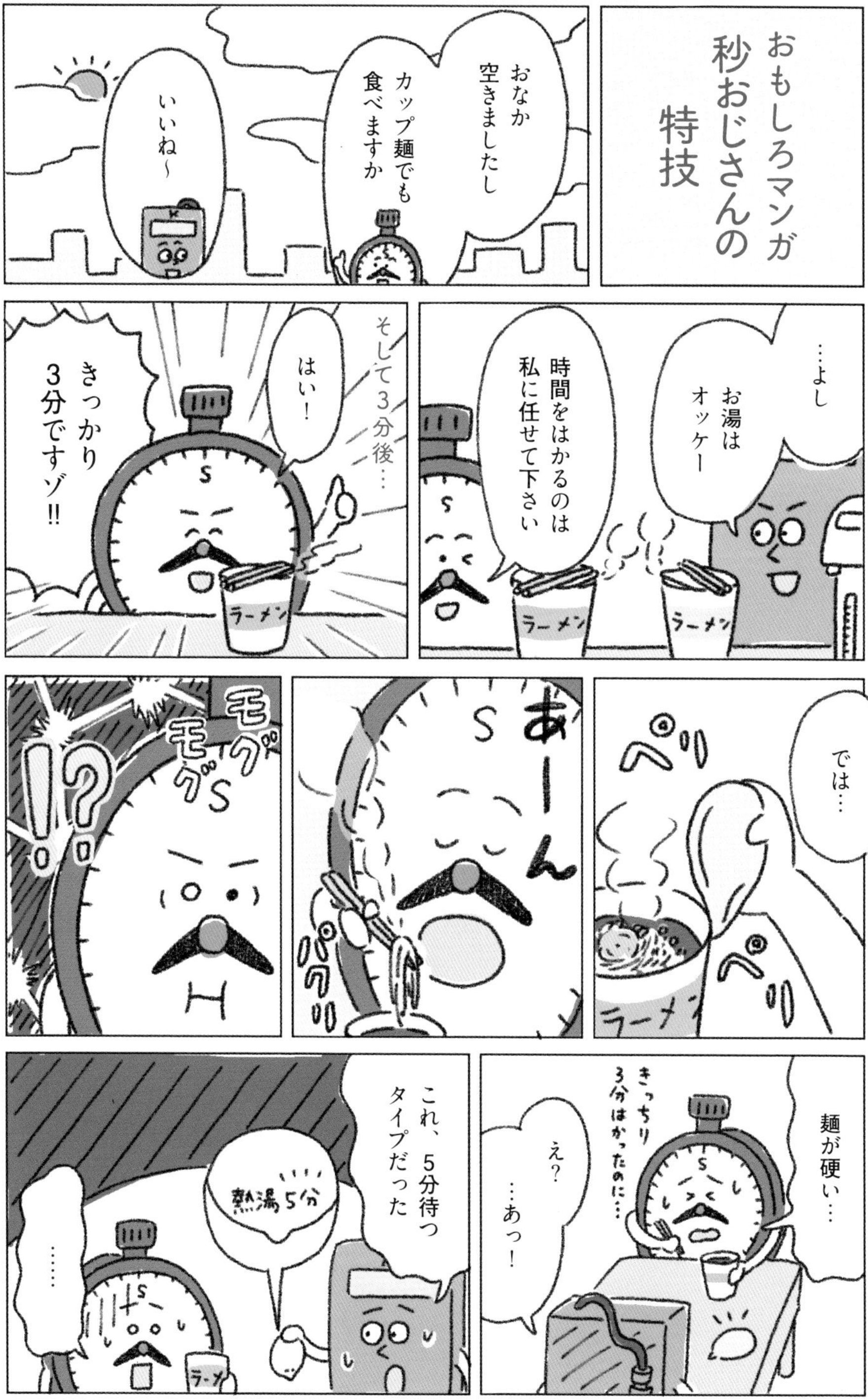
おもしろマンガ
秒おじさんの
特技
おなか
空きましたし
カップ麺でも
食べますか
いいね〜
…よし
お湯は
オッケー
時間をはかるのは
私に任せて下さい
ラーメン
そして3分後…
はい!
きっかり
3分ですゾ!!
ペリ
では…
ペリ
ラーメン
あーん
パク
モグ
モグ
!?
麺が硬い…
きっちり
3分はかったのに…
え?
…あっ!
これ、5分待つ
タイプだった
熱湯5分
……

時計の歴史

「秒」の定義が進化したように
時計も進化を遂げてきました
2:05
時計がないと
時間は分かりませんゾ

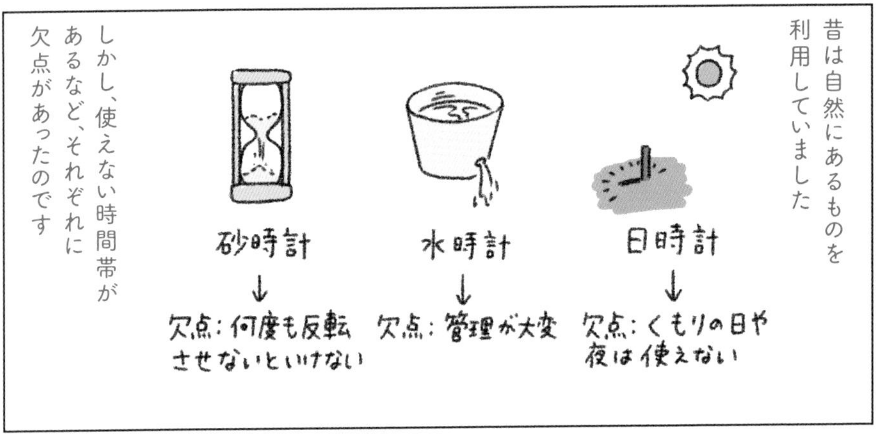
昔は自然にあるものを
利用していました
日時計
↓
欠点：くもりの日や
夜は使えない
水時計
↓
欠点：管理が大変
砂時計
↓
欠点：何度も反転
させないといけない
しかし、使えない時間帯が
あるなど、それぞれに
欠点があったのです

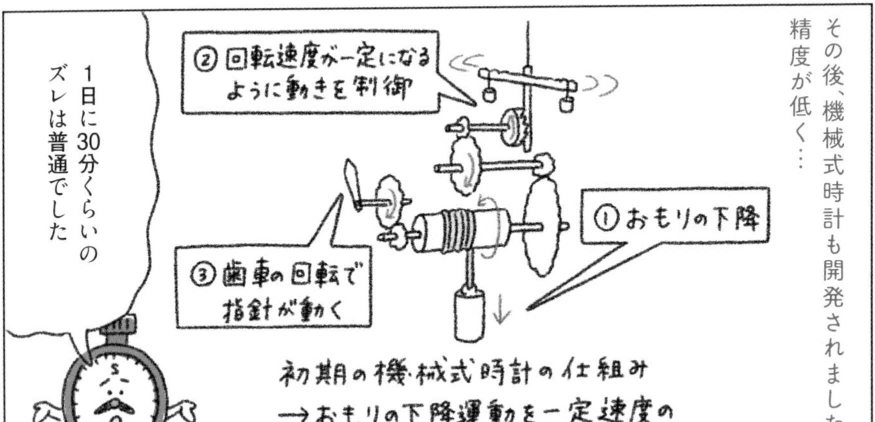
その後、機械式時計も開発されましたが
精度が低く…
②回転速度が一定になる
ように動きを制御
①おもりの下降
③歯車の回転で
指針が動く
初期の機械式時計の仕組み
→おもりの下降運動を一定速度の
回転運動に変えている
1日に30分くらいの
ズレは普通でした

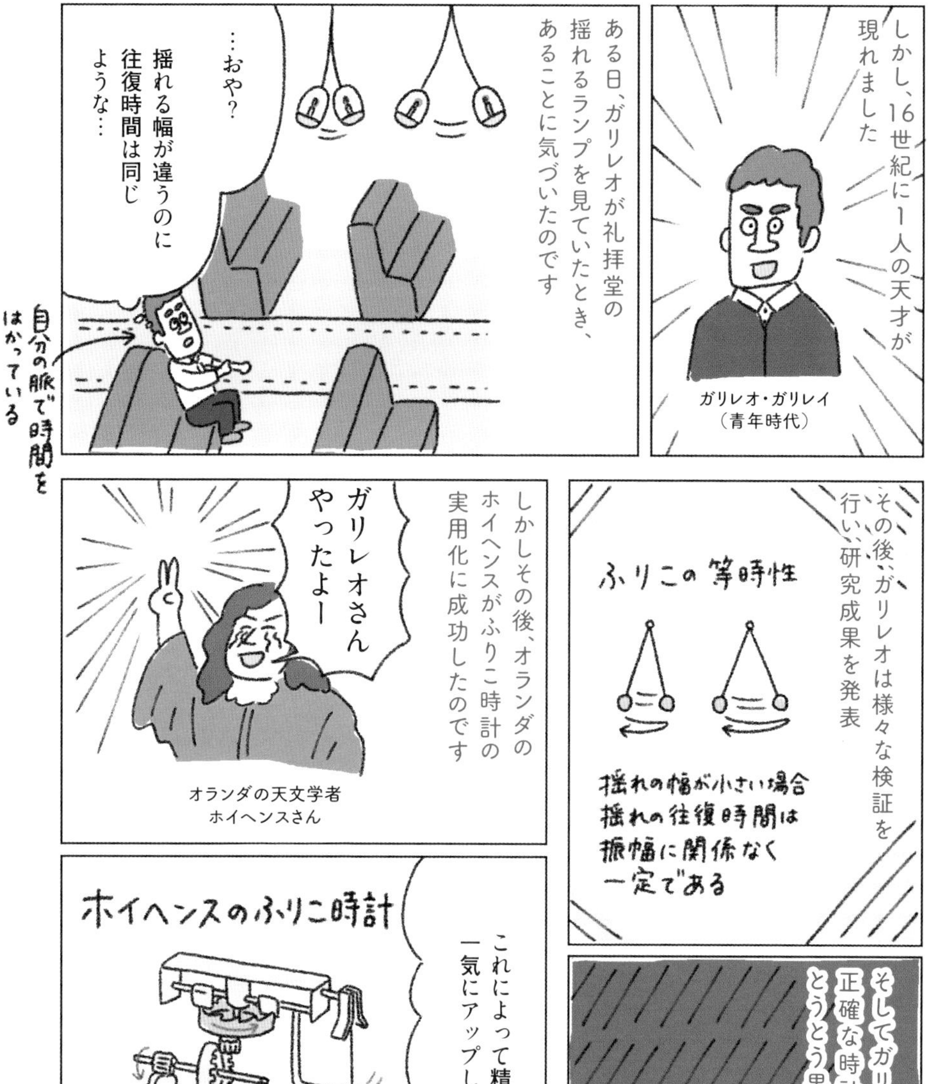
しかし、16世紀に1人の天才が現れました
ガリレオ・ガリレイ
（青年時代）
ある日、ガリレオが礼拝堂の揺れるランプを見ていたとき、あることに気づいたのです
…おや？
揺れる幅が違うのに往復時間は同じような…
自分の脈で時間をはかっている
その後、ガリレオは様々な検証を行い、研究成果を発表
ふりこの等時性
揺れの幅が小さい場合揺れの往復時間は振幅に関係なく一定である
そしてガリレオはこの原理を利用し正確な時計を作ろうとしましたがとうとう果たせませんでした
ガクッ
無念…
しかしその後、オランダのホイヘンスがふりこ時計の実用化に成功したのです
ガリレオさんやったよー
オランダの天文学者
ホイヘンスさん
ホイヘンスのふりこ時計
これによって精度が一気にアップしました～
ふりこ（動きの制御）
おもり（動力）
精度：1日に数分程度のズレ

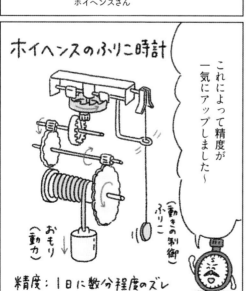

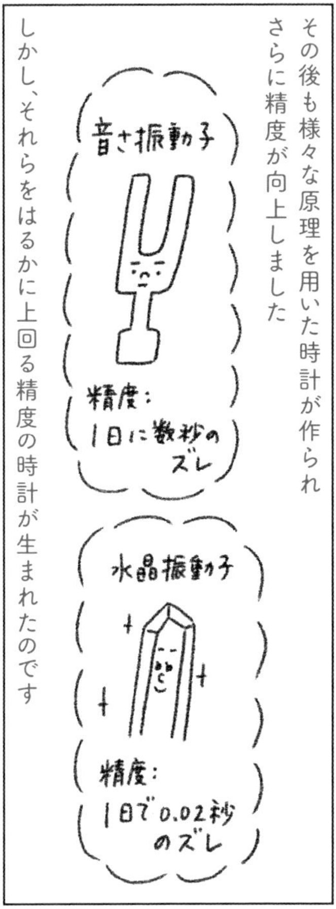
その後も様々な原理を用いた時計が作られ
さらに精度が向上しました
しかし、それらをはるかに上回る精度の時計が生まれたのです
音さ振動子
精度:
1日に数秒のズレ
水晶振動子
精度:
1日で0.02秒のズレ

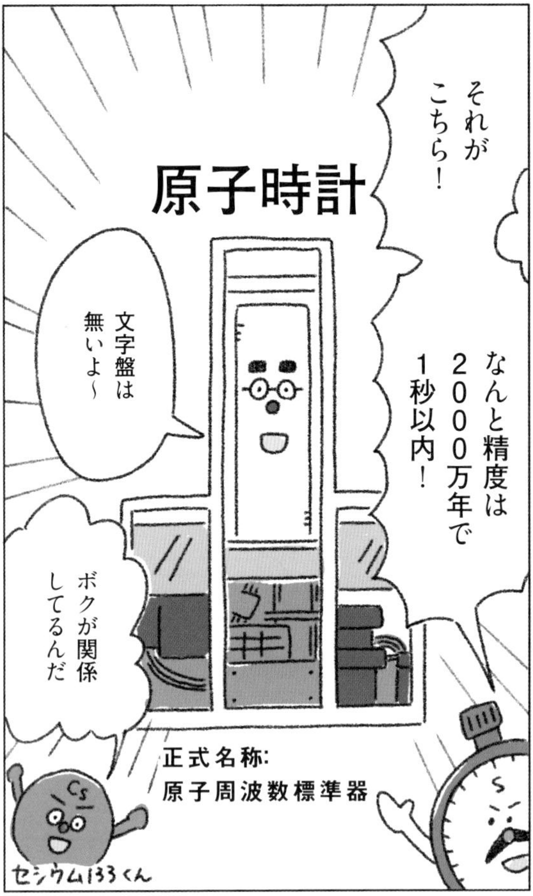
それがこちら!
原子時計
なんと精度は2000万年で1秒以内!
文字盤は無いよ~
ボクが関係してるんだ
正式名称:
原子周波数標準器
セシウム133くん

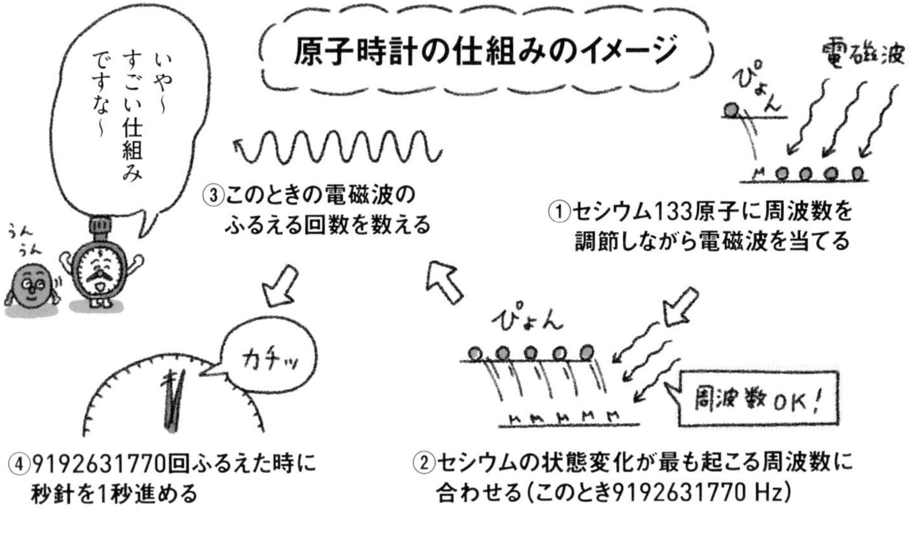
原子時計の仕組みのイメージ
電磁波
ぴょん
①セシウム133原子に周波数を
調節しながら電磁波を当てる
ぴょん
周波数OK!
②セシウムの状態変化が最も起こる周波数に
合わせる(このとき9192631770 Hz)
③このときの電磁波の
ふるえる回数を数える
カチッ
④9192631770回ふるえた時に
秒針を1秒進める
いや~すごい仕組みですな~
うんうん

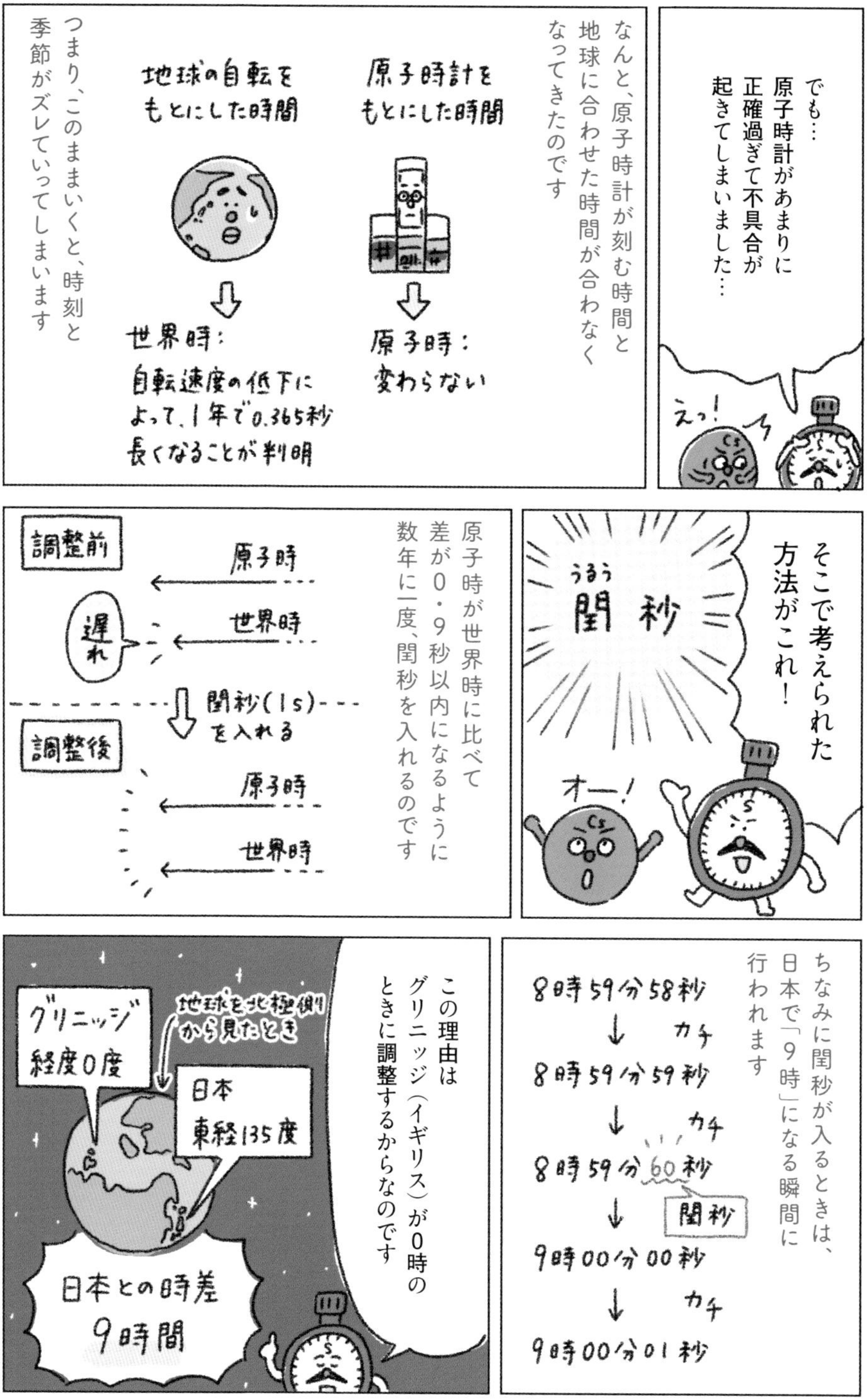
でも…
原子時計があまりに
正確過ぎて不具合が
起きてしまいました…
えっ!
なんと、原子時計が刻む時間と
地球に合わせた時間が合わなく
なってきたのです
原子時計をもとにした時間
原子時：変わらない
地球の自転をもとにした時間
世界時：自転速度の低下によって、1年で0.365秒長くなることが判明
つまり、このままいくと、時刻と
季節がズレていってしまいます
そこで考えられた
方法がこれ!
閏《うるう》秒
オー!
原子時が世界時に比べて
差が0・9秒以内になるように
数年に一度、閏秒を入れるのです
調整前
原子時
世界時
遅れ
閏秒(1s)を入れる
調整後
原子時
世界時
ちなみに閏秒が入るときは、
日本で「9時」になる瞬間に
行われます
8時59分58秒
カチ
8時59分59秒
カチ
8時59分60秒
閏秒
9時00分00秒
カチ
9時00分01秒
この理由は
グリニッジ（イギリス）が0時の
ときに調整するからなのです
グリニッジ
経度0度
地球を北極側から見たとき
日本
東経135度
日本との時差
9時間

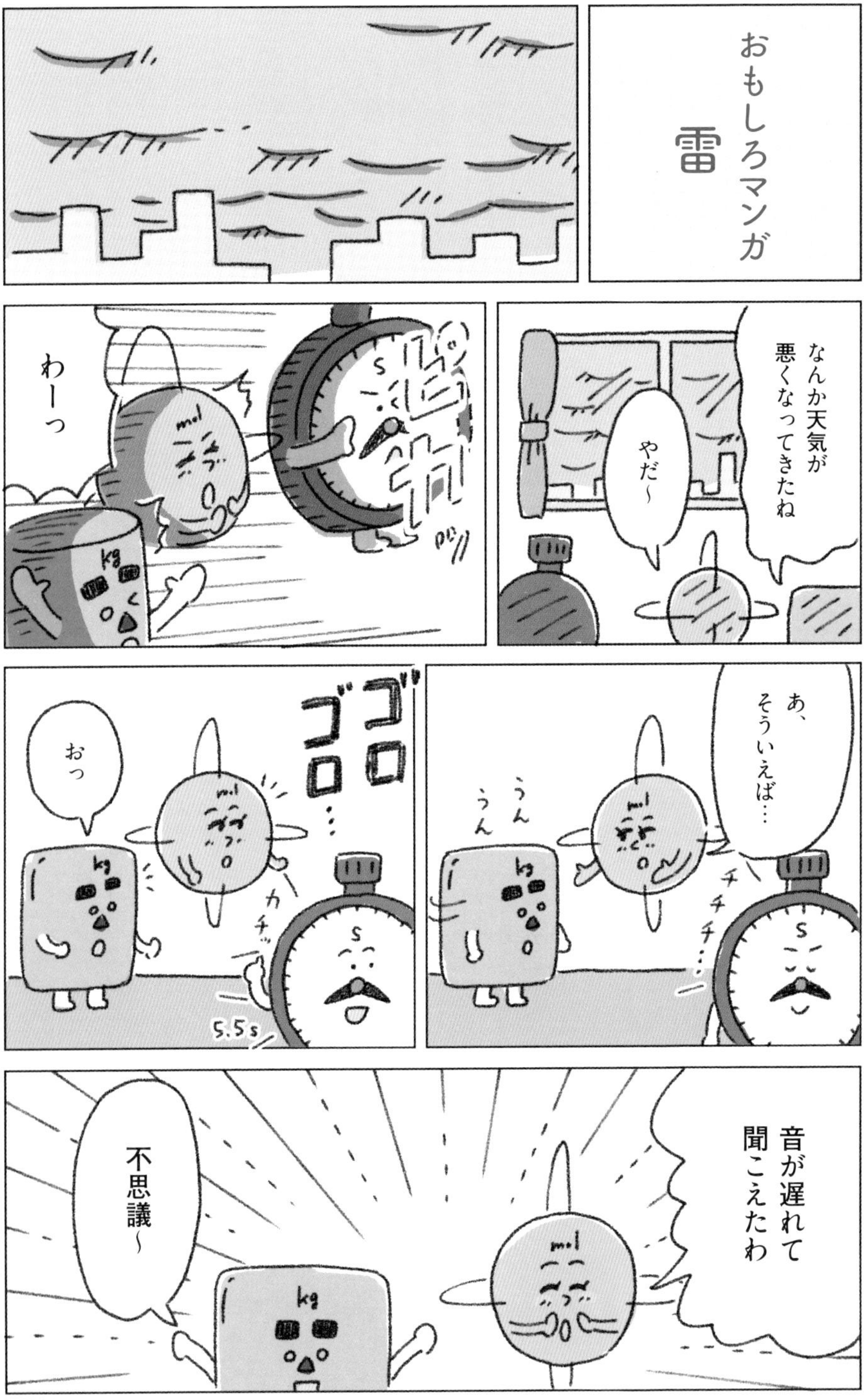
おもしろマンガ
雷
なんか天気が悪くなってきたね
やだ〜
わーっ
あ、そういえば…
うん
うん
チチチ…
ゴロゴロ…
おっ
カチッ
5.5s
音が遅れて聞こえたわ
不思議〜

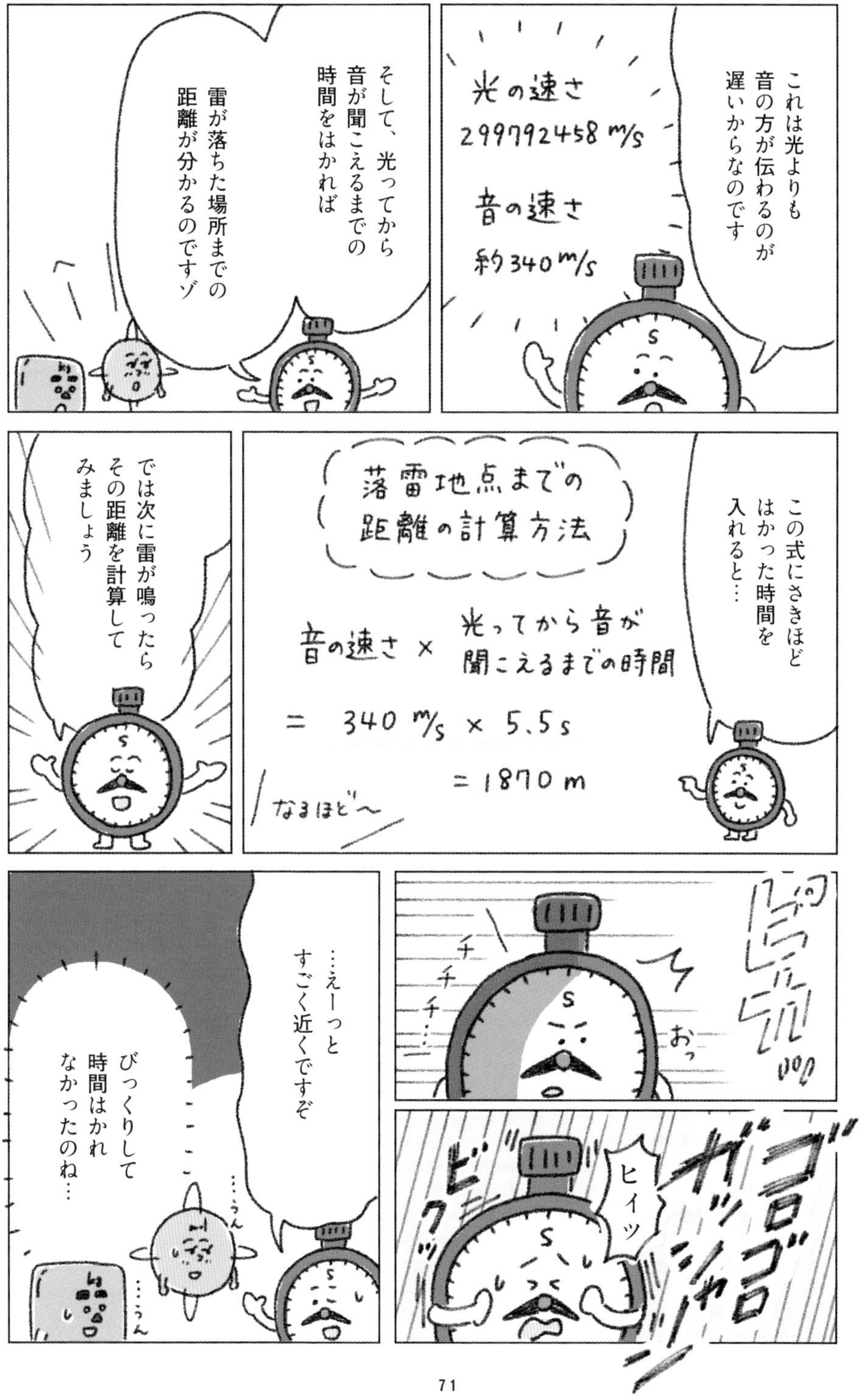
これは光よりも音の方が伝わるのが遅いからなのです
光の速さ
299792458 m/s
音の速さ
約340 m/s
そして、光ってから音が聞こえるまでの時間をはかれば
雷が落ちた場所までの距離が分かるのですゾ
この式にさきほどはかった時間を入れると…
落雷地点までの距離の計算方法
音の速さ × 光ってから音が聞こえるまでの時間
= 340 m/s × 5.5s
= 1870 m
なるほど〜
では次に雷が鳴ったらその距離を計算してみましょう
チ
チ
チ…
おっ
ゴロゴロ
ガッシャーン
ビクッ
ヒイッ
…えーっと
すごく近くですぞ
びっくりして時間はかれなかったのね…
…うん
…うん

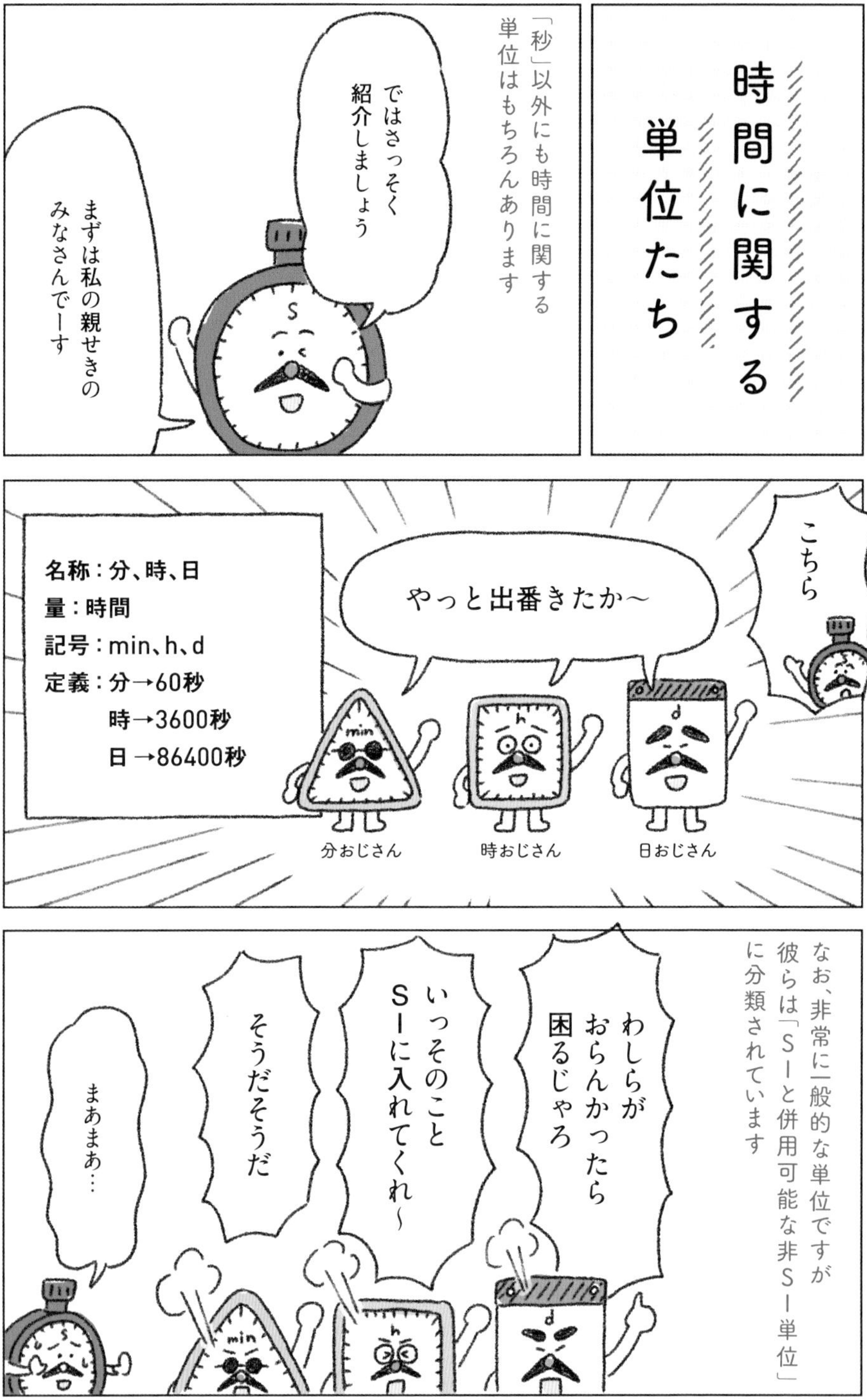

時間に関する単位たち
「秒」以外にも時間に関する単位はもちろんあります
ではさっそく紹介しましょう
まずは私の親せきのみなさんでーす
こちら
やっと出番きたか〜
名称：分、時、日
量：時間
記号：min、h、d
定義：分→60秒
時→3600秒
日→86400秒
分おじさん
時おじさん
日おじさん
なお、非常に一般的な単位ですが彼らは「SIと併用可能な非SI単位」に分類されています
わしらがおらんかったら困るじゃろ
いっそのことSIに入れてくれ〜
そうだそうだ
まあまあ…

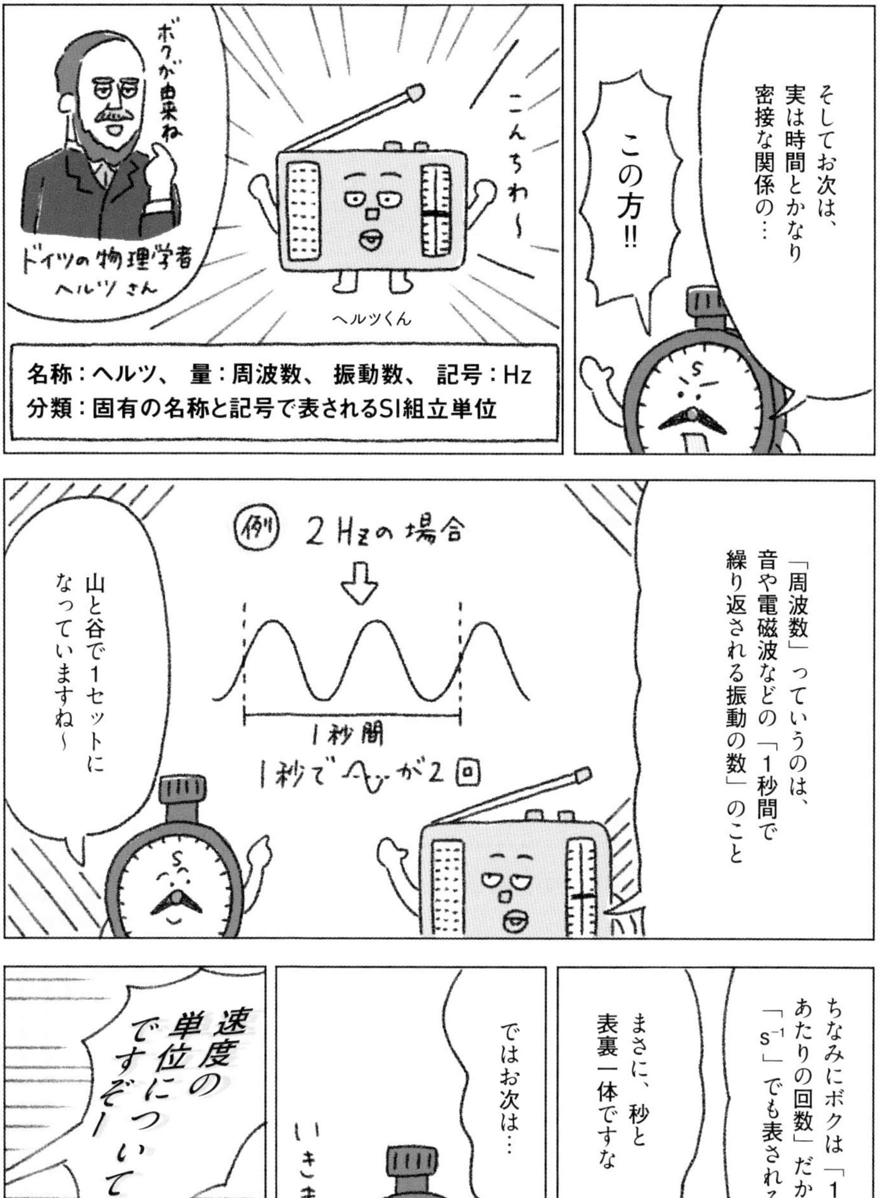

そしてお次は、実は時間とかなり密接な関係の…
この方!!
こんちわ〜
ヘルツくん
ボクが由来ね
ドイツの物理学者ヘルツさん
名称：ヘルツ、 量：周波数、 振動数、 記号：Hz
分類：固有の名称と記号で表されるSI組立単位
「周波数」っていうのは、音や電磁波などの「1秒間で繰り返される振動の数」のこと
例 2Hzの場合
1秒間
1秒で が2回
山と谷で1セットになっていますね〜
ちなみにボクは「1秒あたりの回数」だから「s^{-1}」でも表されるんだ
まさに、秒と表裏一体ですな
$1Hz = 1s^{-1}$
s^{-1}は$\frac{1}{s}$のこと
ではお次は…
いきますよ〜
速度の単位についてですぞー
ピューン

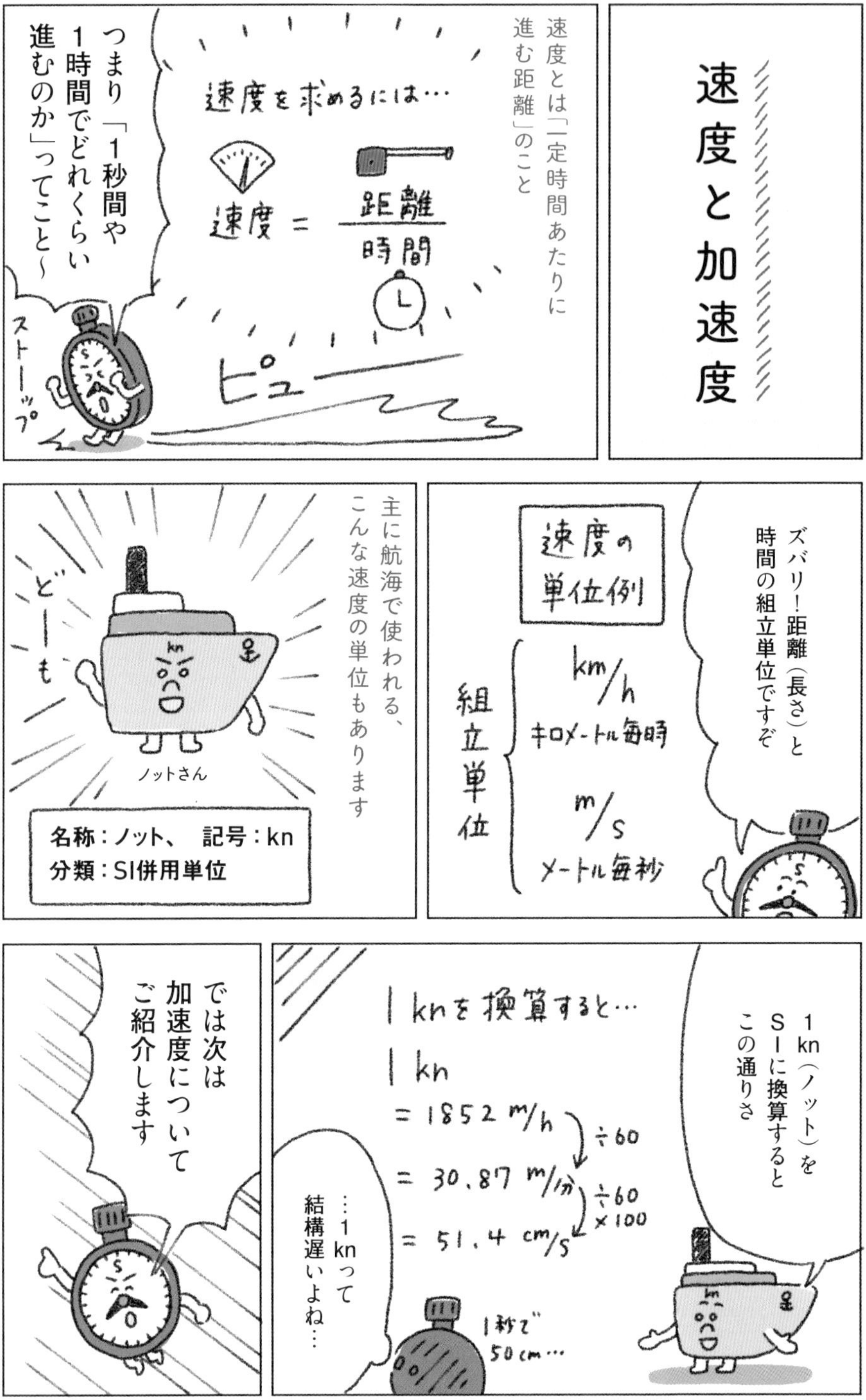

速度と加速度
速度とは「一定時間あたりに進む距離」のこと
速度を求めるには…
速度 ＝ 距離/時間
ピュー
ストーーップ
つまり「1秒間や1時間でどれくらい進むのか」ってこと〜
ズバリ！距離（長さ）と時間の組立単位ですぞ
速度の単位例
組立単位
km/h キロメートル毎時
m/s メートル毎秒
主に航海で使われる、こんな速度の単位もあります
どーーも
ノットさん
名称：ノット、 記号：kn
分類：SI併用単位
1kn（ノット）をSIに換算するとこの通りさ
1knを換算すると…
1kn
= 1852 m/h
÷60
= 30.87 m/分
÷60 ×100
= 51.4 cm/s
…1knって結構遅いよね…
1秒で50cm…
では次は加速度についてご紹介します

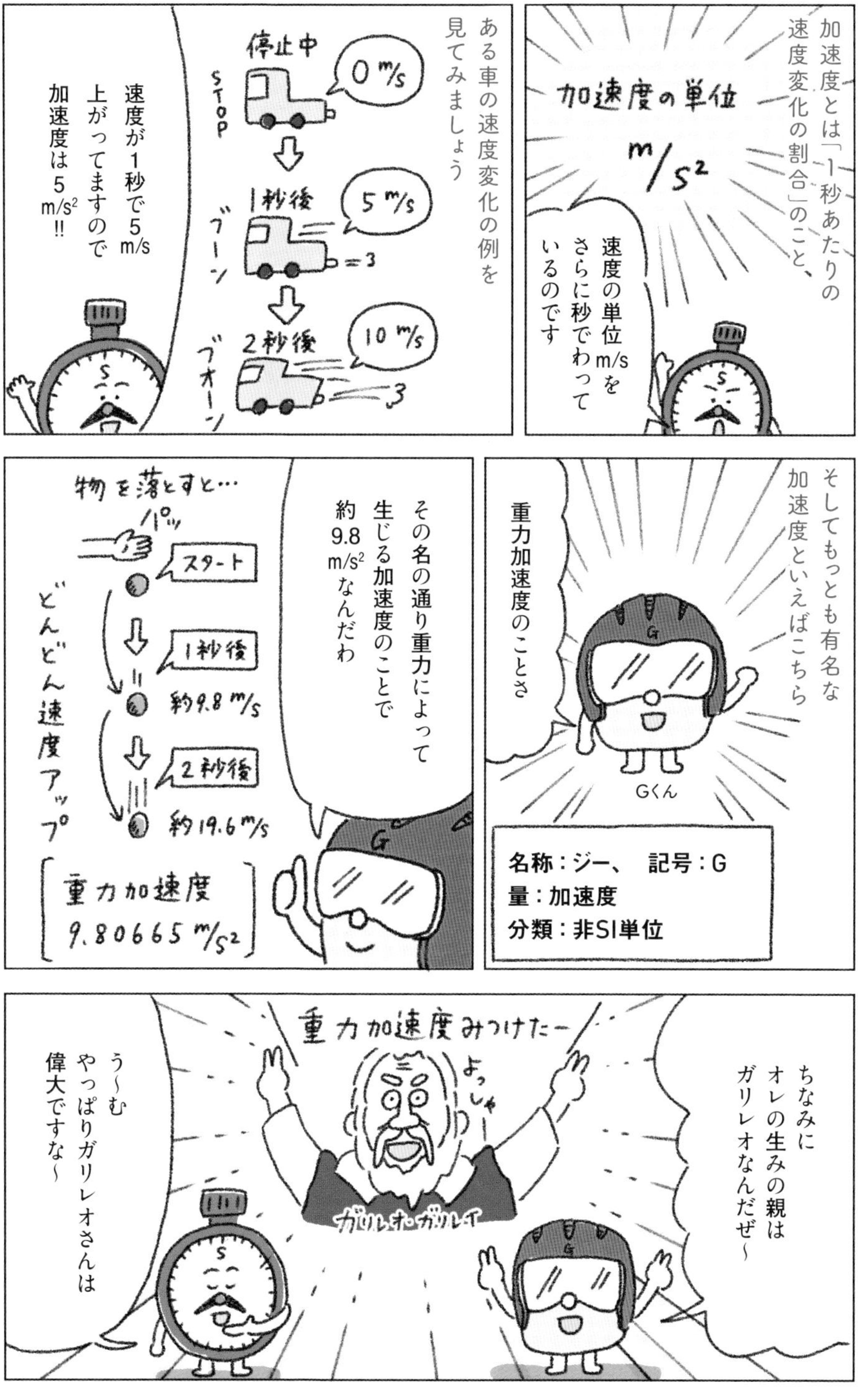

加速度とは「1秒あたりの速度変化の割合」のこと、
加速度の単位
m/s^2
速度の単位m/sをさらに秒でわっているのです
ある車の速度変化の例を見てみましょう
停止中
0 m/s
STOP
1秒後
5 m/s
ブーン
2秒後
10 m/s
ブオーン
速度が1秒で5 m/s上がってますので加速度は5 m/s^2!!
そしてもっとも有名な加速度といえばこちら
重力加速度のことさ
G
Gくん
名称：ジー、　記号：G
量：加速度
分類：非SI単位
その名の通り重力によって生じる加速度のことで約9.8 m/s^2なんだわ
物を落とすと…
パッ
スタート
1秒後
約9.8 m/s
2秒後
約19.6 m/s
どんどん速度アップ
重力加速度 9.80665 m/s^2
ちなみにオレの生みの親はガリレオなんだぜ～
重力加速度みつけたー
よっしゃ
ガリレオ・ガリレイ
う～む やっぱりガリレオさんは偉大ですな～

COLUMN

ノーベル賞と単位のはなし

産業技術総合研究所 計量標準総合センター
物理計測標準研究部門
時間標準研究グループ長
安田正美

毎年ノーベル賞は大きな話題になりますね。そのノーベル賞と単位は深いかかわりがあることをご存知でしたか?

ノーベル賞は、ダイナマイトの発明者として知られるアルフレッド・ノーベルの遺言に従って1901年から始まった世界的な賞です。物理学、化学、生理学・医学、文学および平和の5分野において「過去1年間に人類に対して最大の貢献をした者」に授与されます。

一方、メートル法施行を記念して、フランスで発行される予定だった記念メダルには、「全ての時代に、全ての人々に」の言葉が刻まれていました。このメダルは結局発行されませんでしたが、この言葉は「時代や国を問わず使えるように」というメートル法の理念を表すものとしてよく引用されます。

上記の二つの文章の傍線部は、ほぼ共通の方向性をもつものであり、そのため、単位に関連した研究に与えられたノーベル賞（特に、ノーベル物理学賞）の例は数多いのです。

以下具体的に例を挙げてみましょう。

長さ

マイケルソン［1907］
干渉計による長さの精密計測

ギヨーム［1920］
低熱膨張係数材料、インバー合金の発見

質量

ヒッグス［2013］
質量の起源

時間（長さとも関連）

シュテルン［1943］
分子線による実験方法の開発

ラビ［1944］
原子核の磁気的性質を記録する共鳴法

クーシュ［1955］
電子の磁気モーメントの精密測定

バゾフ・プロホロフ・タウンズ［1964］
▽量子エレクトロニクスの基礎研究、メーザー・レーザーの発明

カスレ［1966］
▽光ポンピング法の発明

ブレーンベルゲン・ショーロー［1981］
▽レーザー分光学の発展への貢献

デーメルト・パウル［1989］
▽イオン捕捉技術の開発

ラムゼー［1989］
▽分離振動場法の発明とその水素メーザーなどの原子時計への応用

チュー・コーエン＝タヌージ・フィリップス［1997］
▽レーザー光による原子の冷却と捕捉

ホール・ヘンシュ［2005］
▽レーザーを用いた精密分光学、光コム技術

ワインランド［2012］
▽個別の量子系の計測と操作

電流

トムソン［1906］▽電子の発見

ミリカン［1923］▽素電荷の測定

ジョセフソン［1973］
▽ジョセフソン効果の理論的予言

フォン＝クリッツィング［1985］
▽量子ホール効果の発見

温度

オンネス［1913］▽液体ヘリウムの製造に至る低温物性の研究

物質量（質量とも関連）

フォン＝ラウエ［1914］
▽結晶によるX線回折の発見

ブラッグ親子［1915］
▽X線を用いた結晶構造の解析

光度（温度とも関連）

プランク［1918］
▽エネルギー量子の発見、熱放射則の確立

赤﨑・天野・中村［2014］
▽効率的な青色発光ダイオードの発明

いかがですか？　単位の研究に多くのノーベル賞が与えられていることがわかりますね。

また、単位の研究に必要となる分野の創設に貢献したことで与えられたノーベル賞も数多くあります。たとえば、レントゲン（1901、X線の発見）、ローレンツ・ゼーマン（1902、磁場が放射現象に与える影響の研究、ゼーマン効果）、アインシュタイン（1921、理論物理学への貢献、特に光電効果の法則の発見）、ボーア（1922、原子構造と原子からの輻射に関する研究）、などです。

今後もノーベル賞が期待される単位研究にはたくさんあります。なかでも、秒の再定義の有力候補である光格子時計については、ノーベル賞にもっとも近い、と期待されています。皆さんも今後注目して見ていてくださいね。

どうやったらSI単位になれるんじゃろ…
う〜ん
わからんな…

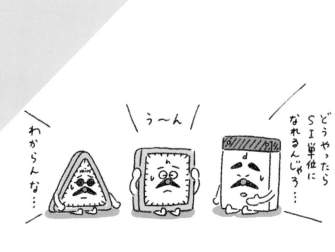

第 4 章

質 量

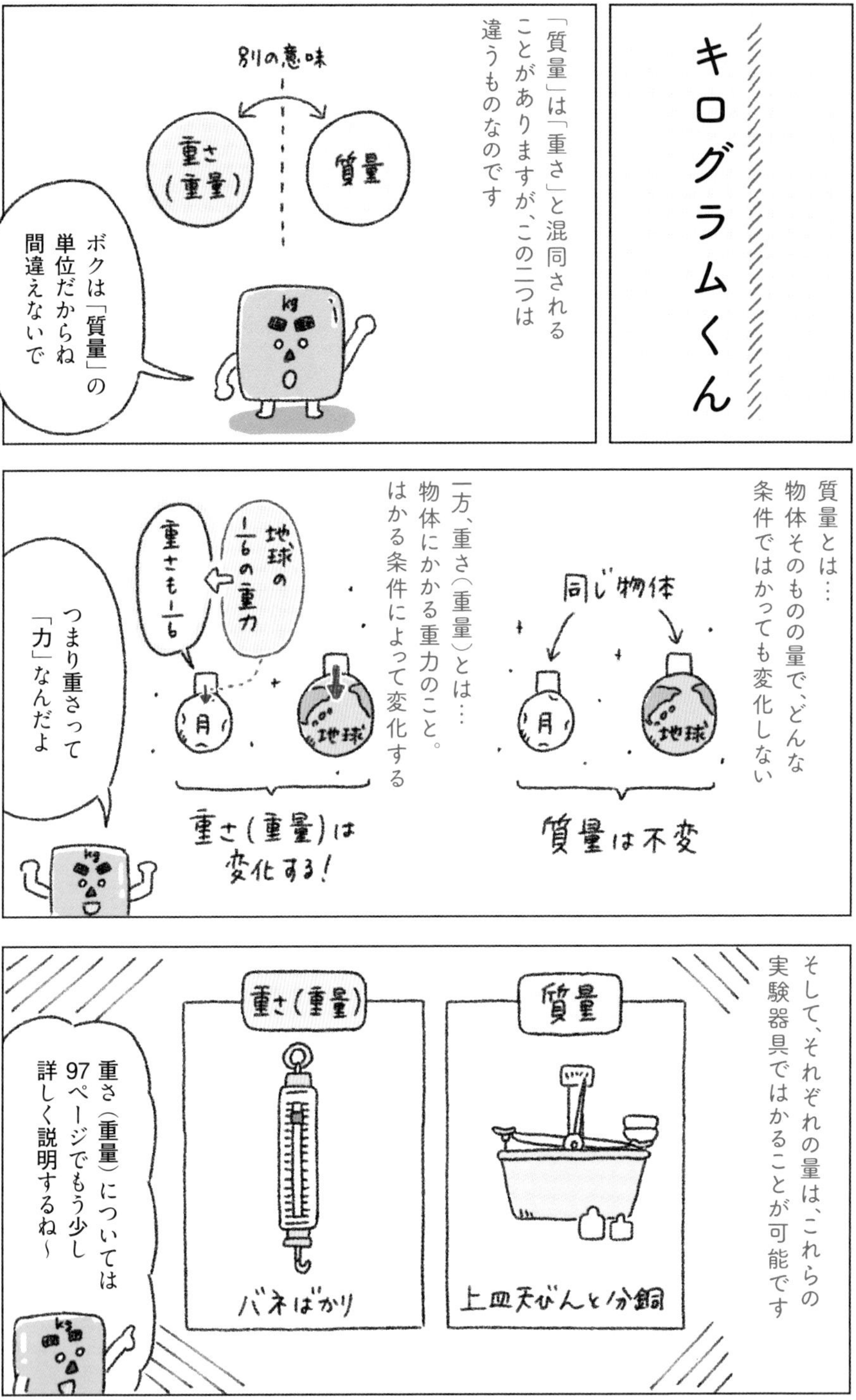
キログラムくん
「質量」は「重さ」と混同されることがありますが、この二つは違うものなのです
別の意味
質量
重さ（重量）
kg
ボクは「質量」の単位だからね 間違えないで
質量とは… 物体そのものの量で、どんな条件ではかっても変化しない
同じ物体
地球
月
質量は不変
一方、重さ（重量）とは… 物体にかかる重力のこと。はかる条件によって変化する
地球の1/6の重力
重さも1/6
地球
月
重さ（重量）は変化する！
kg
つまり重さって「力」なんだよ
そして、それぞれの量は、これらの実験器具ではかることが可能です
質量
上皿天びんと分銅
重さ（重量）
バネばかり
kg
重さ（重量）については97ページでもう少し詳しく説明するね〜

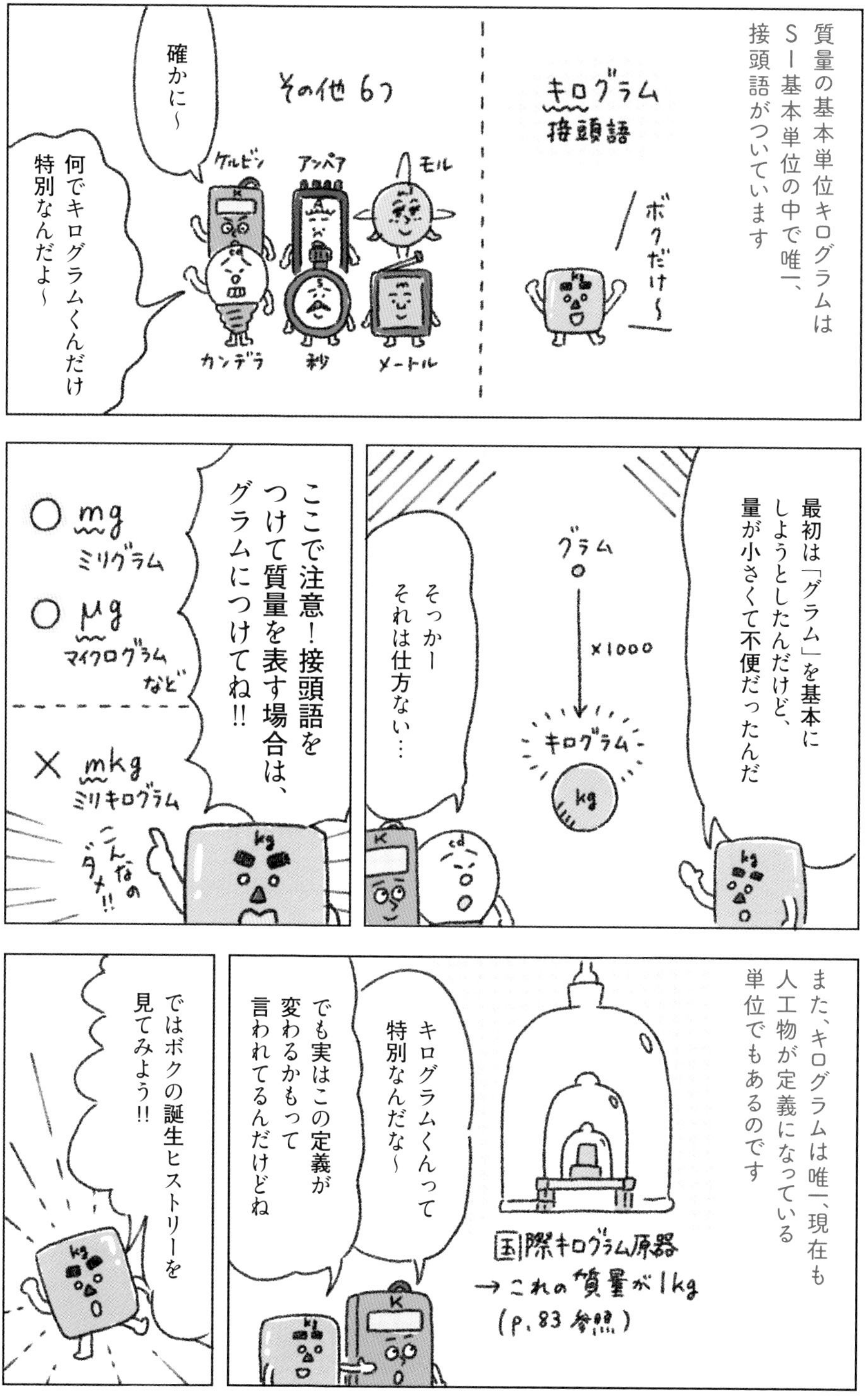
質量の基本単位キログラムはSI基本単位の中で唯一、接頭語がついています
キログラム
接頭語
ボクだけ〜
その他6つ
モル
アンペア
ケルビン
カンデラ
秒
メートル
確かに〜
何でキログラムくんだけ特別なんだよ〜
最初は「グラム」を基本にしようとしたんだけど、量が小さくて不便だったんだ
グラム
×1000
キログラム
kg
そっかー
それは仕方ない…
ここで注意！接頭語をつけて質量を表す場合は、グラムにつけてね!!
○ mg
ミリグラム
○ μg
マイクログラム
など
× mkg
ミリキログラム
こんなのダメ!!
また、キログラムは唯一、現在も人工物が定義になっている単位でもあるのです
国際キログラム原器
→これの質量が1kg
(p.83参照)
キログラムくんって特別なんだな〜
でも実はこの定義が変わるかもって言われてるんだけどね
ではボクの誕生ヒストリーを見てみよう!!

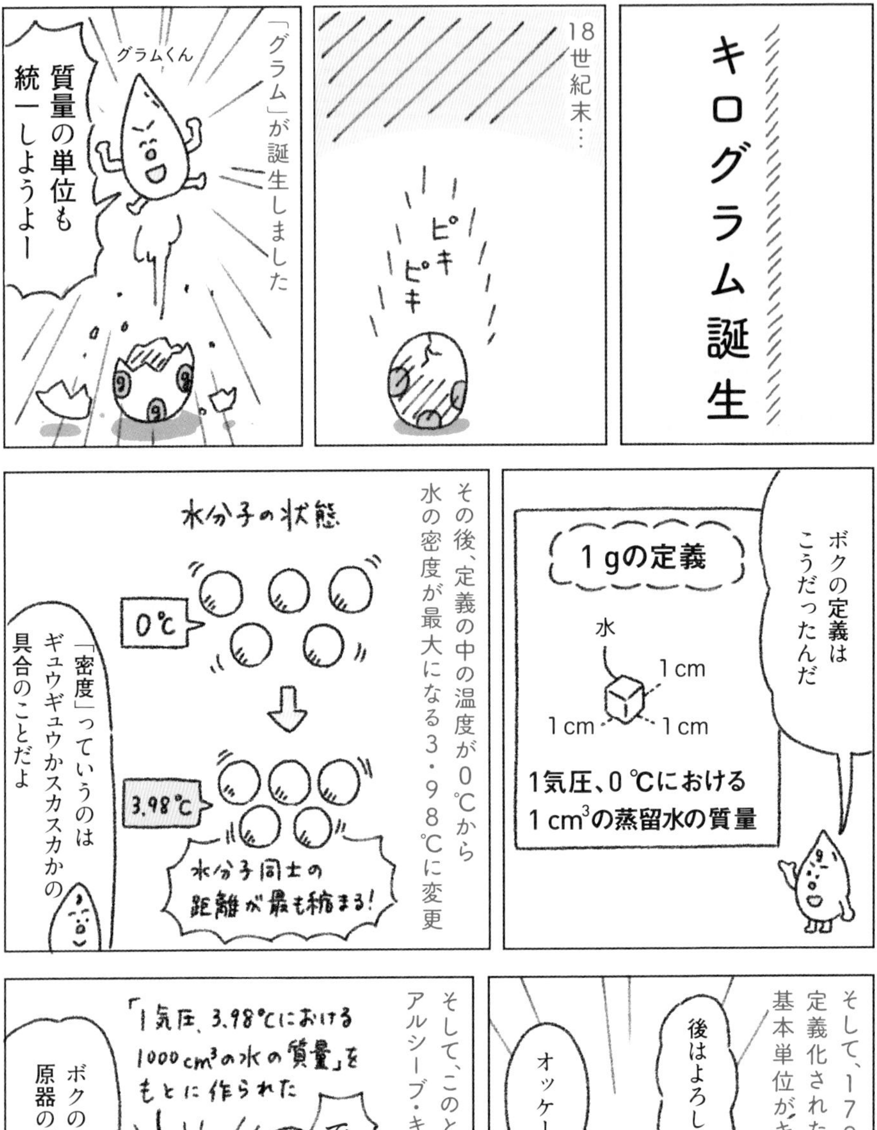
キログラム誕生
18世紀末…
ピキピキ
「グラム」が誕生しました
グラムくん
質量の単位も統一しようよー
ボクの定義はこうだったんだ
1gの定義
水
1cm
1cm
1cm
1気圧、0℃における
1 cm^3の蒸留水の質量
その後、定義の中の温度が0℃から水の密度が最大になる3・98℃に変更
水分子の状態
0℃
3.98℃
水分子同士の距離が最も縮まる!
「密度」っていうのはギュウギュウかスカスカかの具合のことだよ
そして、1799年、メートルが定義化されたタイミングで、質量の基本単位がキログラムになりました
後はよろしく!!
オッケー
そして、このときに作られたのがアルシーブ・キログラム原器です
できた
「1気圧、3.98℃における1000 cm^3の水の質量」をもとに作られた
ボクの最初の定義がこの原器の質量ってわけさ

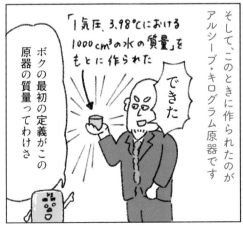

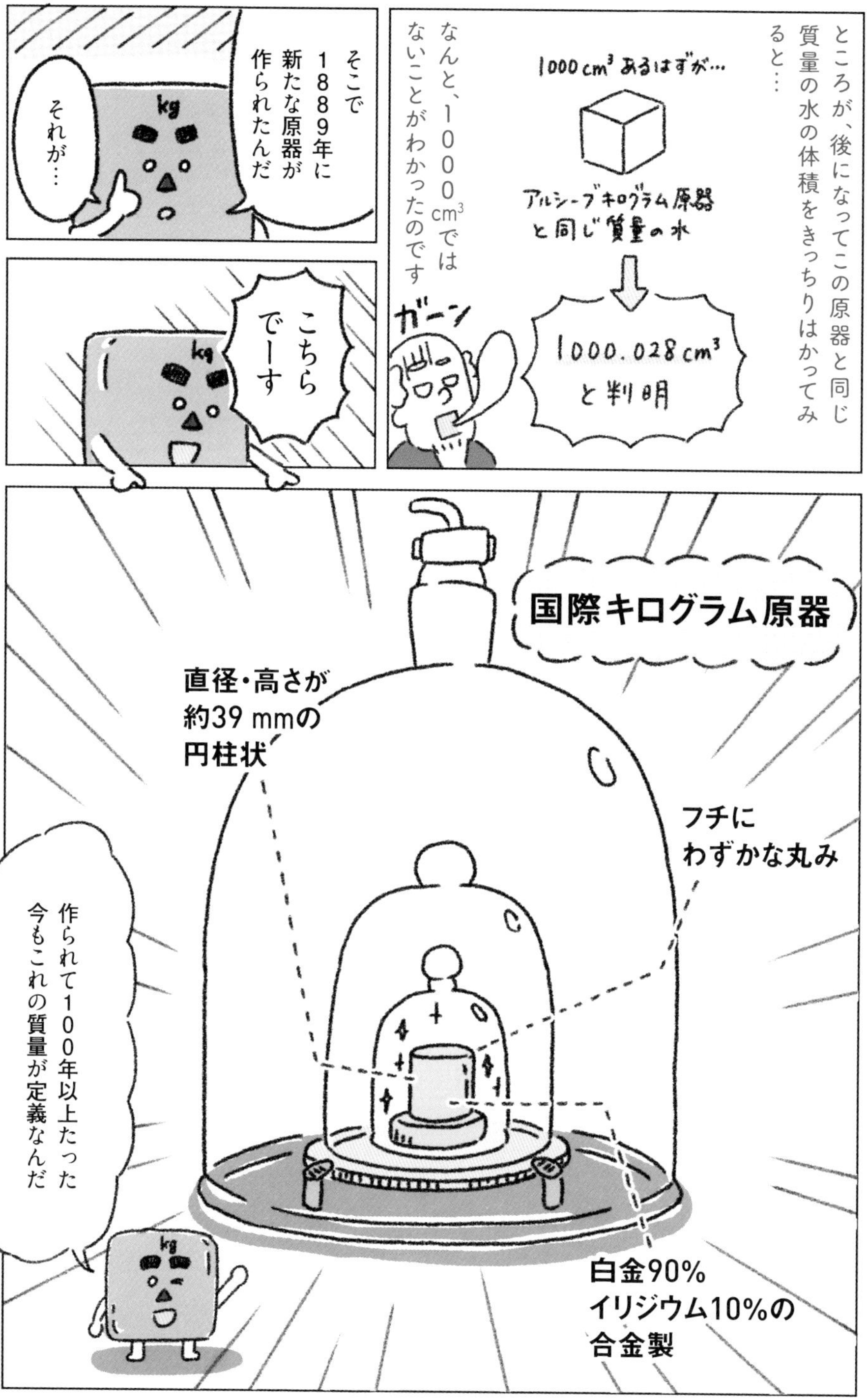
ところが、後になってこの原器と同じ質量の水の体積をきっちりはかってみると…
1000 cm^3 あるはずが…
アルシーブキログラム原器と同じ質量の水
1000.028 cm^3 と判明
ガーン
なんと、1000 cm^3 ではないことがわかったのです
そこで1889年に新たな原器が作られたんだ
それが…
こちらでーす
国際キログラム原器
直径・高さが約39 mmの円柱状
フチにわずかな丸み
白金90% イリジウム10%の合金製
作られて100年以上たった今もこれの質量が定義なんだ

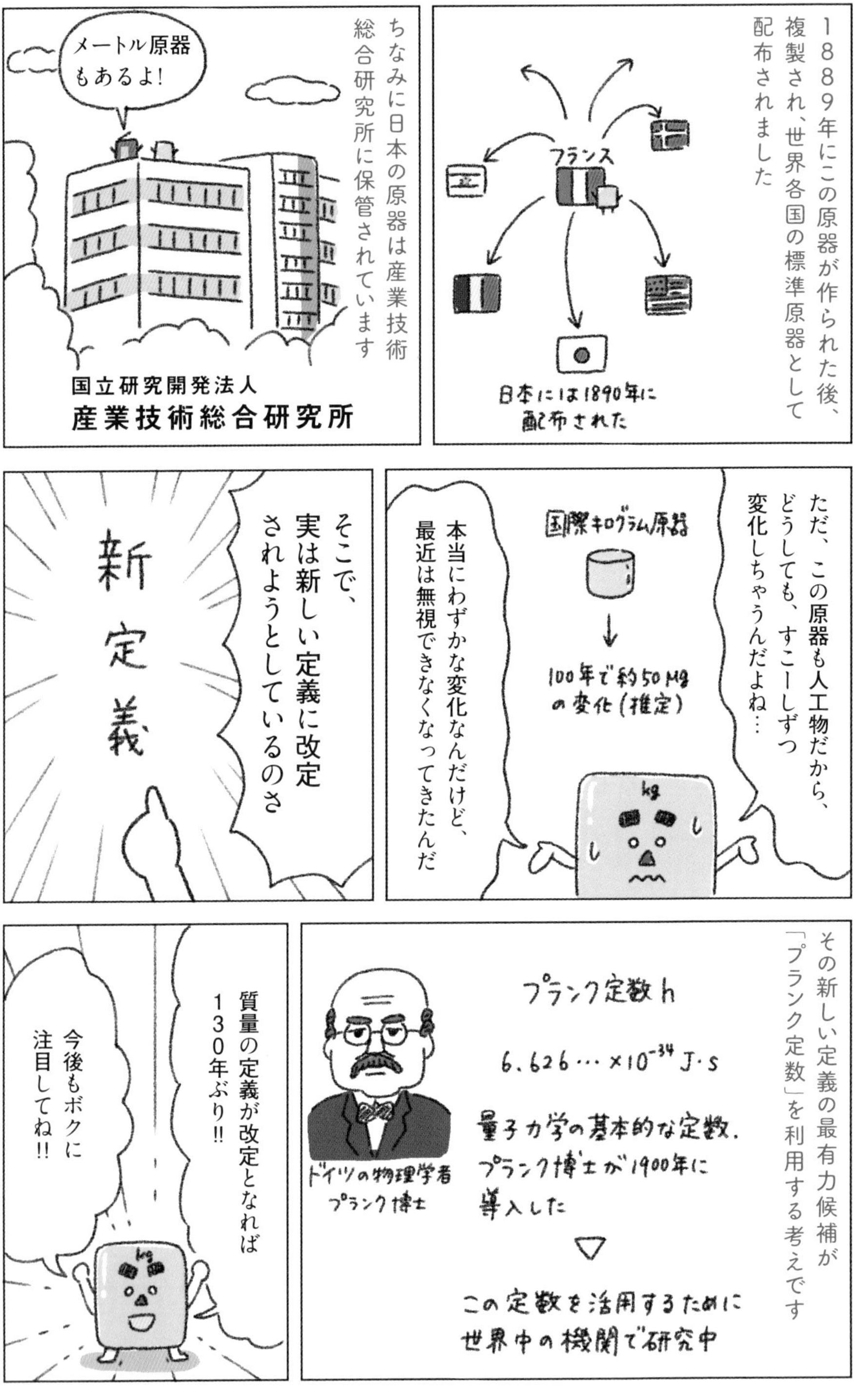
1889年にこの原器が作られた後、複製され、世界各国の標準原器として配布されました
フランス
日本には1890年に配布された
ちなみに日本の原器は産業技術総合研究所に保管されています
メートル原器もあるよ!
国立研究開発法人
産業技術総合研究所
ただ、この原器も人工物だから、どうしても、すこーしずつ変化しちゃうんだよね…
国際キログラム原器
100年で約50μg の変化（推定）
kg
本当にわずかな変化なんだけど、最近は無視できなくなってきたんだ
そこで、実は新しい定義に改定されようとしているのさ
新定義
その新しい定義の最有力候補が「プランク定数」を利用する考えです
プランク定数h
$6.626\cdots\times10^{-34}$ J·s
量子力学の基本的な定数。プランク博士が1900年に導入した
▽
この定数を活用するために世界中の機関で研究中
ドイツの物理学者プランク博士
質量の定義が改定となれば130年ぶり!!
今後もボクに注目してね!!
kg

キログラムの定義の移り変わり

1795年

グラムが定義される。
1気圧、0 ℃（後に3.98 ℃に変更）での水の1 cm^3の質量

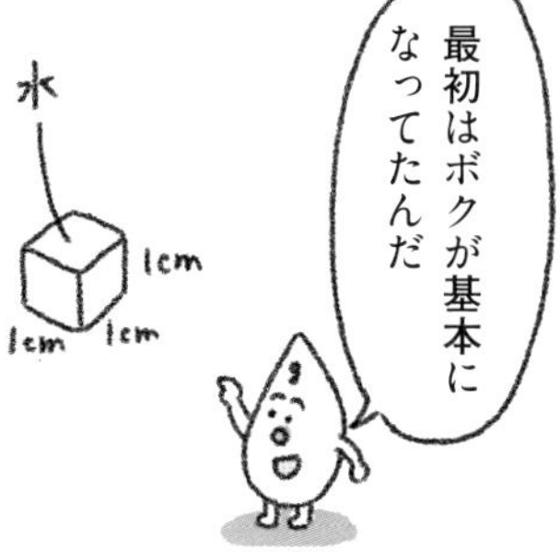
水
1cm
1cm
1cm
最初はボクが基本になってたんだ

基本単位が変更に

1799年

基本単位がキログラムになる。
アルシーブ・キログラム原器の質量

ボクのはじめの定義だよ

正確さに欠けていたため
新たな原器を制作

1889年

国際キログラム原器の質量

今の定義はコレ〜

近いうちに定義が改定されるかも？

今後も要チェック

キログラムくん

単位記号 kg

定義

国際キログラム原器の質量

質量の例

電子
9.1×10^{-31} kg

1Lの牛乳パックに
入った牛乳
約1 kg

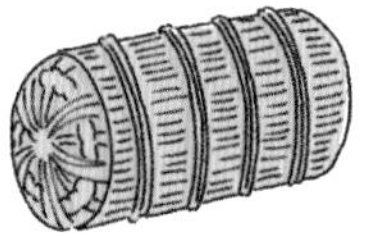

米一俵
約60 kg

プチ情報

「グラム」とは「小さな重さ」というギリシャ語が由来となっている

特技

見ただけで質量をはかること

性格

見た目に反してノリはけっこう軽い

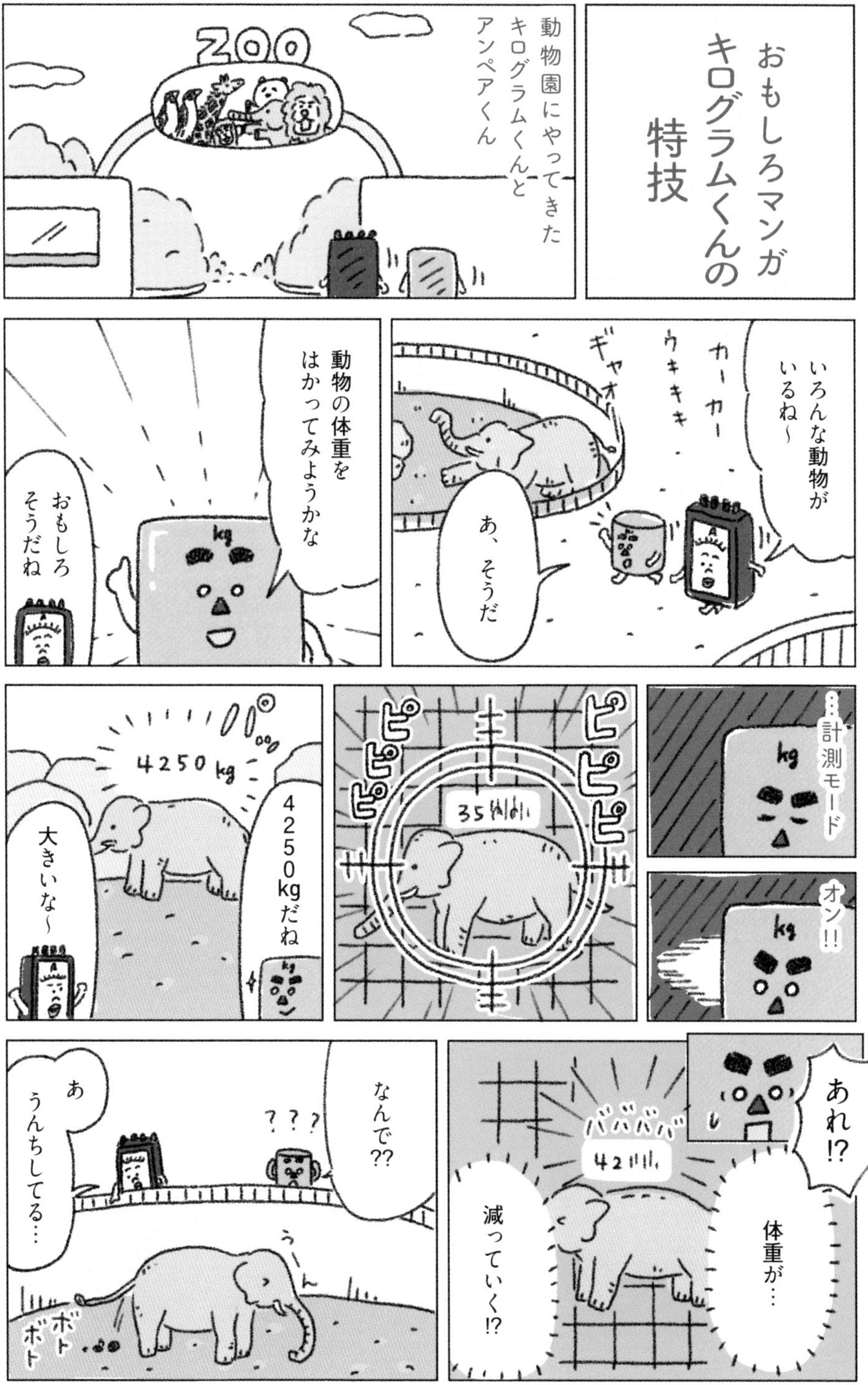
おもしろマンガ
キログラムくんの特技
動物園にやってきたキログラムくんとアンペアくん
ZOO
いろんな動物がいるね〜
カーカー
ウキキキ
ギャオ
あ、そうだ
動物の体重をはかってみようかな
おもしろそうだね
…計測モード
オン!!
ピピピ
ピピピ
35
4250kg
4250kgだね
大きいな〜
あれ!?
ババババ
42
体重が…
減っていく!?
なんで??
???
あ
うんちしてる…
う〜ん
ボトボト

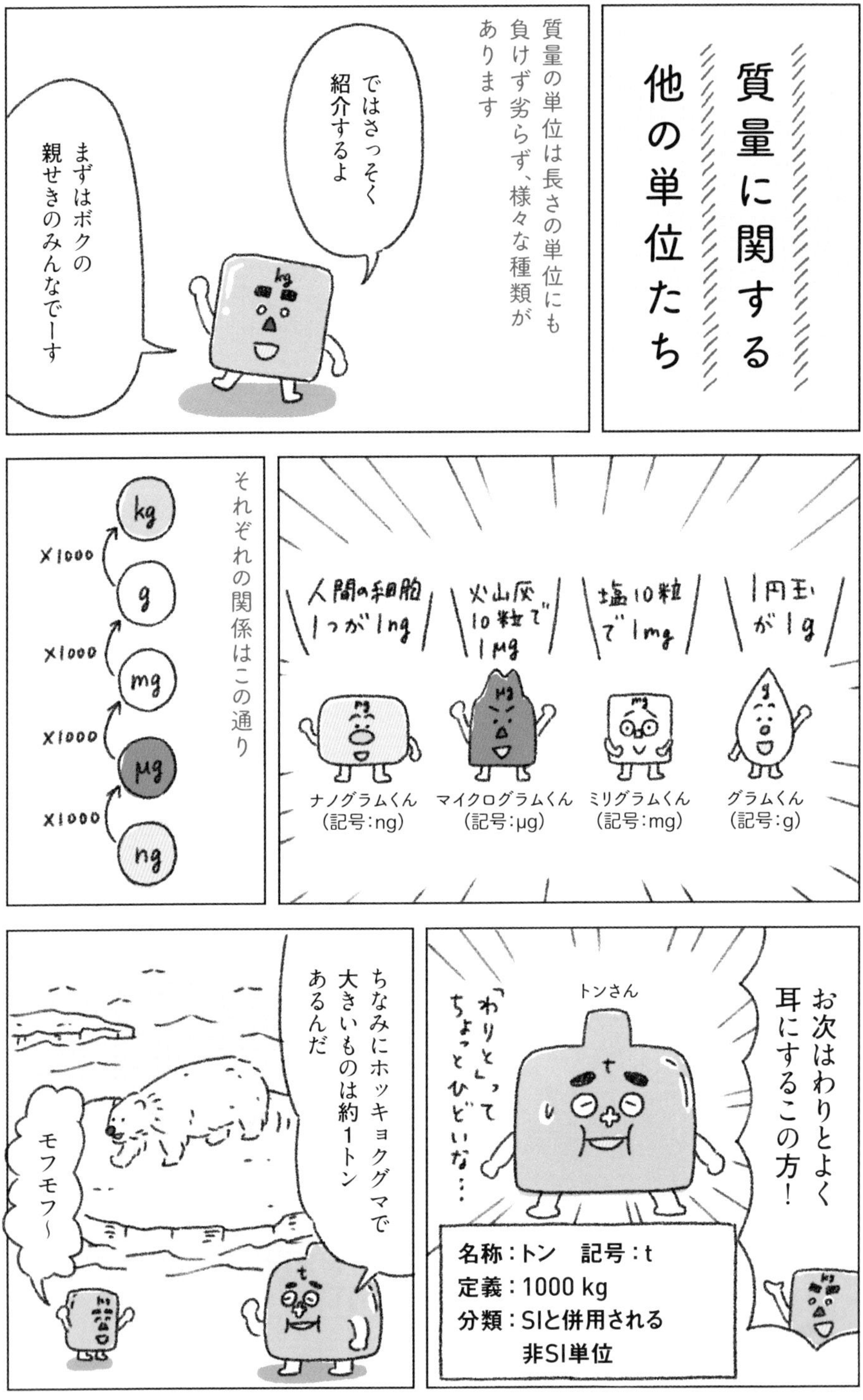

質量に関する
他の単位たち
質量の単位は長さの単位にも負けず劣らず、様々な種類があります
ではさっそく紹介するよ
まずはボクの親せきのみんなでーす
人間の細胞1つが1ng
火山灰10粒で1μg
塩10粒で1mg
1円玉が1g
ナノグラムくん (記号:ng)
マイクログラムくん (記号:μg)
ミリグラムくん (記号:mg)
グラムくん (記号:g)
それぞれの関係はこの通り
kg
×1000
g
×1000
mg
×1000
μg
×1000
ng
お次はわりとよく耳にするこの方!
トンさん
「わりと」ってちょっとひどいな…
名称:トン　記号:t
定義:1000 kg
分類:SIと併用される非SI単位
ちなみにホッキョクグマで大きいものは約1トンあるんだ
モフモフ~

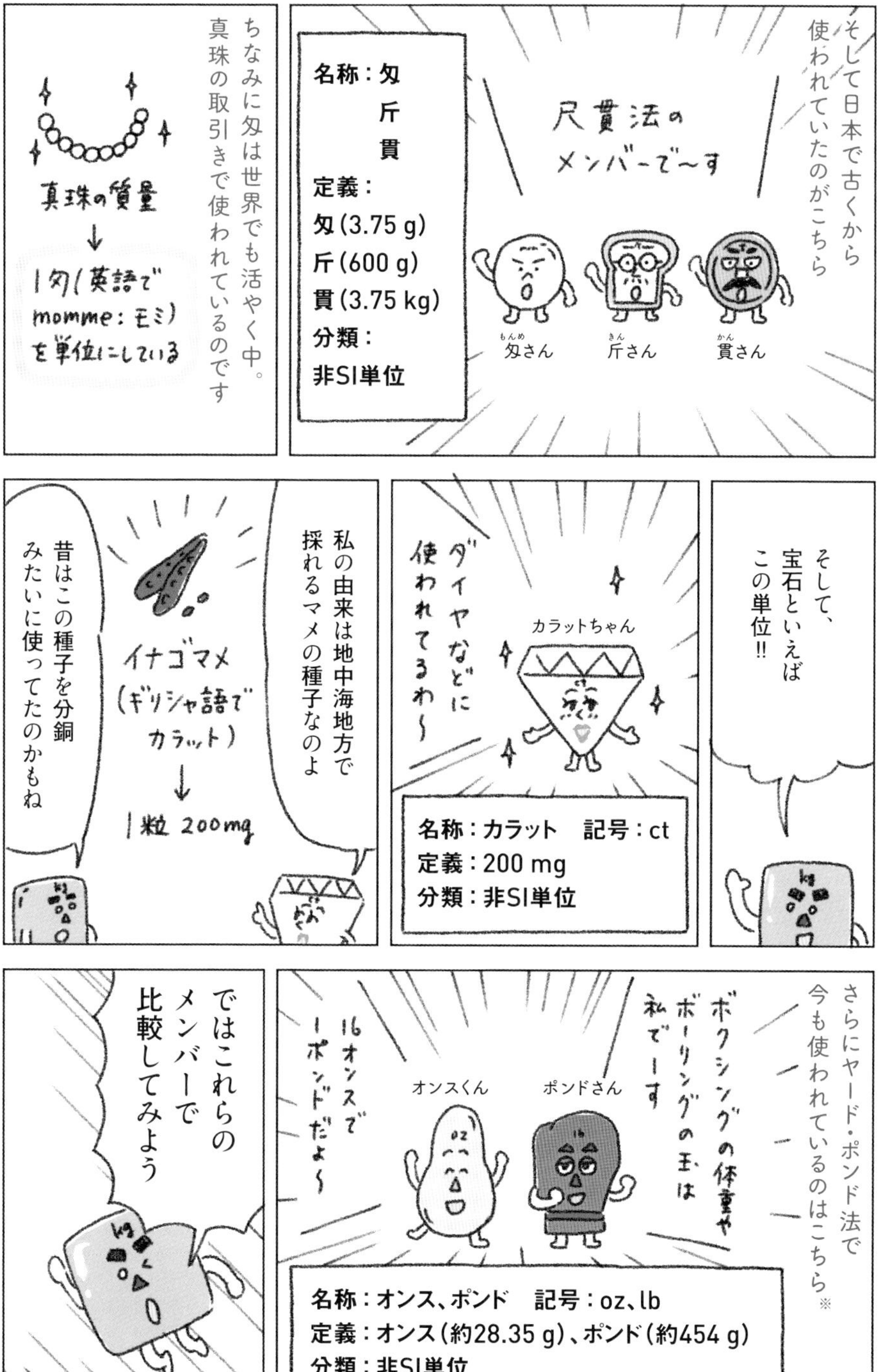
そして日本で古くから使われていたのがこちら
尺貫法のメンバーで〜す
匁《もんめ》さん
斤《きん》さん
貫《かん》さん
名称：匁
斤
貫
定義：
匁(3.75 g)
斤(600 g)
貫(3.75 kg)
分類：
非SI単位
ちなみに匁は世界でも活やく中。真珠の取引きで使われているのです
真珠の質量
↓
1匁（英語で momme：モミ）を単位にしている
そして、宝石といえばこの単位!!
ダイヤなどに使われてるわ〜
カラットちゃん
名称：カラット　記号：ct
定義：200 mg
分類：非SI単位
私の由来は地中海地方で採れるマメの種子なのよ
イナゴマメ（ギリシャ語でカラット）
↓
1粒 200mg
昔はこの種子を分銅みたいに使ってたのかもね
さらにヤード・ポンド法で今も使われているのはこちら※
ボクシングの体重やボーリングの玉は私で〜す
16オンスで1ポンドだよ〜
オンスくん
ポンドさん
名称：オンス、ポンド　記号：oz、lb
定義：オンス（約28.35 g）、ポンド（約454 g）
分類：非SI単位
ではこれらのメンバーで比較してみよう

※ここでは常用ポンド・常用オンスのことを意味している

質量単位の比較

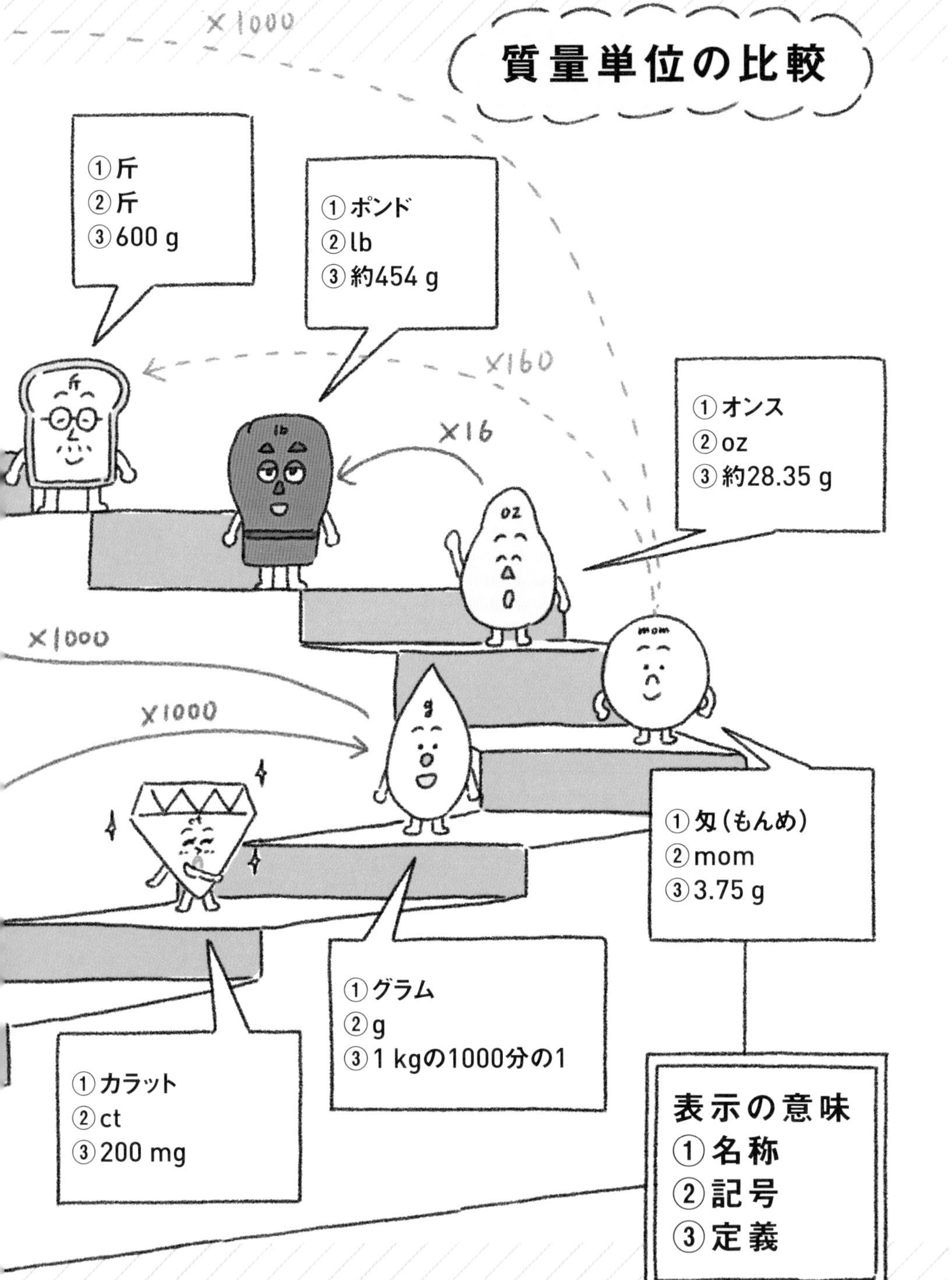
×1000
①斤
②斤
③600 g
①ポンド
②lb
③約454 g
×160
×16
①オンス
②oz
③約28.35 g
×1000
×1000
①匁(もんめ)
②mom
③3.75 g
①グラム
②g
③1 kgの1000分の1
①カラット
②ct
③200 mg
表示の意味
①名称
②記号
③定義

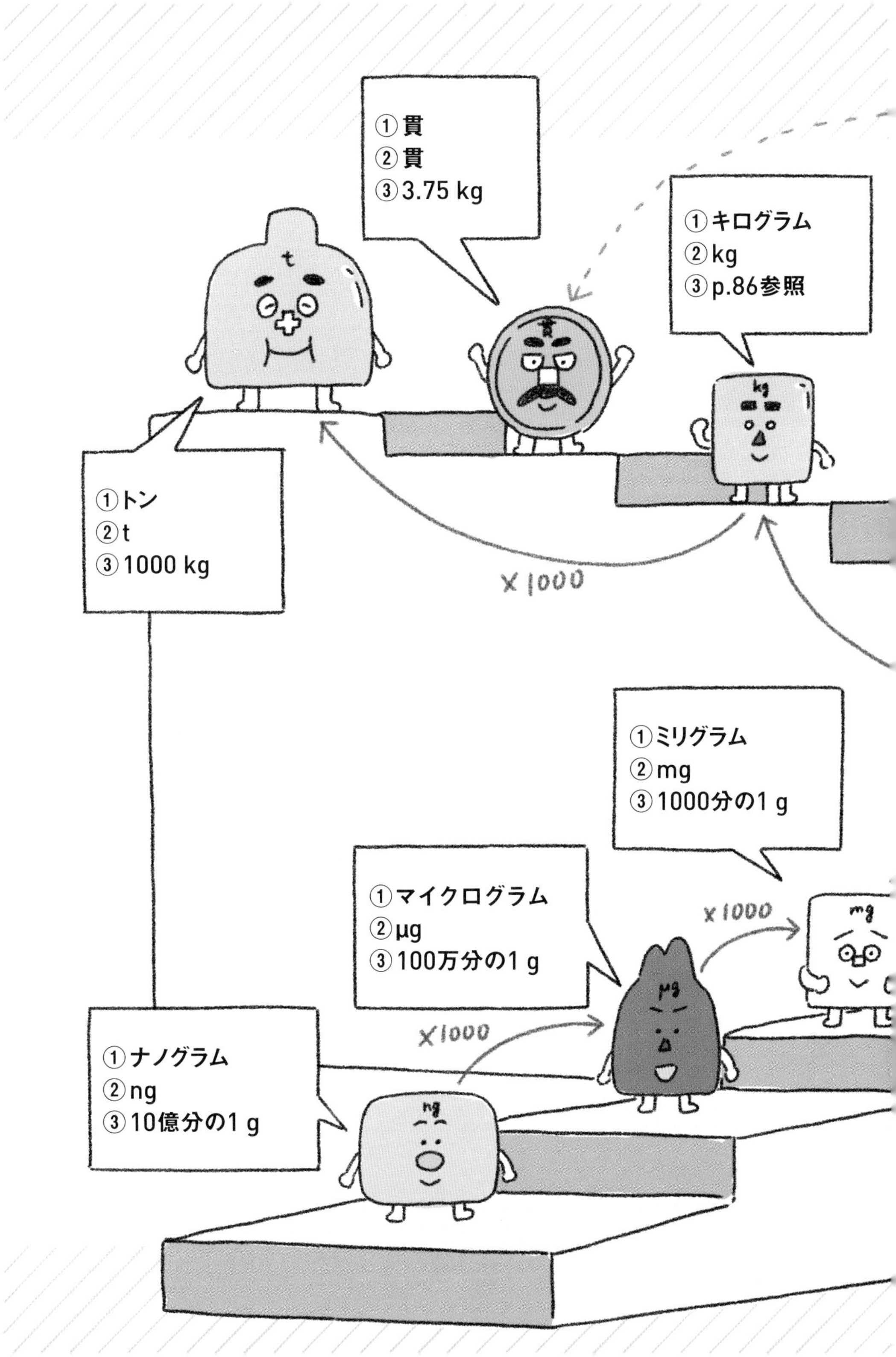
①貫
②貫
③3.75 kg
①キログラム
②kg
③p.86参照
①トン
②t
③1000 kg
×1000
①ミリグラム
②mg
③1000分の1 g
①マイクログラム
②μg
③100万分の1 g
×1000
①ナノグラム
②ng
③10億分の1 g
×1000

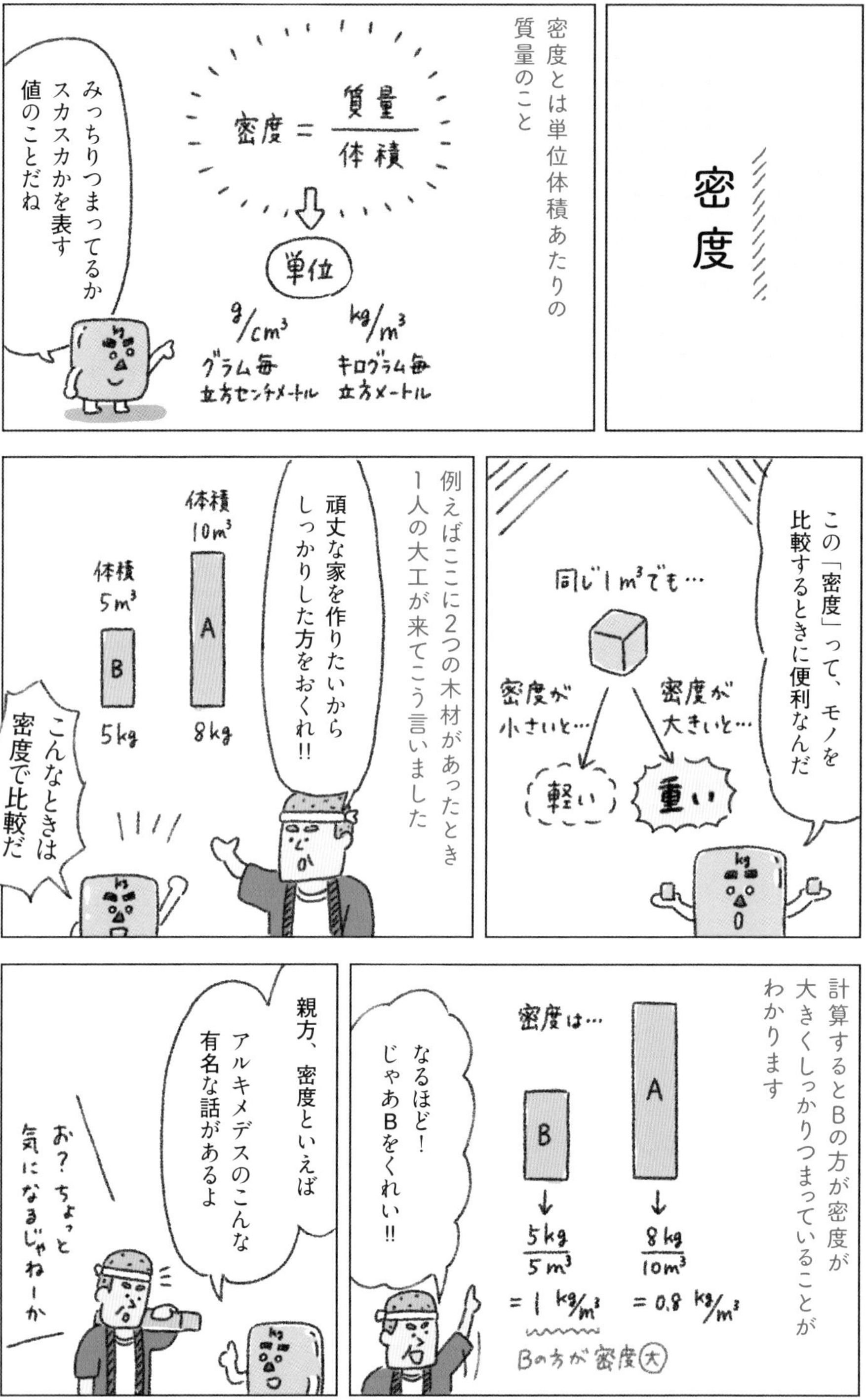

密度
密度とは単位体積あたりの質量のこと
密度＝質量/体積
単位
g/cm^3
グラム毎立方センチメートル
kg/m^3
キログラム毎立方メートル
みっちりつまってるかスカスカかを表す値のことだね
この「密度」って、モノを比較するときに便利なんだ
同じ1m^{3}でも…
密度が小さいと…
密度が大きいと…
軽い
重い
例えばここに2つの木材があったとき1人の大工が来てこう言いました
頑丈な家を作りたいからしっかりした方をおくれ!!
体積10m^3
A
8kg
体積5m^3
B
5kg
こんなときは密度で比較だ
計算するとBの方が密度が大きくしっかりつまっていることがわかります
密度は…
B
A
5kg/5m^3 ＝1 kg/m^3
8kg/10m^3 ＝0.8 kg/m^3
Bの方が密度(大)
なるほど！じゃあBをくれい!!
親方、密度といえばアルキメデスのこんな有名な話があるよ
お？ちょっと気になるじゃねーか

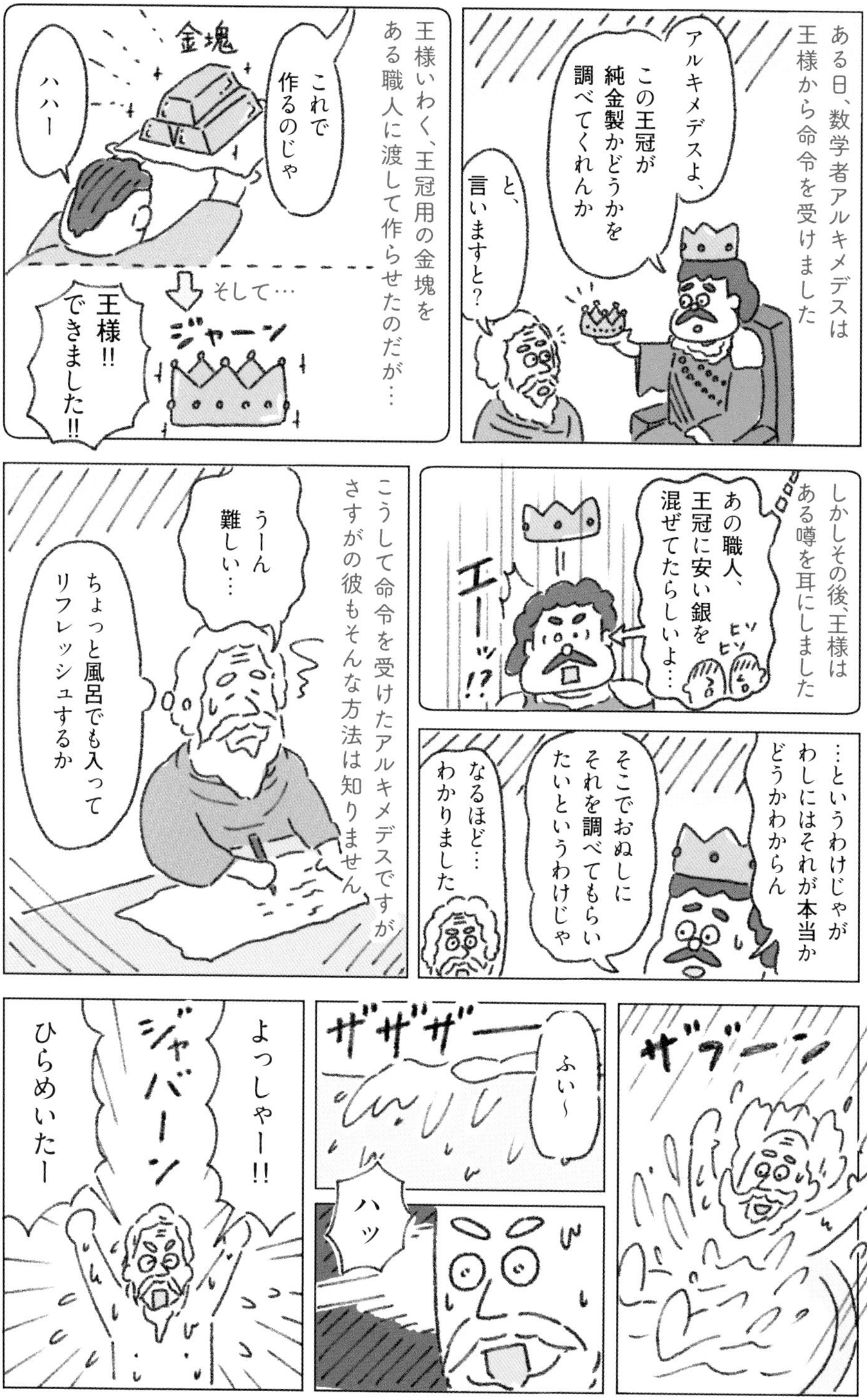
ある日、数学者アルキメデスは王様から命令を受けました
アルキメデスよ、この王冠が純金製かどうかを調べてくれんか
と、言いますと?
王様いわく、王冠用の金塊をある職人に渡して作らせたのだが…
これで作るのじゃ
金塊
ハハー
そして…
ジャーン
王様!! できました!!
しかしその後、王様はある噂を耳にしました
あの職人、王冠に安い銀を混ぜてたらしいよ…
ヒソヒソ
エーーッ!?
…というわけじゃがわしにはそれが本当かどうかわからん
そこでおぬしにそれを調べてもらいたいというわけじゃ
なるほど…わかりました
こうして命令を受けたアルキメデスですがさすがの彼もそんな方法は知りません
うーん難しい…
ちょっと風呂でも入ってリフレッシュするか
ザブーン
ザザザー
ふぃ~
ハッ
よっしゃー!!
ジャバーン
ひらめいたー

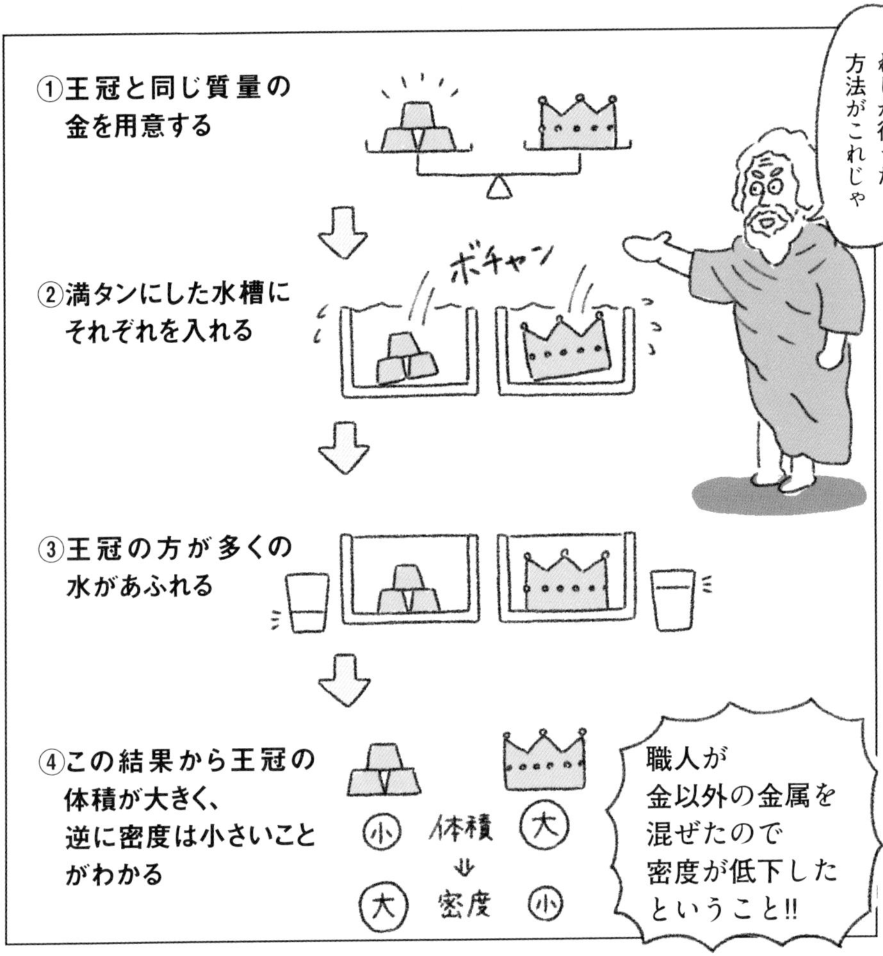
わしが行った方法がこれじゃ
①王冠と同じ質量の金を用意する
②満タンにした水槽にそれぞれを入れる
ボチャン
③王冠の方が多くの水があふれる
④この結果から王冠の体積が大きく、逆に密度は小さいことがわかる
小 体積 大
⇓
大 密度 小
職人が金以外の金属を混ぜたので密度が低下したということ!!

こうしてアルキメデスは王冠に銀が混ざっていることを証明しました
この職人をろうやに入れろ!!
職人
わーん、ごめんなさーい
ズル
ズルズル
うん うん

…とまぁこういうお話なんだけど
二千年以上も昔のことだから、事実かどうかは不明なんだけどね
エヘへ
ズコー

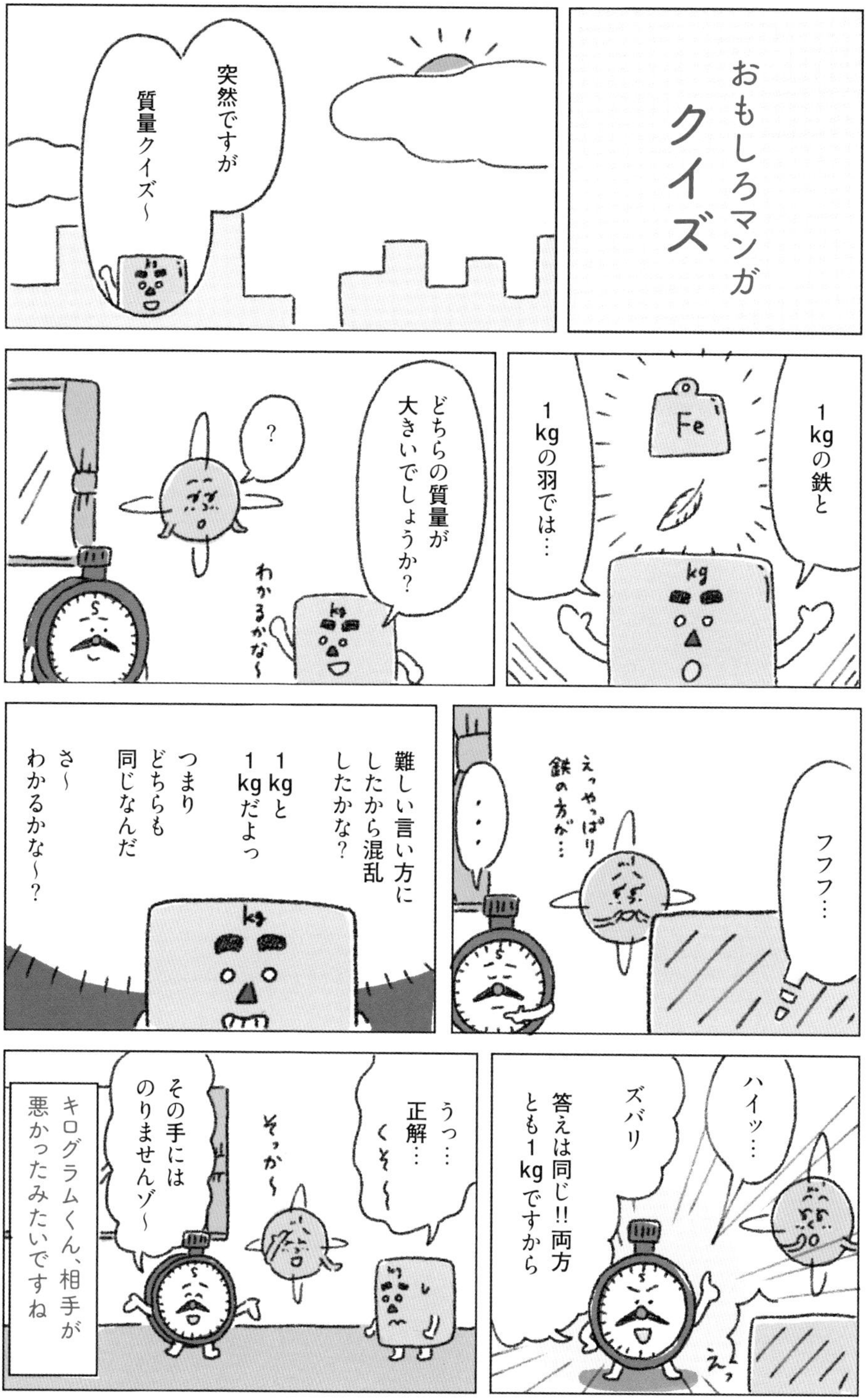
おもしろマンガクイズ
突然ですが質量クイズ〜
1kgの鉄と
1kgの羽では…
Fe
どちらの質量が大きいでしょうか?
?
わかるかな〜
フフフ…
えっやっぱり鉄の方が…
・・・
難しい言い方にしたから混乱したかな?
1kgと1kgだよっ
つまりどちらも同じなんださ〜わかるかな〜?
ハイッ…
ズバリ
答えは同じ!!両方とも1kgですから
えっ
うっ…正解…
くそ〜
そっか〜
その手にはのりませんゾ〜
キログラムくん、相手が悪かったみたいですね

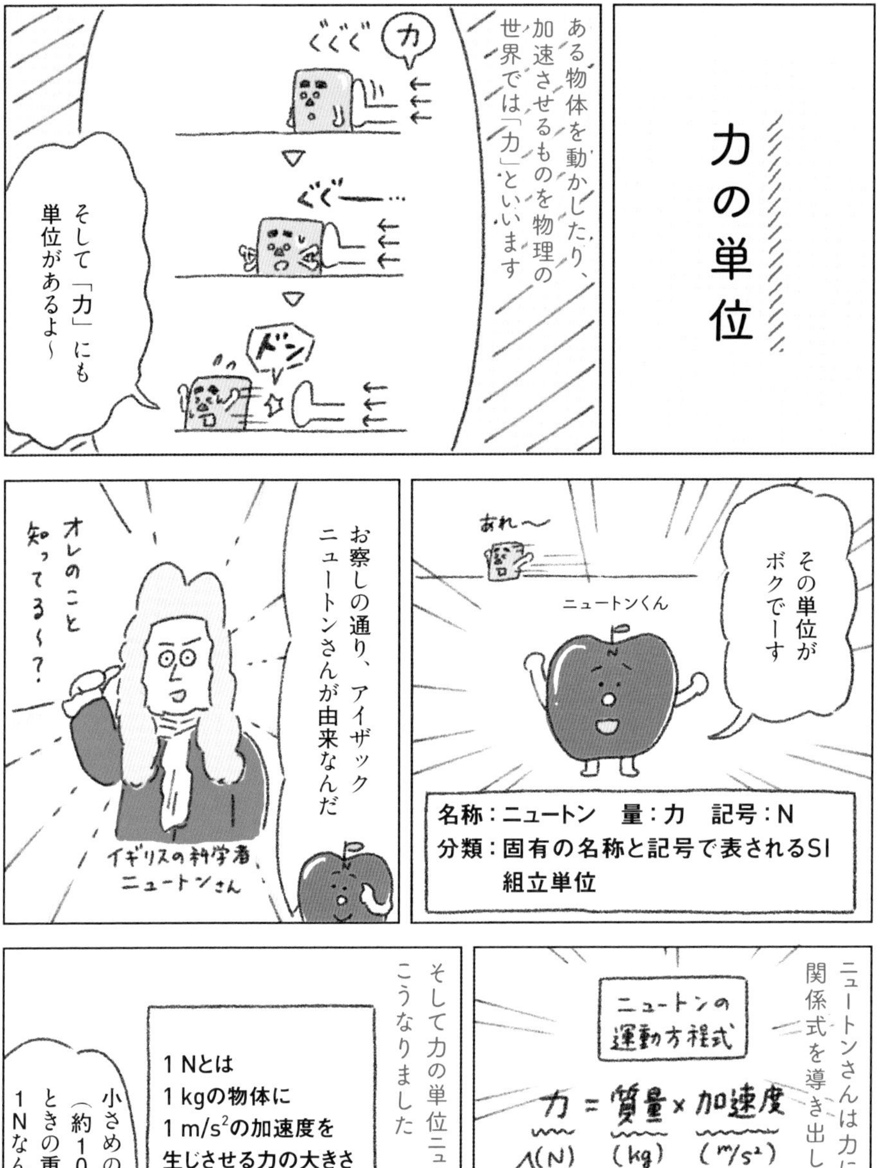
力の単位
ある物体を動かしたり、加速させるものを物理の世界では「力」といいます
ぐぐぐ
力
ぐぐー…
ドン
そして「力」にも単位があるよ〜
あれ〜
その単位がボクでーす
ニュートンくん
名称：ニュートン　量：力　記号：N
分類：固有の名称と記号で表されるSI組立単位
お察しの通り、アイザックニュートンさんが由来なんだ
オレのこと知ってる〜?
イギリスの科学者ニュートンさん
ニュートンさんは力についてこんな関係式を導き出しました
ニュートンの運動方程式
力＝質量×加速度
(N)　(kg)　(m/s^2)
こんな式で表せるのだ!!
そして力の単位ニュートンの定義はこうなりました
1 Nとは
1 kgの物体に
1 m/s^2の加速度を
生じさせる力の大きさ
基本単位だけで表すと
1 N=1 $kg \cdot m \cdot s^{-2}$となる
小さめのリンゴ（約100g）を持ったときの重量がだいたい1 Nなんだよ

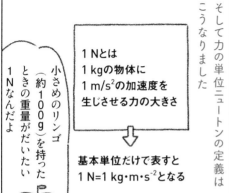

※p.80参照

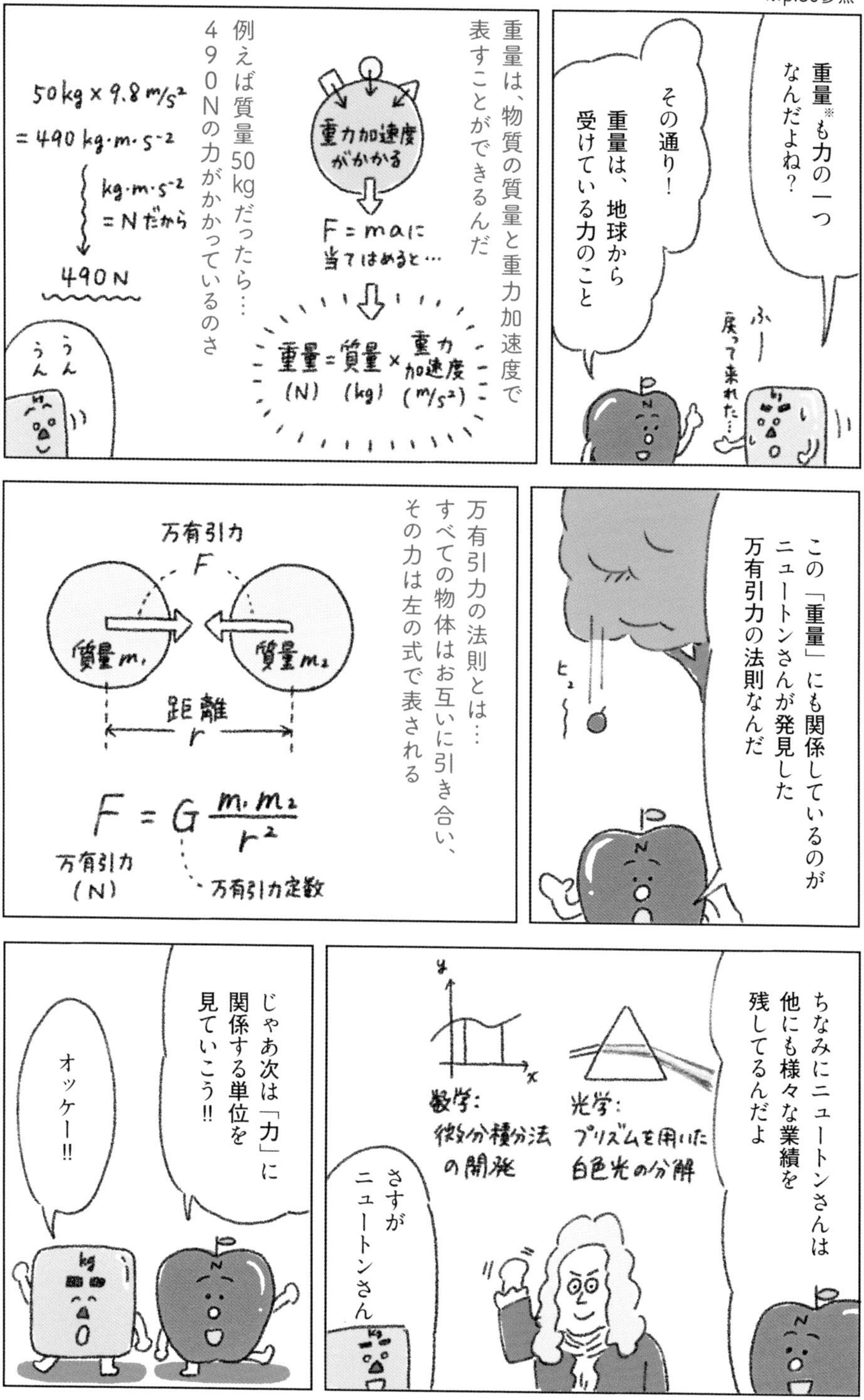
重量※も力の一つなんだよね？
その通り！重量は、地球から受けている力のこと
ふー 戻って来れた…
重量は、物質の質量と重力加速度で表すことができるんだ
重力加速度がかかる
F=maに当てはめると…
重量=質量×重力加速度
(N) (kg) (m/s^2)
例えば質量50kgだったら…490Nの力がかかっているのさ
50kg×9.8m/s^2
=490kg·m·s^{-2}
kg·m·s^{-2}=Nだから
490N
うんうん
この「重量」にも関係しているのがニュートンさんが発見した万有引力の法則なんだ
ヒュ〜
万有引力の法則とは…すべての物体はお互いに引き合い、その力は左の式で表される
万有引力 F
質量m_1
質量m_2
距離 r
$F = G\frac{m_1 m_2}{r^2}$
万有引力 (N)
万有引力定数
ちなみにニュートンさんは他にも様々な業績を残してるんだよ
数学：微分積分法の開発
光学：プリズムを用いた白色光の分解
さすがニュートンさん
じゃあ次は「力」に関係する単位を見ていこう!!
オッケー!!

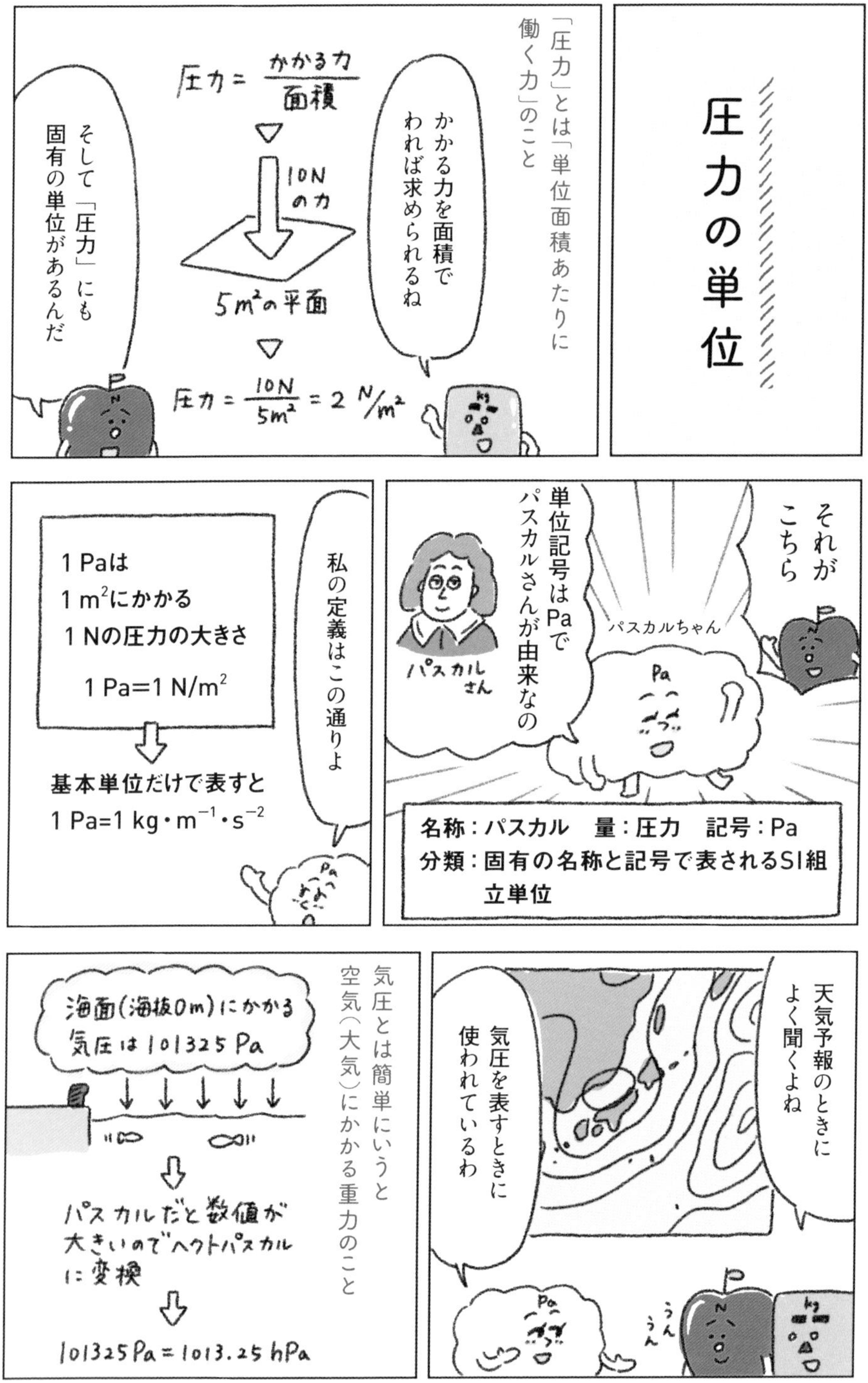
圧力の単位
「圧力」とは「単位面積あたりに働く力」のこと
かかる力を面積でわれば求められるね
圧力＝かかる力／面積
10Nの力
5m²の平面
圧力＝10N／5m²＝2 N/m²
そして「圧力」にも固有の単位があるんだ
それがこちら
パスカルちゃん
単位記号はPaでパスカルさんが由来なの
パスカルさん
名称：パスカル　量：圧力　記号：Pa
分類：固有の名称と記号で表されるSI組立単位
私の定義はこの通りよ
1 Paは
1 m²にかかる
1 Nの圧力の大きさ
1 Pa＝1 N/m²
基本単位だけで表すと
1 Pa=1 kg・m⁻¹・s⁻²
天気予報のときによく聞くよね
気圧を表すときに使われているわ
うんうん
気圧とは簡単にいうと空気（大気）にかかる重力のこと
海面（海抜0m）にかかる気圧は101325 Pa
パスカルだと数値が大きいのでヘクトパスカルに変換
101325 Pa＝1013.25 hPa

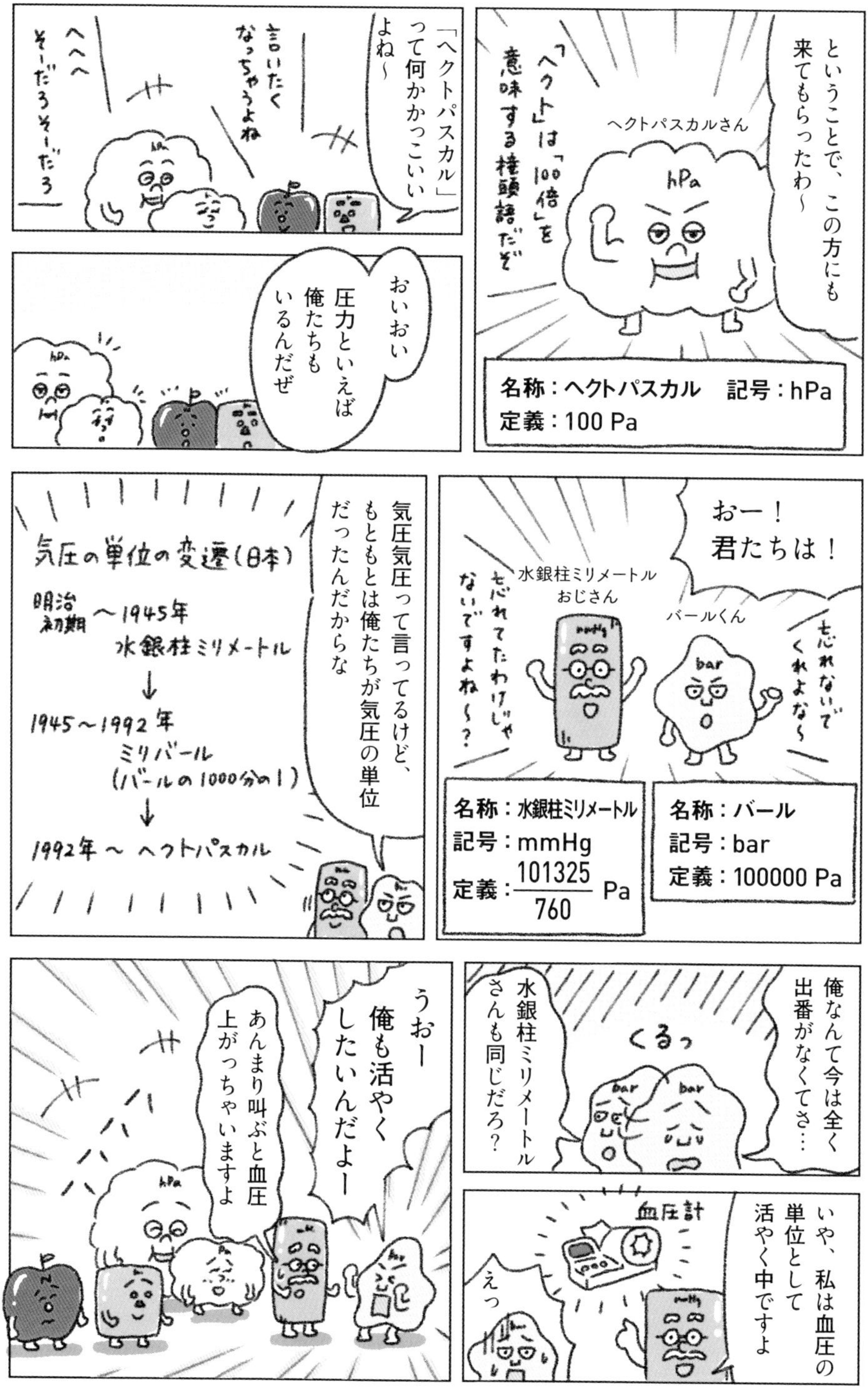
ということで、この方にも来てもらったわ～
ヘクトパスカルさん
「ヘクト」は「100倍」を意味する接頭語だぞ
名称：ヘクトパスカル　記号：hPa
定義：100 Pa
「ヘクトパスカル」って何かかっこいいよね～
言いたくなっちゃうよね
へへへ そーだろそーだろ
おいおい 圧力といえば俺たちもいるんだぜ
おー！君たちは！
水銀柱ミリメートルおじさん
バールくん
忘れてたわけじゃないですよね～？
忘れないでくれよな～
名称：水銀柱ミリメートル
記号：mmHg
定義：$\frac{101325}{760}$ Pa
名称：バール
記号：bar
定義：100000 Pa
気圧気圧って言ってるけど、もともとは俺たちが気圧の単位だったんだからな
気圧の単位の変遷（日本）
明治初期～1945年
水銀柱ミリメートル
↓
1945～1992年
ミリバール
（バールの1000分の1）
↓
1992年～ ヘクトパスカル
俺なんて今は全く出番がなくてさ…
くるっ
水銀柱ミリメートルさんも同じだろ？
いや、私は血圧の単位として活やく中ですよ
血圧計
えっ
うおー 俺も活やくしたいんだよー
あんまり叫ぶと血圧上がっちゃいますよ

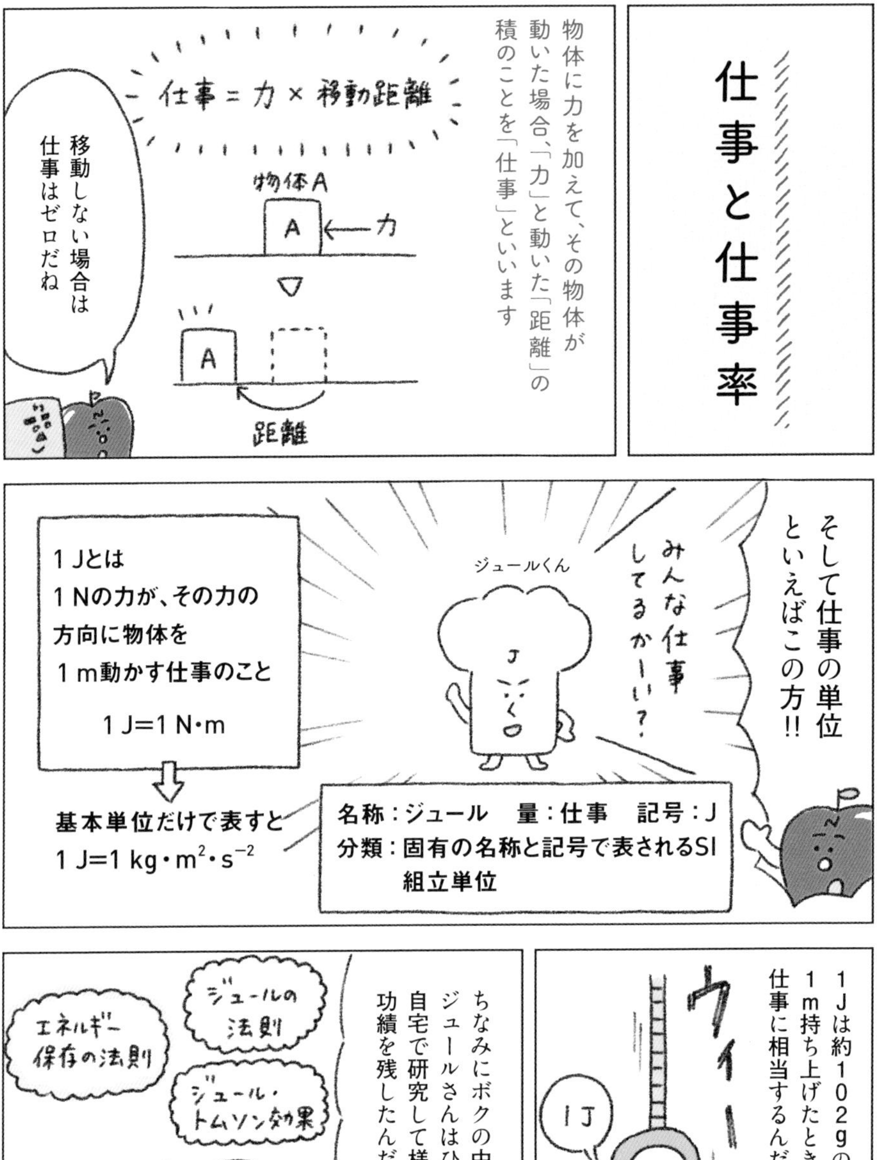
仕事と仕事率
物体に力を加えて、その物体が動いた場合、「力」と動いた「距離」の積のことを「仕事」といいます
仕事＝力×移動距離
物体A
A
力
A
距離
移動しない場合は仕事はゼロだね
そして仕事の単位といえばこの方!!
みんな仕事してるかーい?
ジュールくん
J
1Jとは
1Nの力が、その力の
方向に物体を
1m動かす仕事のこと
1J=1N・m
基本単位だけで表すと
$1\,J=1\,kg\cdot m^2\cdot s^{-2}$
名称：ジュール　量：仕事　記号：J
分類：固有の名称と記号で表されるSI組立単位
1Jは約102gのモノを1m持ち上げたときの仕事に相当するんだ
ウィーン
1J
102g
1m
J
ちなみにボクの由来のジュールさんはひたすら自宅で研究して様々な功績を残したんだ
ジュールの法則
エネルギー保存の法則
ジュール・トムソン効果
自宅でもやればできる!
イギリスの物理学者ジュールさん
J
すごい探究心…

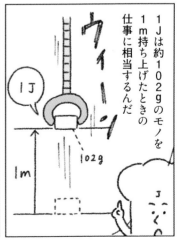

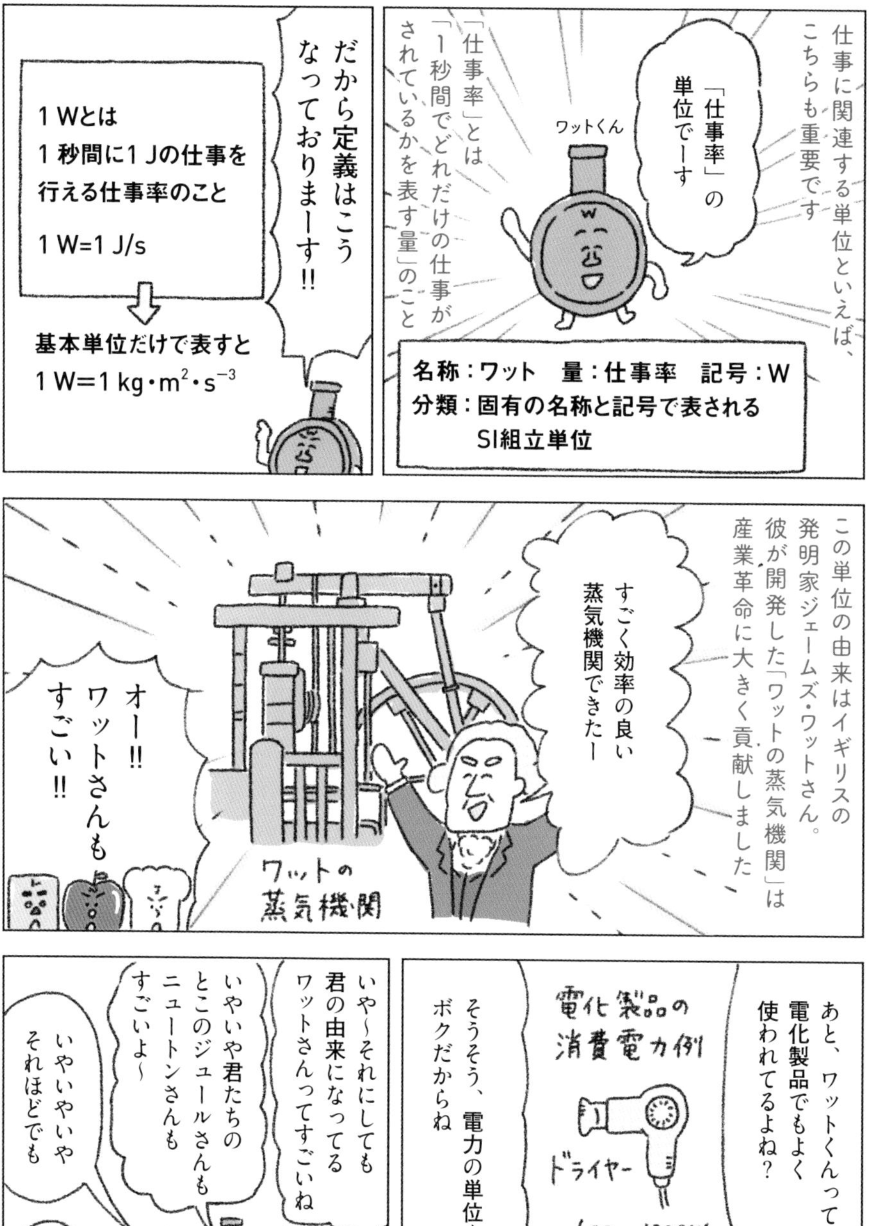
仕事に関連する単位といえば、こちらも重要です
ワットくん
「仕事率」の単位でーす
「仕事率」とは「1秒間でどれだけの仕事がされているかを表す量」のこと
名称：ワット　量：仕事率　記号：W
分類：固有の名称と記号で表されるSI組立単位
だから定義はこうなっておりまーす!!
1Wとは1秒間に1Jの仕事を行える仕事率のこと
1W=1J/s
基本単位だけで表すと
$1\,W=1\,kg\cdot m^2\cdot s^{-3}$
この単位の由来はイギリスの発明家ジェームズ・ワットさん。彼が開発した「ワットの蒸気機関」は産業革命に大きく貢献しました
すごく効率の良い蒸気機関できたー
ワットの蒸気機関
オー!! ワットさんもすごい!!
あと、ワットくんって電化製品でもよく使われてるよね？
電化製品の消費電力例
ドライヤー
600〜1200W
アイロン
1200〜1300W
そうそう、電力の単位もボクだからね
いや〜それにしても君の由来になってるワットさんってすごいね
いやいや君たちのとこのジュールさんもニュートンさんもすごいよ〜
いやいやいやそれほどでも
3人とも偉大だよ〜
うん うん

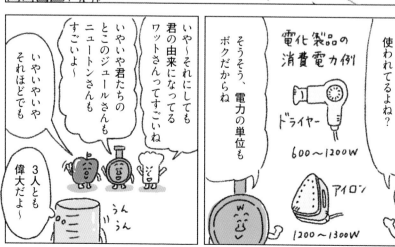

COLUMN

単位の進化から学ぶもの

産業技術総合研究所 計量標準総合センター
工学計測標準研究部門 首席研究員
藤井賢一

　質量の単位「キログラム」の定義が1889年以来130年ぶりに変わろうとしています。しかし、新しい定義の基準となるプランク定数から1kgの大きさの質量を決めるのは現在の最新技術をもってしても容易なことではありません。シリコン原子の数の精密測定から1kgを求めるX線結晶密度法と、プランク定数にもとづく電気的測定から1kgの質量に加わる重力と釣り合う電磁気力を求めるキッブル（ワット）バランス法によって、キログラムの新しい定義を実現することが可能になってきましたが、キログラム原器の質量の安定性よりも高い精度で右記の方法からキログラムの新しい定義を実現することができる国は現時点でまだ日、独、米、加の4ヵ国しかないのです。

　これはメートルが光速度によって再定義された1983年の頃の状況によく似ています。当時は英、米、加の3ヵ国だけが巨大なレーザーシステムを使って、光周波数（約500THz）とセシウム原子時計にもとづくマイクロ波の周波数（約10GHz）を直結することに成功しました。

　しかし、その後の光周波数計測技術の進歩にはめざましいものがあり、1990年代には光によって原子を冷却するレーザークーリング技術が発明され、2000年代に光周波数コ

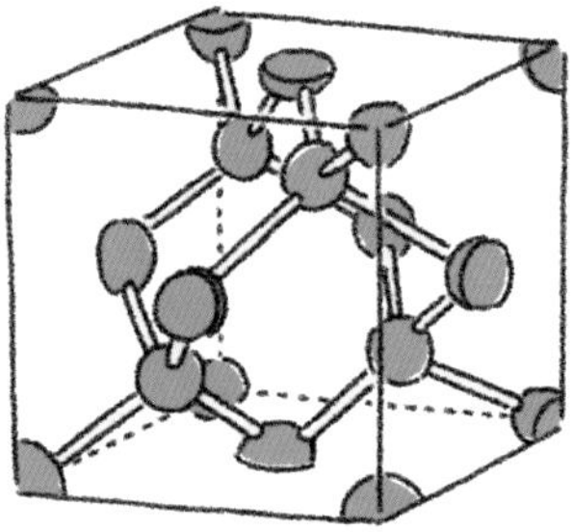

シリコン結晶構造イメージ

ム技術、２０１０年代に光格子時計などが登場し、これらのノーベル物理学賞クラスの研究開発によって、光周波数は現在では弁当箱程度の大きさの装置で簡単に測れるようになりました。これらの新しい技術が光通信やＧＰＳなど現代社会にとって不可欠なインフラを支えているのです。

　このような歴史から学ぶことは、国際単位系（ＳＩ）の定義は、技術革新によって今後も進化し続けるだろう、ということです。逆に、新しい定義が技術革新を生む原動力になっていると捉えることもできます。キログラムの定義はメートル条約にもとづく世界的な合意によって２０１８年に変わろうとしていますが、この新しい定義を実現することは現在の技術ではまだとても困難なことなのです。しかし、定義改定から10年〜20年が経過すると、全く新しい理論や技術が誕生して、とても簡単に１kgの質量を普遍的な定数から決めることが可能になっていることでしょう。

　この技術が、どのような研究分野から登場するのか、どのような新しい理論にもとづくものなのか、現在の我々には知る術《すべ》もありません。もしも知り得るのであれば、既に誰かが取り組んでいることでしょう。現在の技術ではとても難しいことであっても、人間はそれを克服する強い精神をもっています。フランス革命の頃にメートルとキログラムの基盤を築いた科学者にもこのような強い精神がありました。多くの失敗もありました。しかし、このような基礎研究の積み重ねが、全く新しい技術体系を築いていくことになるでしょう。

血圧の単位の担当
代わってくれないか？
チョイチョイ
bar
mmHg
それは
ムリです〜

第 5 章

温度

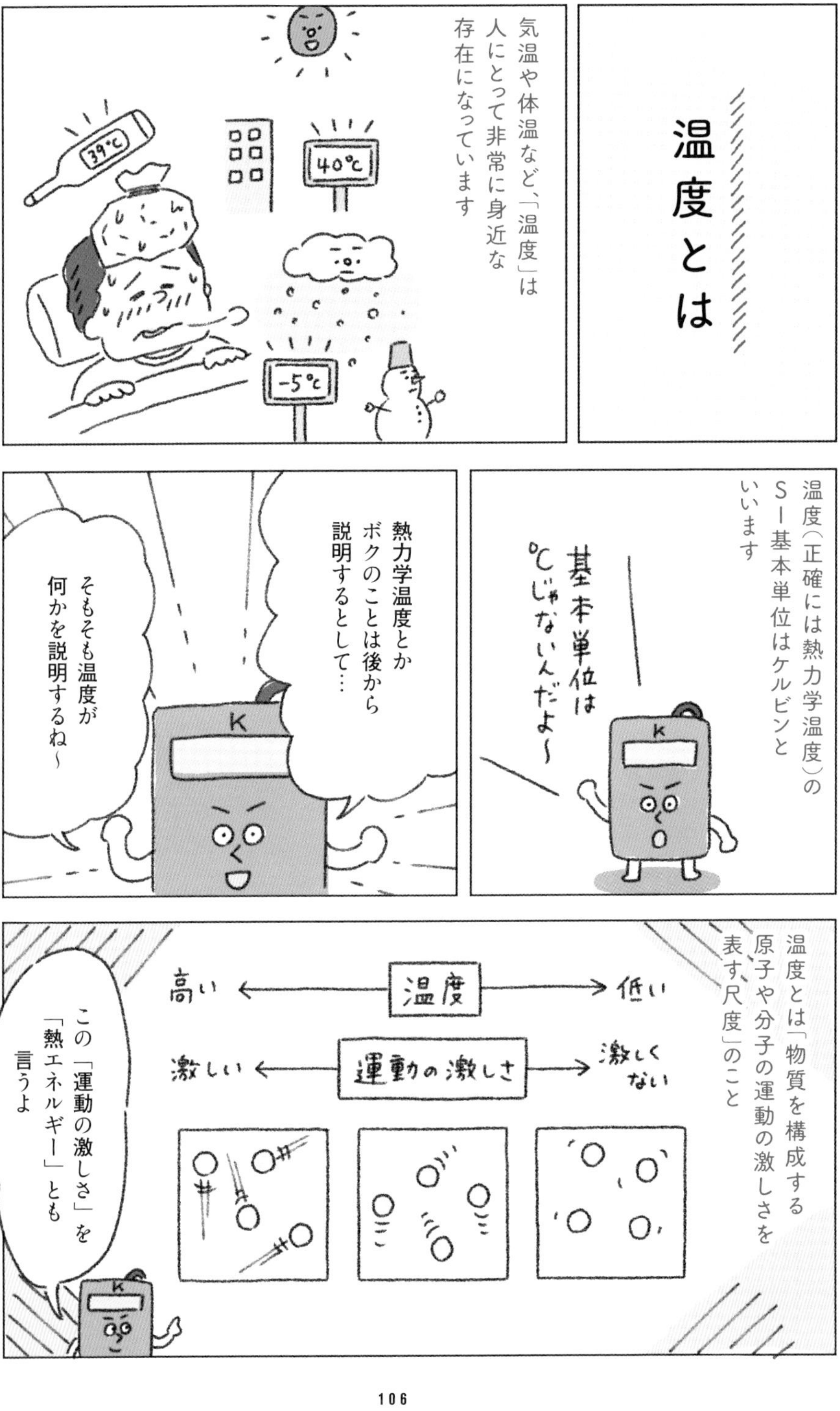
温度とは
気温や体温など、「温度」は人にとって非常に身近な存在になっています
39℃
40℃
−5℃
温度（正確には熱力学温度）のSI基本単位はケルビンといいます
基本単位は℃じゃないんだよ～
K
熱力学温度とかボクのことは後から説明するとして…
そもそも温度が何かを説明するね～
温度とは「物質を構成する原子や分子の運動の激しさを表す尺度」のこと
高い ← 温度 → 低い
激しい ← 運動の激しさ → 激しくない
この「運動の激しさ」を「熱エネルギー」とも言うよ

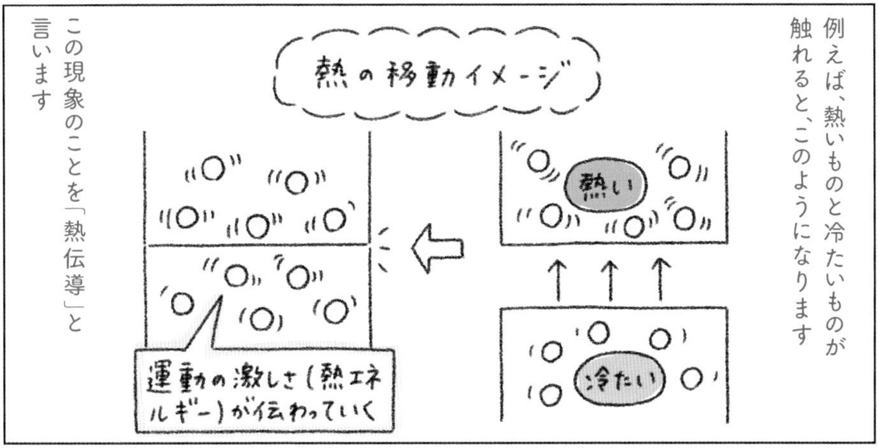
例えば、熱いものと冷たいものが触れると、このようになります
熱の移動イメージ
熱い
冷たい
運動の激しさ（熱エネルギー）が伝わっていく
この現象のことを「熱伝導」と言います

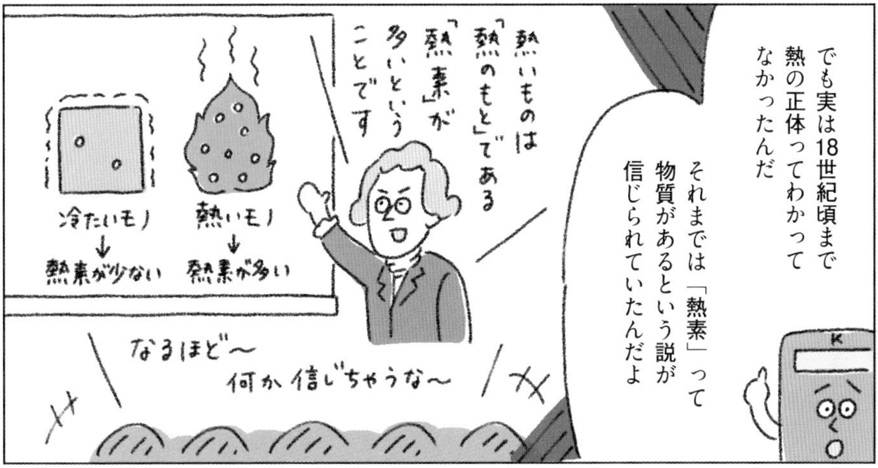
でも実は18世紀頃まで熱の正体ってわかってなかったんだ
それまでは「熱素」って物質があるという説が信じられていたんだよ
熱いものは「熱のもと」である「熱素」が多いということです
熱いモノ
↓
熱素が多い
冷たいモノ
↓
熱素が少ない
なるほど～
何か信じちゃうな～
K

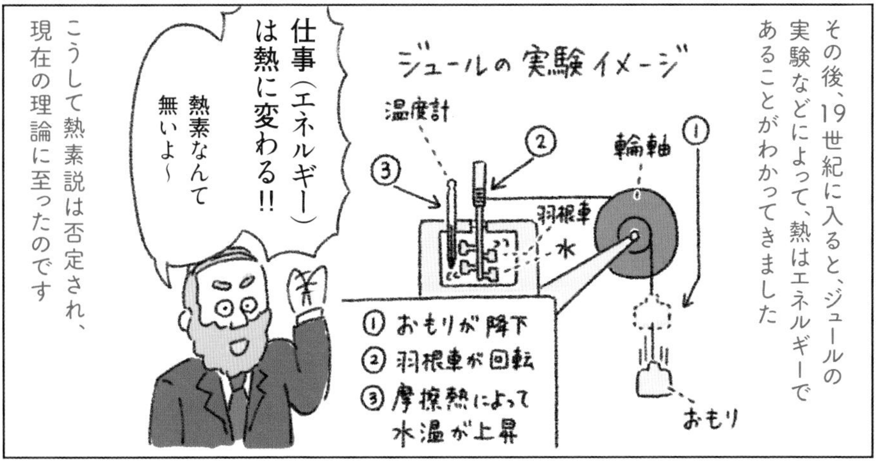
その後、19世紀に入ると、ジュールの実験などによって、熱はエネルギーであることがわかってきました
ジュールの実験イメージ
①
輪軸
②
温度計
③
羽根車
水
おもり
① おもりが降下
② 羽根車が回転
③ 摩擦熱によって水温が上昇
仕事（エネルギー）は熱に変わる!!
熱素なんて無いよ～
こうして熱素説は否定され、現在の理論に至ったのです

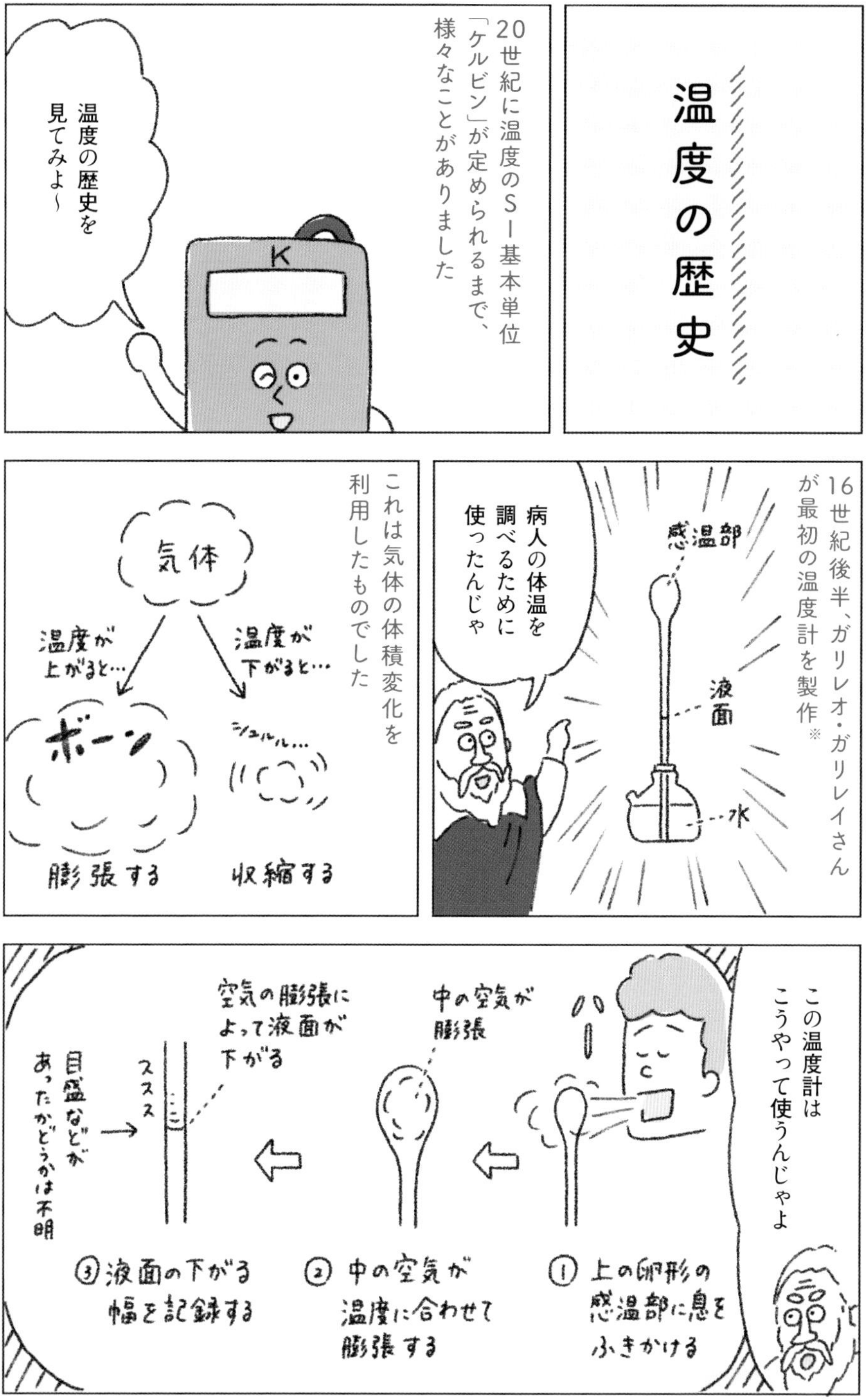
温度の歴史
20世紀に温度のSI基本単位「ケルビン」が定められるまで、様々なことがありました
K
温度の歴史を見てみよ～
16世紀後半、ガリレオ・ガリレイさんが最初の温度計を製作※
病人の体温を調べるために使ったんじゃ
感温部
液面
水
これは気体の体積変化を利用したものでした
気体
温度が上がると…
温度が下がると…
ボーン
シュルル…
膨張する
収縮する
この温度計はこうやって使うんじゃよ
ハー
① 上の卵形の感温部に息をふきかける
中の空気が膨張
② 中の空気が温度に合わせて膨張する
空気の膨張によって液面が下がる
ススス
目盛などがあったかどうかは不明
③ 液面の下がる幅を記録する

※諸説あります

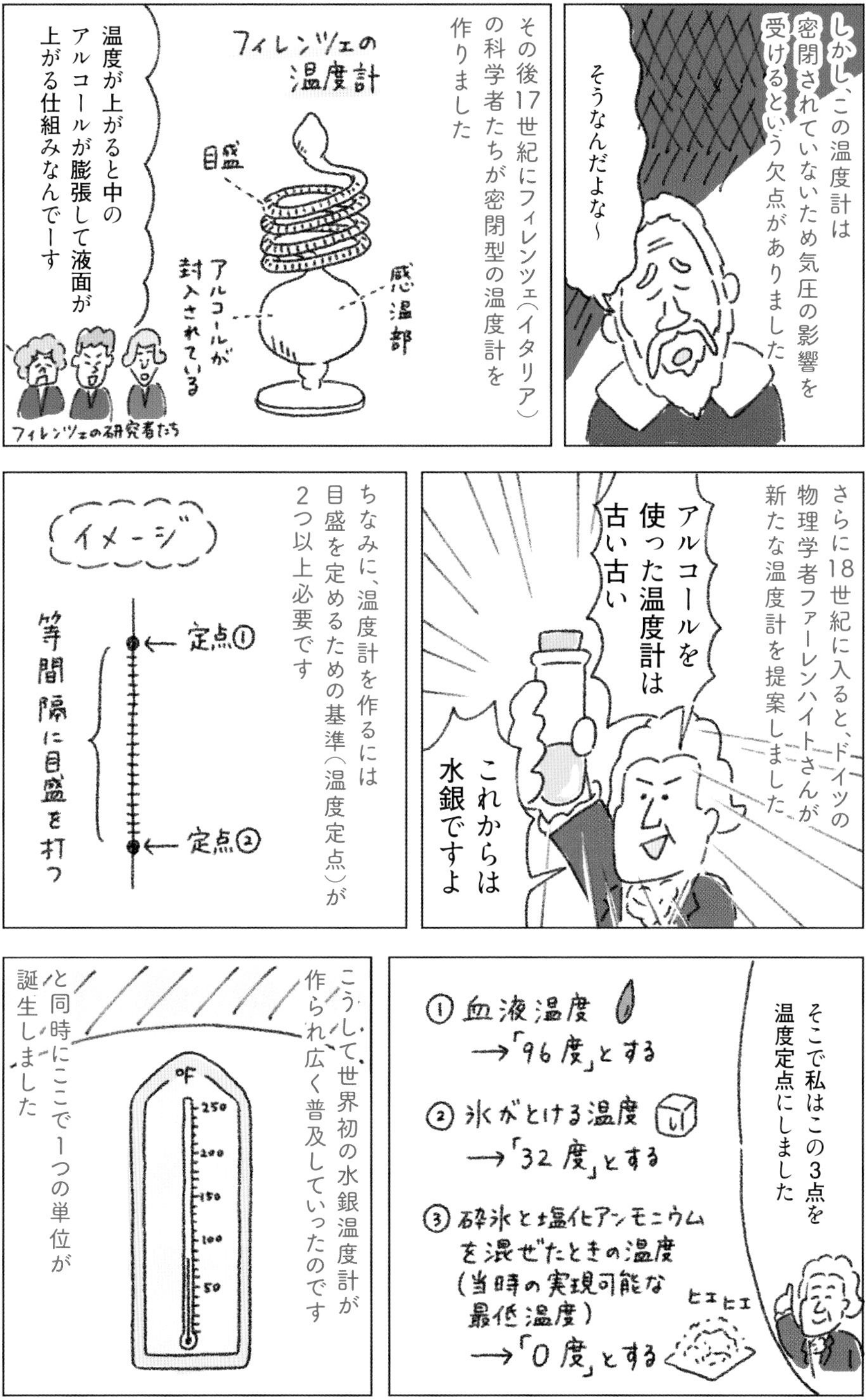

しかし、この温度計は密閉されていないため気圧の影響を受けるという欠点がありました
そうなんだよな〜
その後17世紀にフィレンツェ（イタリア）の科学者たちが密閉型の温度計を作りました
フィレンツェの温度計
目盛
感温部
アルコールが封入されている
温度が上がると中のアルコールが膨張して液面が上がる仕組みなんでーす
フィレンツェの研究者たち
さらに18世紀に入ると、ドイツの物理学者ファーレンハイトさんが新たな温度計を提案しました
アルコールを使った温度計は古い古い
これからは水銀ですよ
ちなみに、温度計を作るには目盛を定めるための基準（温度定点）が2つ以上必要です
イメージ
定点①
定点②
等間隔に目盛を打つ
そこで私はこの3点を温度定点にしました
① 血液温度 →「96度」とする
② 氷がとける温度 →「32度」とする
③ 砕氷と塩化アンモニウムを混ぜたときの温度（当時の実現可能な最低温度）→「0度」とする
ヒエヒエ
こうして、世界初の水銀温度計が作られ広く普及していったのです
と同時にここで1つの単位が誕生しました
°F
250
200
150
100
50

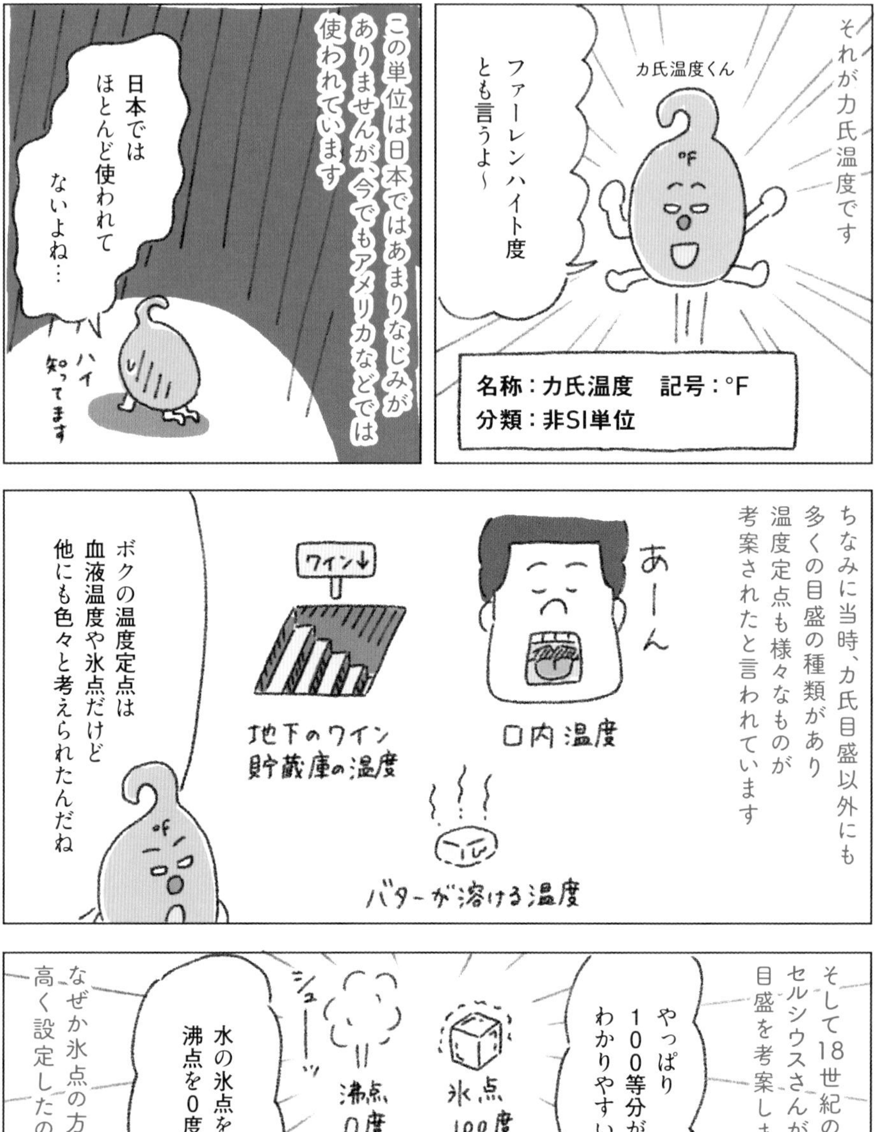
それが力氏温度です
カ氏温度くん
ファーレンハイト度とも言うよ〜
名称：カ氏温度　記号：°F
分類：非SI単位
この単位は日本ではあまりなじみがありませんが、今でもアメリカなどでは使われています
日本ではほとんど使われてないよね…
ハイ知ってます
ちなみに当時、カ氏目盛以外にも多くの目盛の種類があり温度定点も様々なものが考案されたと言われています
あーん
口内温度
ワイン↓
地下のワイン貯蔵庫の温度
バターが溶ける温度
ボクの温度定点は血液温度や氷点だけど他にも色々と考えられたんだね
そして18世紀の中頃には、天文学者のセルシウスさんが１００等分の温度目盛を考案しましたが
やっぱり１００等分がわかりやすいよね
氷点100度
沸点0度
シューーッ
水の氷点を１００度に、沸点を0度にしよう!!
なぜか氷点の方を高く設定したのです

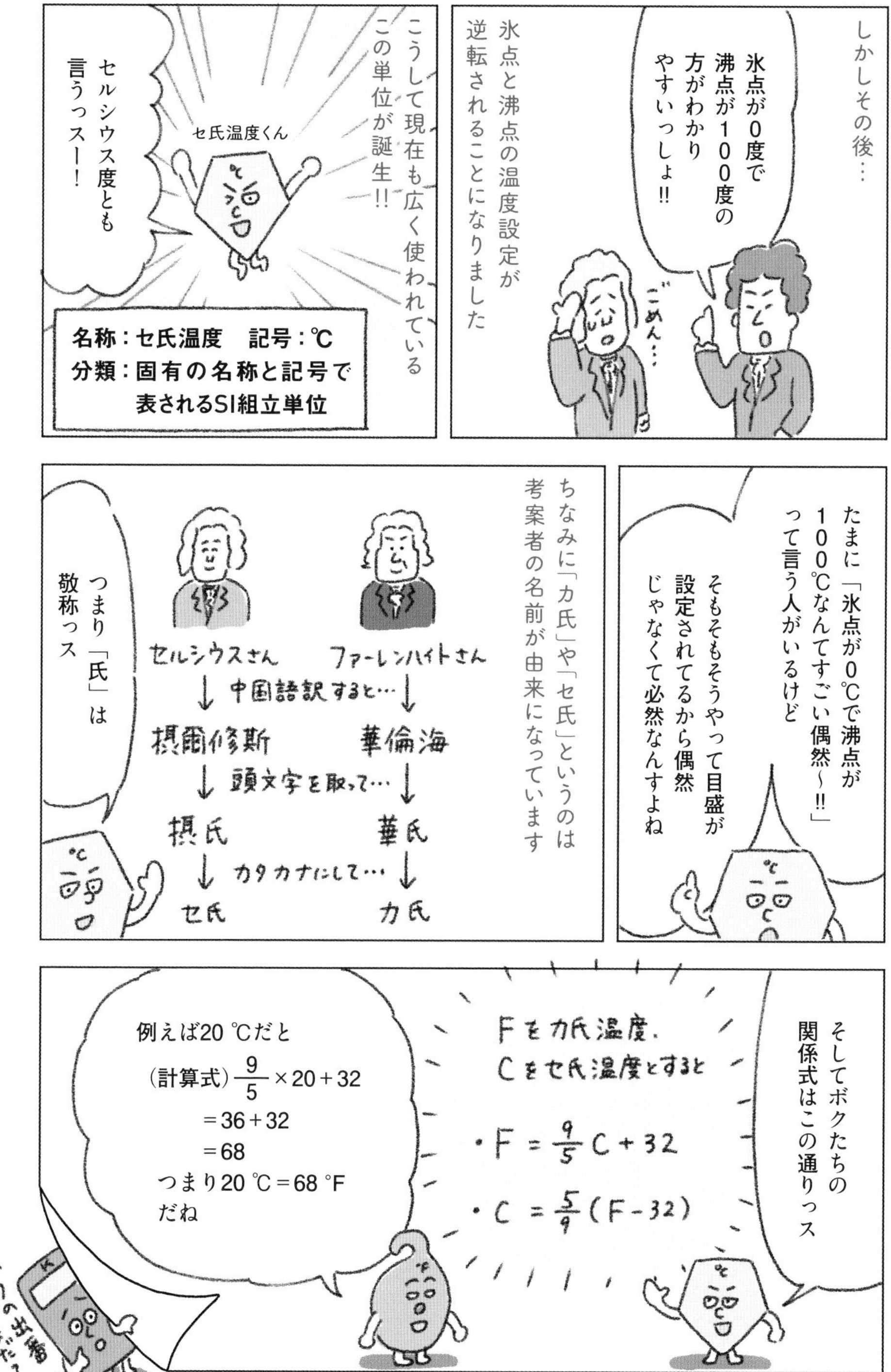

しかしその後…
氷点が0度で沸点が100度の方がわかりやすいっしょ!!
ごめん…
氷点と沸点の温度設定が逆転されることになりました
こうして現在も広く使われているこの単位が誕生!!
セ氏温度くん
セルシウス度とも言うっスー!
名称：セ氏温度　記号：℃
分類：固有の名称と記号で表されるSI組立単位
たまに「氷点が0℃で沸点が100℃なんてすごい偶然～!!」って言う人がいるけど
そもそもそうやって目盛が設定されてるから偶然じゃなくて必然なんすよね
ちなみに「カ氏」や「セ氏」というのは考案者の名前が由来になっています
セルシウスさん　ファーレンハイトさん
中国語訳すると…
摂爾修斯　華倫海
頭文字を取って…
摂氏　華氏
カタカナにして…
セ氏　カ氏
つまり「氏」は敬称っス
そしてボクたちの関係式はこの通りっス
Fをカ氏温度、Cをセ氏温度とすると
・$F = \frac{9}{5}C + 32$
・$C = \frac{5}{9}(F - 32)$
例えば20 ℃だと
(計算式) $\frac{9}{5} \times 20 + 32$
$= 36 + 32$
$= 68$
つまり20 ℃＝68 °F
だね
ボクの出番まだ？

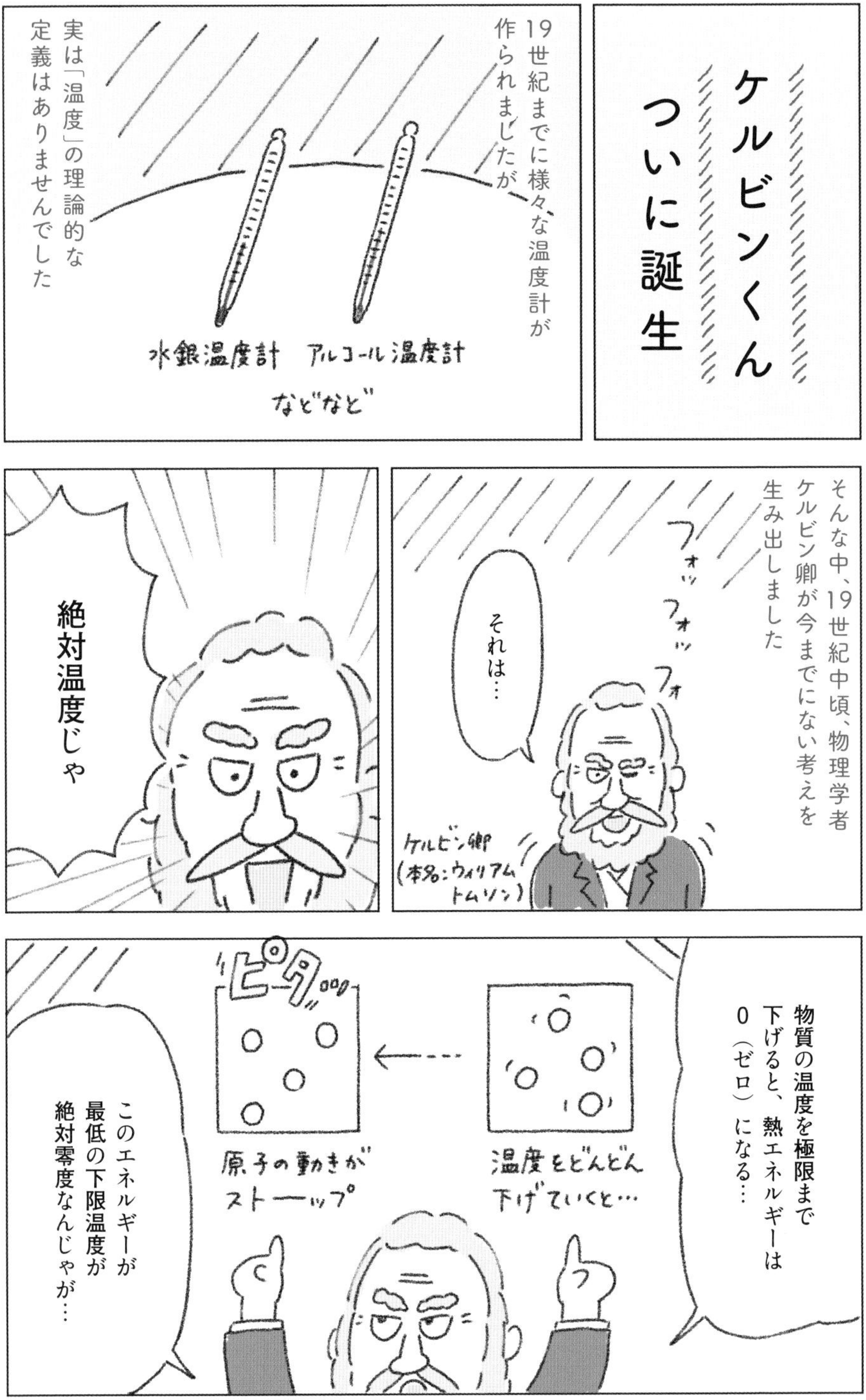
ケルビンくん
ついに誕生
19世紀までに様々な温度計が作られましたが
実は「温度」の理論的な定義はありませんでした
水銀温度計
アルコール温度計
などなど
そんな中、19世紀中頃、物理学者ケルビン卿が今までにない考えを生み出しました
フォッフォッフォ
それは…
ケルビン卿（本名：ウィリアム トムソン）
絶対温度じゃ
物質の温度を極限まで下げると、熱エネルギーは0（ゼロ）になる…
温度をどんどん下げていくと…
ピタ
原子の動きがストーーップ
このエネルギーが最低の下限温度が絶対零度なんじゃが…

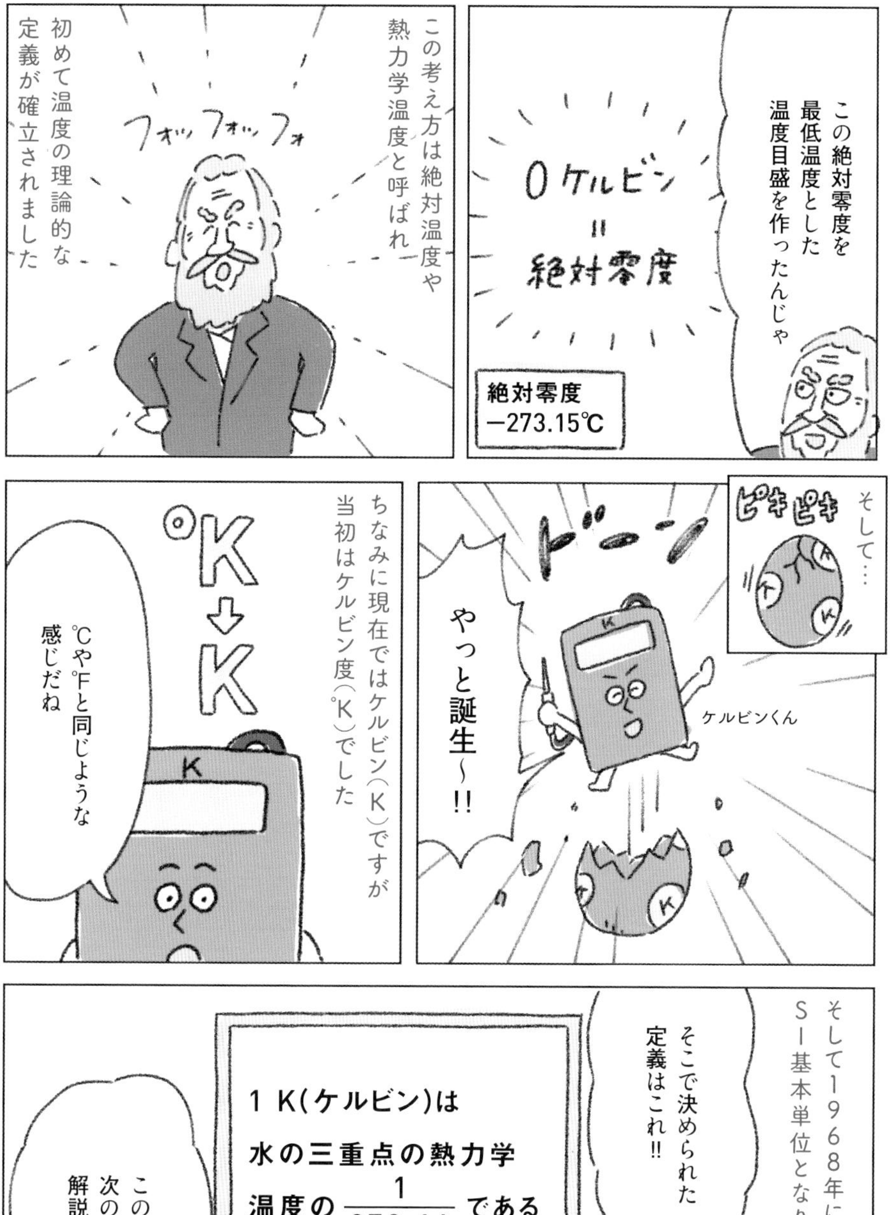
この絶対零度を最低温度とした温度目盛を作ったんじゃ
0ケルビン
=
絶対零度
絶対零度 −273.15℃
この考え方は絶対温度や熱力学温度と呼ばれ初めて温度の理論的な定義が確立されました
フォッフォッフォ
そして…
ピキピキ
ドーン
やっと誕生〜!!
ケルビンくん
ちなみに現在ではケルビン（K）ですが当初はケルビン度（°K）でした
°K
K
℃や°Fと同じような感じだね
そして1968年にケルビンはSI基本単位となりました
そこで決められた定義はこれ!!
1 K(ケルビン)は水の三重点の熱力学温度の 1/273.16 である
この定義について次のページで解説するよ〜

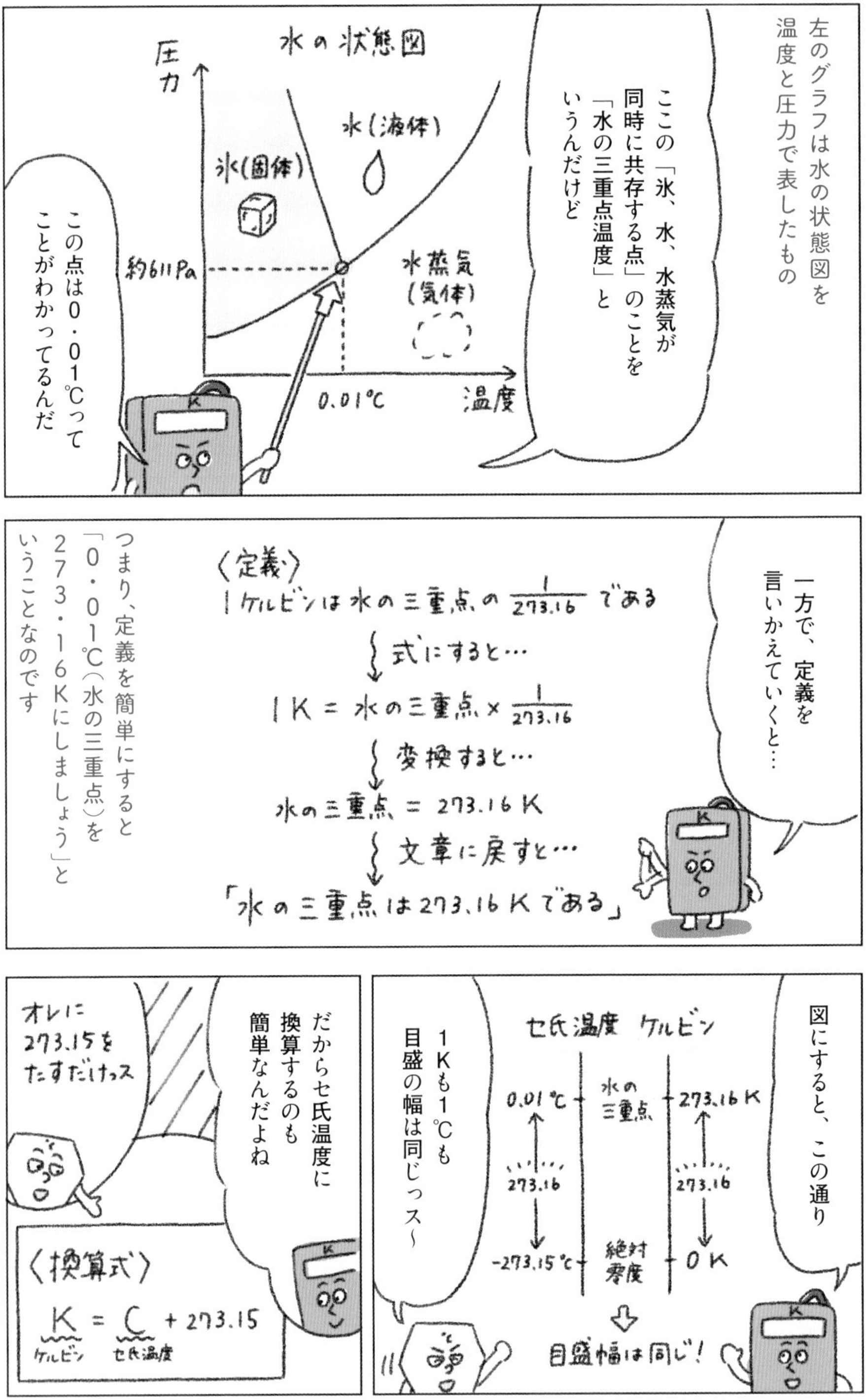
左のグラフは水の状態図を温度と圧力で表したもの
ここの「氷、水、水蒸気が同時に共存する点」のことを「水の三重点温度」というんだけど
水の状態図
圧力
温度
氷(固体)
水(液体)
水蒸気(気体)
約611Pa
0.01℃
この点は0・01℃ってことがわかってるんだ
一方で、定義を言いかえていくと…
〈定義〉
1ケルビンは水の三重点の$\frac{1}{273.16}$である
式にすると…
1K = 水の三重点 × $\frac{1}{273.16}$
変換すると…
水の三重点 = 273.16 K
文章に戻すと…
「水の三重点は273.16Kである」
つまり、定義を簡単にすると「0・01℃(水の三重点)を273・16Kにしましょう」ということなのです
図にすると、この通り
セ氏温度 ケルビン
0.01℃
水の三重点
273.16K
273.16
273.16
-273.15℃
絶対零度
0K
目盛幅は同じ!
1Kも1℃も目盛の幅は同じっス~
だからセ氏温度に換算するのも簡単なんだよね
オレに273.15をたすだけっス
〈換算式〉
K = C + 273.15
ケルビン
セ氏温度

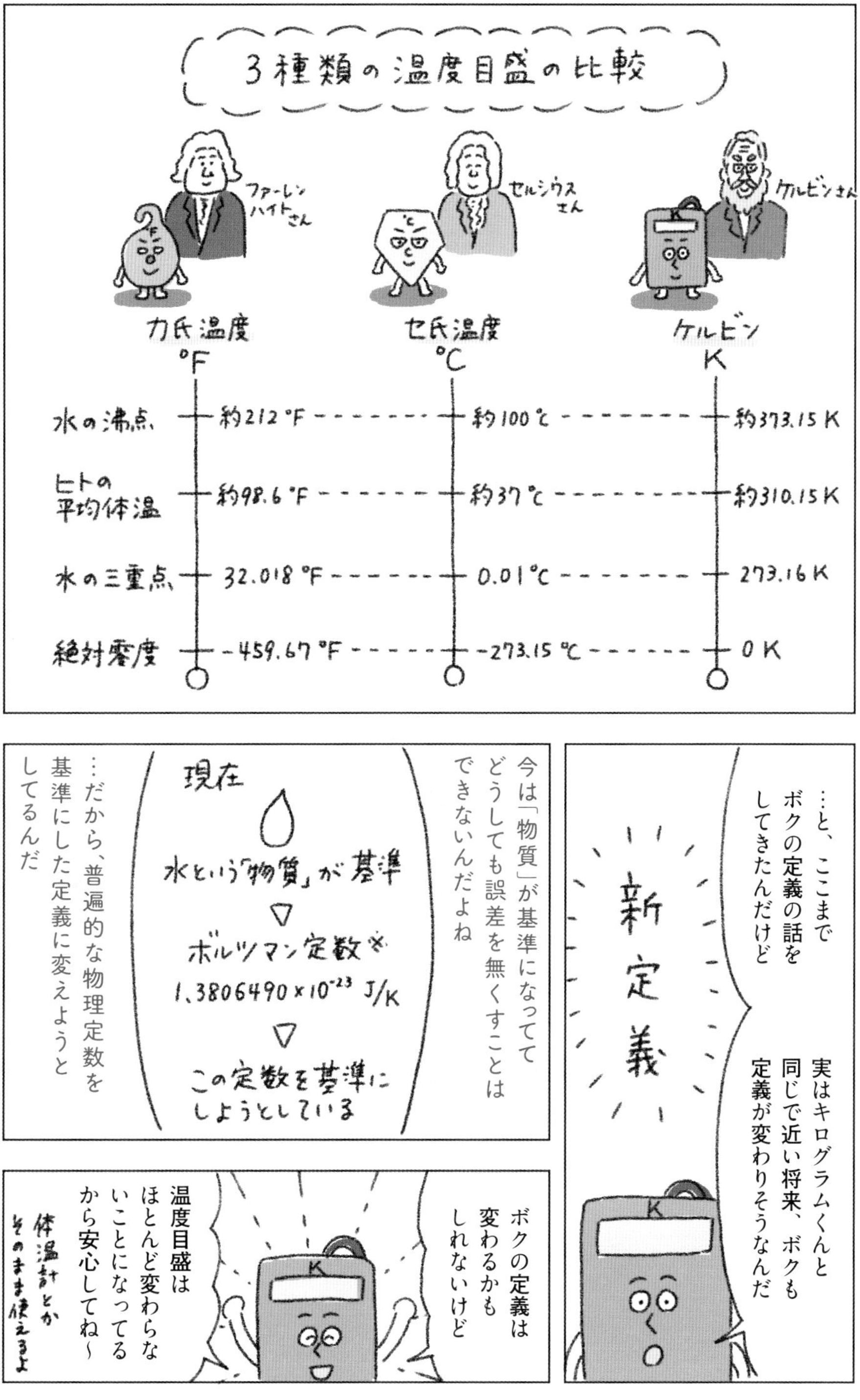
3種類の温度目盛の比較
ファーレンハイトさん
セルシウスさん
ケルビンさん
カ氏温度 °F
セ氏温度 ℃
ケルビン K
水の沸点 約212°F 約100℃ 約373.15K
ヒトの平均体温 約98.6°F 約37℃ 約310.15K
水の三重点 32.018°F 0.01℃ 273.16K
絶対零度 −459.67°F −273.15℃ 0K
…と、ここまでボクの定義の話をしてきたんだけど
新定義
実はキログラムくんと同じで近い将来、ボクも定義が変わりそうなんだ
今は「物質」が基準になっててどうしても誤差を無くすことはできないんだよね
現在
水という「物質」が基準
▽
ボルツマン定数※
1.3806490×10^{-23} J/K
▽
この定数を基準にしようとしている
…だから、普遍的な物理定数を基準にした定義に変えようとしてるんだ
ボクの定義は変わるかもしれないけど
温度目盛はほとんど変わらないことになってるから安心してね～
体温計とかそのまま使えるよ

※熱エネルギーと温度とをむすびつける定数

ケルビンくん

単位記号 K

定義

水の三重点の熱力学温度の
1/273.16

温度の例

ドライアイスの
昇華点(固体から
気体になる温度)
194.65 K

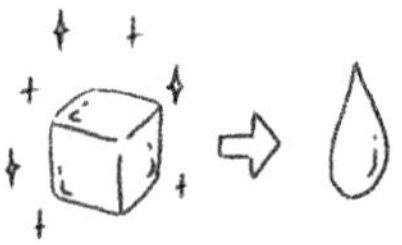

水の融点
273.15 K

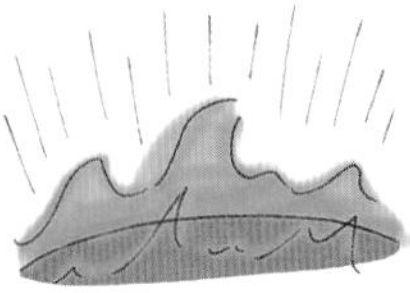

太陽の
表面温度
約6000 K

プチ情報

名前の由来となったケルビン卿の本名はウィリアム・トムソン

特技

温度を正確にはかること

性格

どちらかというと控えめなタイプだがワイワイすることは割と好き

様々な種類の温度計

水銀温度計

水銀は温度に対する応答が良いため、昔はよく使われていた

アルコール温度計

最もポピュラーなもの。中の液体はアルコールではなく灯油

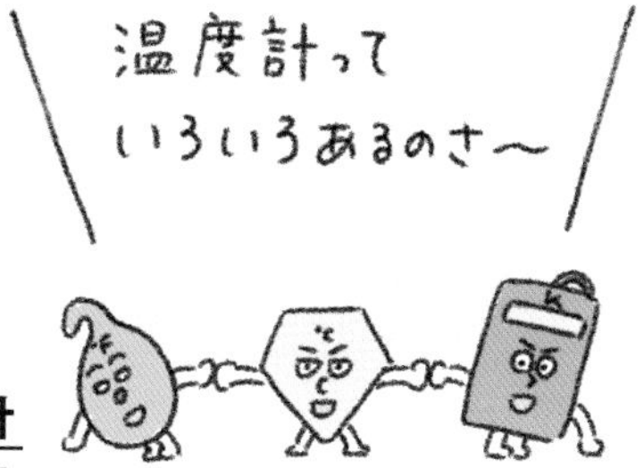

記録温度計

記録用紙に自動的に記録することが可能。百葉箱の中に入れて使われることが多い

バイメタル式温度計

2種類の金属をはり合わせたもの（バイメタル）が温度に合わせて変化する性質を利用している

デジタル温度計

電気抵抗の変化によって温度変化を読み取る仕組み

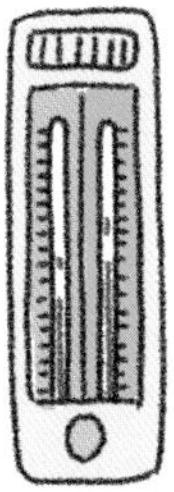

最高最低温度計

使用時間内での最高温度と最低温度が測定できる

デジタルサーモテープ

特殊な液晶の色が変化することで温度を知ることができる

放射温度計

物体から放射された赤外線の強度を温度に変換する仕組み

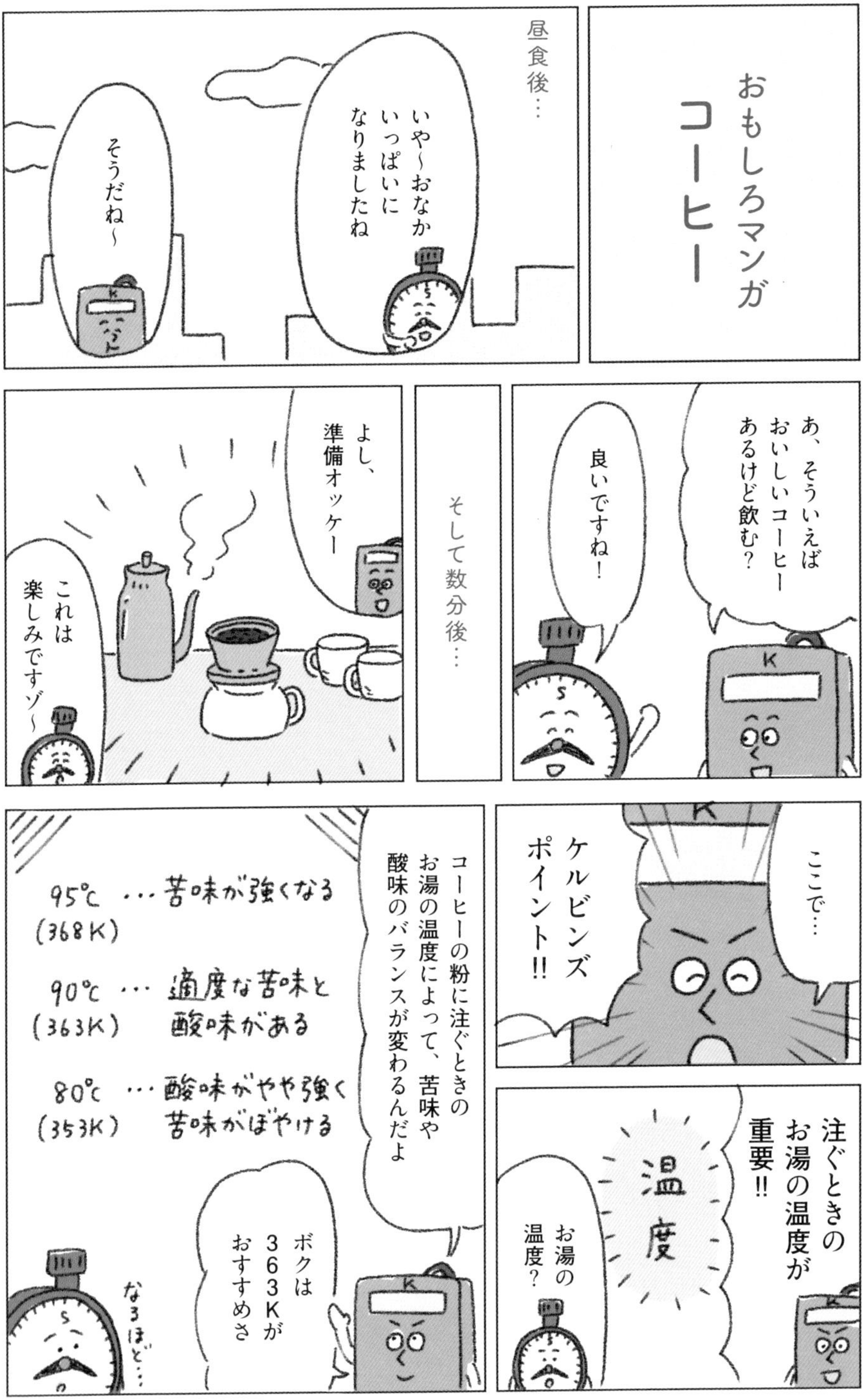
おもしろマンガ
コーヒー
昼食後…
いや～おなか いっぱいに なりましたね
そうだね～
あ、そういえば おいしいコーヒー あるけど飲む?
良いですね!
そして数分後…
よし、準備オッケー
これは 楽しみですゾ～
ここで…
ケルビンズ ポイント!!
注ぐときの お湯の温度が 重要!!
温度
お湯の 温度?
コーヒーの粉に注ぐときの お湯の温度によって、苦味や 酸味のバランスが変わるんだよ
95℃ (368K) … 苦味が強くなる
90℃ (363K) … 適度な苦味と 酸味がある
80℃ (353K) … 酸味がやや強く 苦味がぼやける
ボクは 363Kが おすすめさ
なるほど…

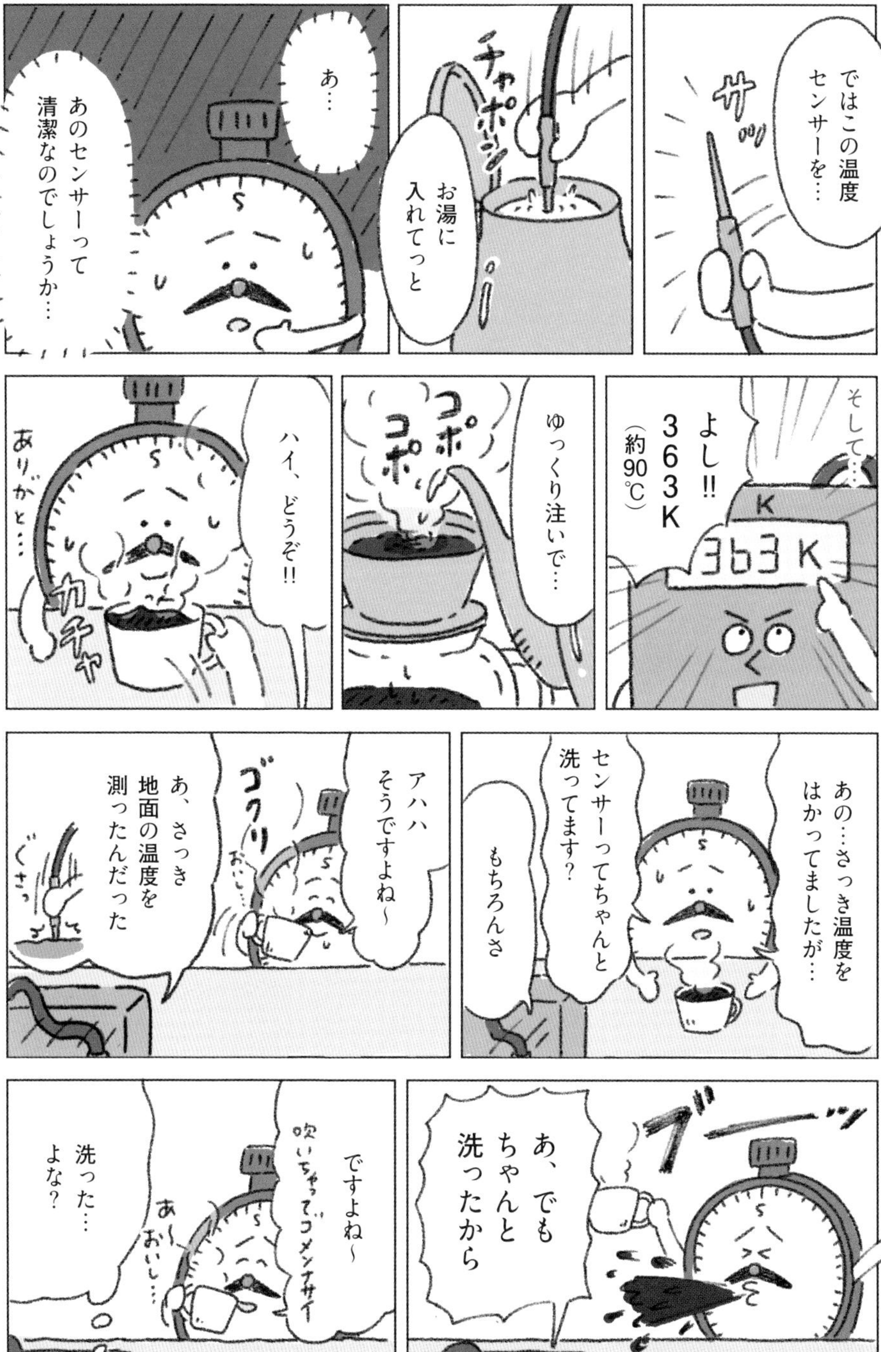
ではこの温度センサーを…
サッ
チャポン
お湯に入れてっと
あ…
あのセンサーって清潔なのでしょうか…
そして…
よし!! 363K (約90℃)
363K
ゆっくり注いで…
コポコポ
ハイ、どうぞ!!
ありがと…
カチャ
あの…さっき温度をはかってましたが…
センサーってちゃんと洗ってます?
もちろんさ
アハハ そうですよね~
ゴクリ
おいし…
あ、さっき地面の温度を測ったんだった
ぐさっ
ブーーッ
あ、でもちゃんと洗ったから
ですよね~
吹いちゃってゴメンナサイ
あ~おいし…
洗った…よな?

COLUMN

冒険小説の題材にもなった単位

産業技術総合研究所 計量標準総合センター
物理計測標準研究部門 首席研究員
山田善郎

『海底二万里』『八十日間世界一周』などで知られ、誰もが少年少女時代に必ず読んだことがあるフランスのSF冒険小説家ジュール・ベルヌ。彼が「長さの単位メートル」にまつわる小説を書いていたことは、我国では意外と知られていません。

『三人のロシア人と三人のイギリス人のアフリカ旅行』というタイトルの1872年出版のこの小説（本邦未訳）には、二カ国混成隊が精密な三角測量を繰り返しながら子午線に沿ってアフリカ大陸南部のオレンジ川からザンベジ川までの1000 kmあまりを北上する一年半におよぶ旅が描かれています。

旅の目的は長さの単位メートルの定義のもととなる地球の大きさの精密な測定です。メートルが導入された当初、その定義は極から赤道までの子午線弧の長さの1/10000000とされました。この定義に基づく1メートルを正確に決めるためにフランスのダンケルクからスペインのバルセロナまで三角測量が行われたことは良く知られています。18世紀終わりのことです。

しかし、地球は真球ではなく、北極・南極が凹んだ楕円体状をしているため、一か所の測定では足りず、より正確なメートルの決定を目指しその後も世界各地で子午線弧の測定が行われました。

この小説は1854年に行われたそのような（仮想の）測定プロジェクトを題材にしています。

メートル導入でフランスに先行されたイギリスとロシアの2カ国は、国の威信をかけて合同で測量隊を編成します。日々移動しながらその場の緯度・経度を天体観測から正確に割り出すために天文学者が活躍し、精密に測定した角度情報を用いた高精度な三角関数演算に数学者が取り組みます。

その隊が測量する小説の舞台をアフリカ大陸としたことで、一行は野生動物との遭遇や原住民の襲撃という幾多の苦難を強いられ、読者は未知の世界での命を懸けた研究者らの冒険に胸躍らされます。

さらに、ロシアとイギリス本国の間に戦争が勃発する中、両国隊員が一度は袂《たもと》を分かちながら最後は再び力を併せて難局を乗り越えミッションを完遂するドラマが展開します。

小説から百五十年ほど経過した現在も、単位の定義に基づくより正確な測定や、単位のより正確な新しい定義を探求し、計量標準に関わる研究者は日々情熱的かつ献身的な研究活動を継続しています。

時には国境を越えて測定を行い、ともに汗を流した異国の仲間同士の友情が芽生えます。一方で世界一の精度を達成するために、国の威信をかけてしのぎを削っています。

より普遍的で信頼性のある単位を目指した冒険は、時を超え現在も継続しているのです。

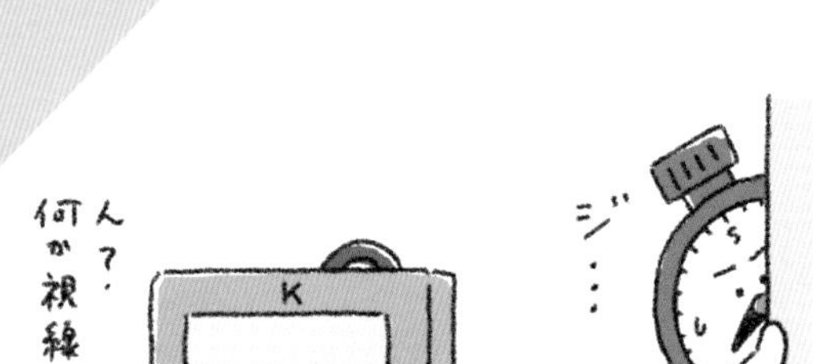
ジ…
ん？
何か視線を感じる…

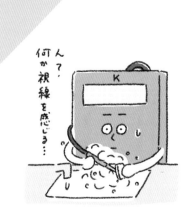

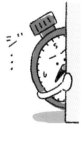

第 6 章

電流

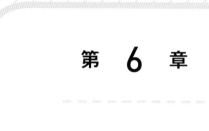

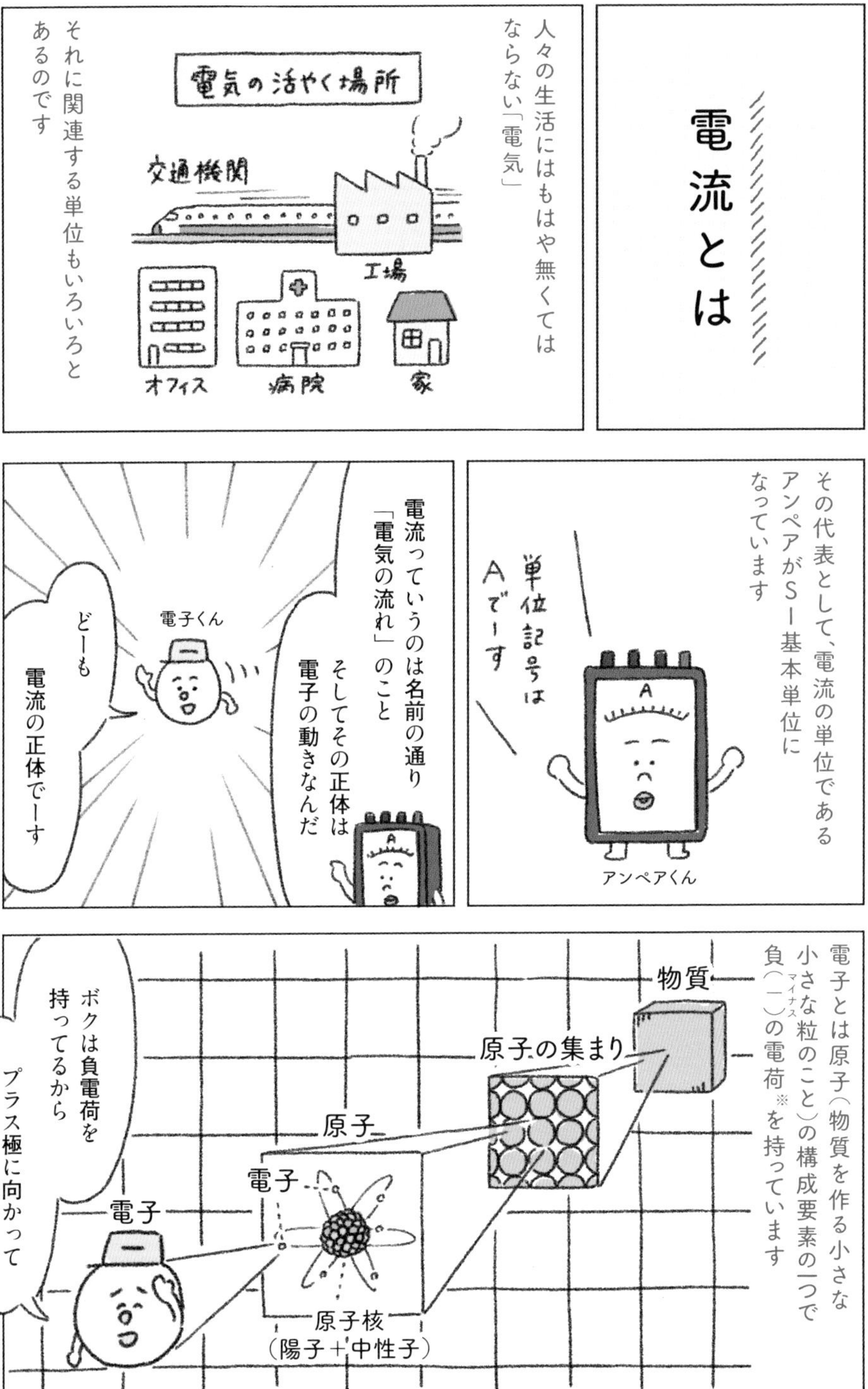
電流とは
人々の生活にはもはや無くてはならない「電気」
電気の活やく場所
交通機関
工場
オフィス
病院
家
それに関連する単位もいろいろとあるのです
その代表として、電流の単位であるアンペアがSI基本単位になっています
単位記号はAでーす
A
アンペアくん
電流っていうのは名前の通り「電気の流れ」のこと
そしてその正体は電子の動きなんだ
電子くん
どーも
電流の正体でーす
A
電子とは原子（物質を作る小さな粒のこと）の構成要素の一つで負（−）《マイナス》の電荷※を持っています
物質
原子の集まり
原子
電子
原子核
（陽子＋中性子）
電子
ボクは負電荷を持ってるから
プラス極に向かって行っちゃうんだ〜

※電荷：全ての電気現象のもと。正と負の二種類があり、正電荷と負電荷には引力が働く。

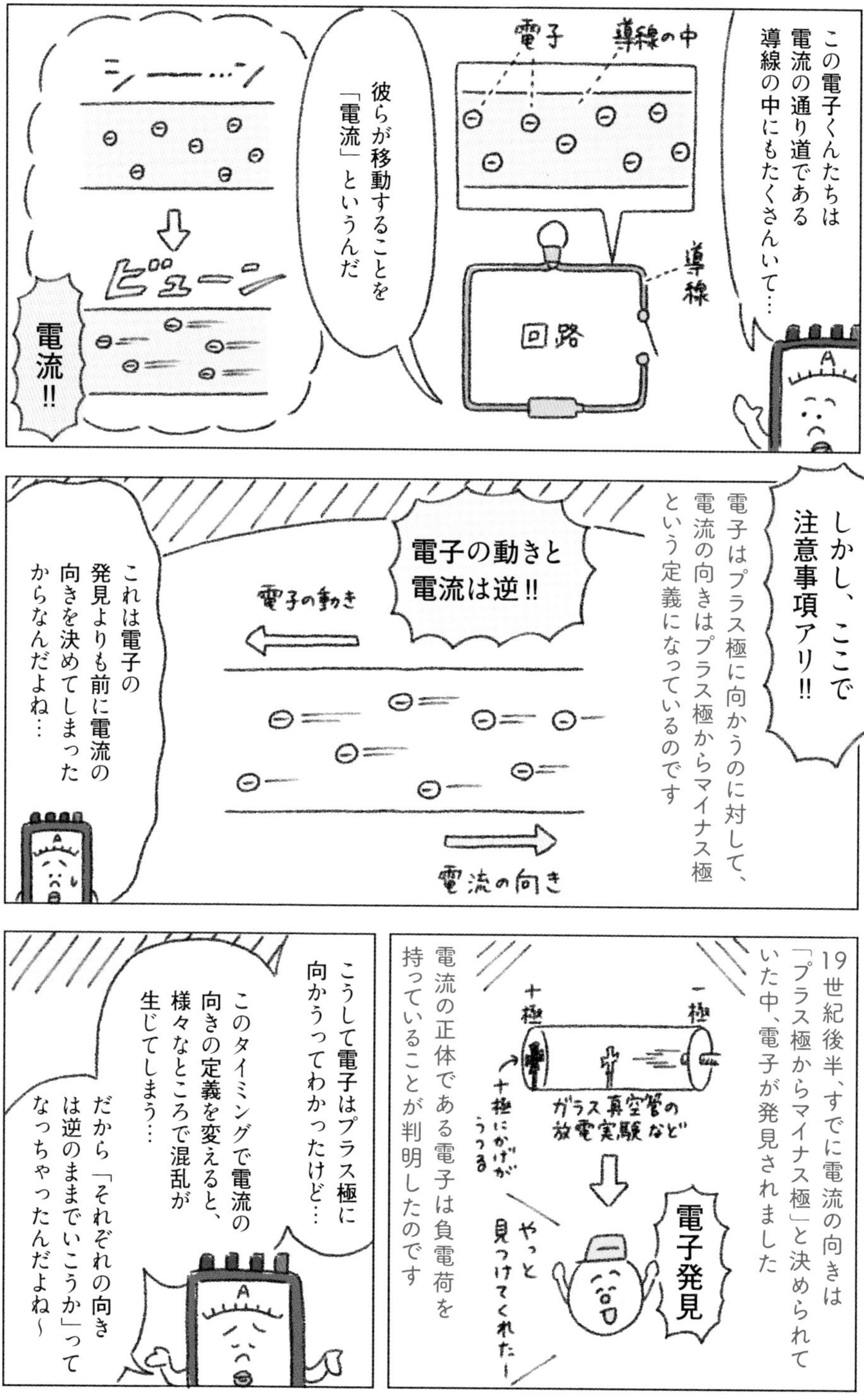
この電子くんたちは電流の通り道である導線の中にもたくさんいて…
電子
導線の中
導線
回路
彼らが移動することを「電流」というんだ
シーー…ン
ビューン
電流!!
しかし、ここで注意事項アリ!!
電子はプラス極に向かうのに対して、電流の向きはプラス極からマイナス極という定義になっているのです
電子の動きと電流は逆!!
電子の動き
電流の向き
これは電子の発見よりも前に電流の向きを決めてしまったからなんだよね…
19世紀後半、すでに電流の向きは「プラス極からマイナス極」と決められていた中、電子が発見されました
十極
一極
十極にかげがうつる
ガラス真空管の放電実験など
電子発見
やっと見つけてくれたー
電流の正体である電子は負電荷を持っていることが判明したのです
こうして電子はプラス極に向かうってわかったけど…
このタイミングで電流の向きの定義を変えると、様々なところで混乱が生じてしまう…
だから「それぞれの向きは逆のままでいこうか」ってなっちゃったんだよね～

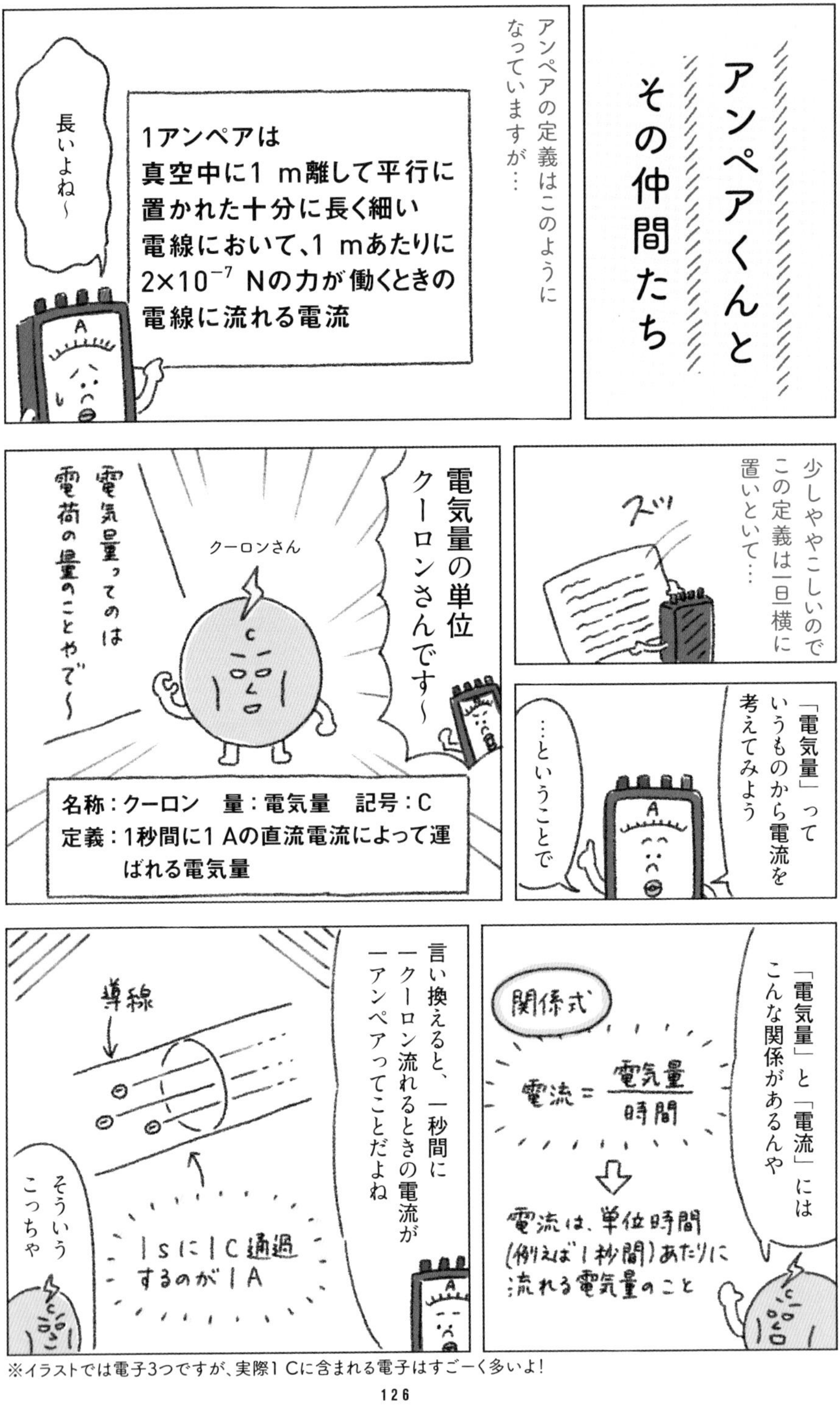
アンペアくんとその仲間たち
アンペアの定義はこのようになっていますが…
1アンペアは
真空中に1 m離して平行に
置かれた十分に長く細い
電線において、1 mあたりに
2×10^{-7} Nの力が働くときの
電線に流れる電流
長いよね～
少しややこしいのでこの定義は一旦横に置いといて…
ズッ
「電気量」っていうものから電流を考えてみよう
…ということで
電気量の単位クーロンさんです～
クーロンさん
電気量ってのは電荷の量のことやで～
名称：クーロン　量：電気量　記号：C
定義：1秒間に1 Aの直流電流によって運ばれる電気量
「電気量」と「電流」にはこんな関係があるんや
関係式
電流＝電気量/時間
電流は、単位時間(例えば1秒間)あたりに流れる電気量のこと
言い換えると、一秒間に一クーロン流れるときの電流が一アンペアってことだよね
導線
1sに1C通過するのが1A
そういうこっちゃ

※イラストでは電子3つですが、実際1 Cに含まれる電子はすごーく多いよ！

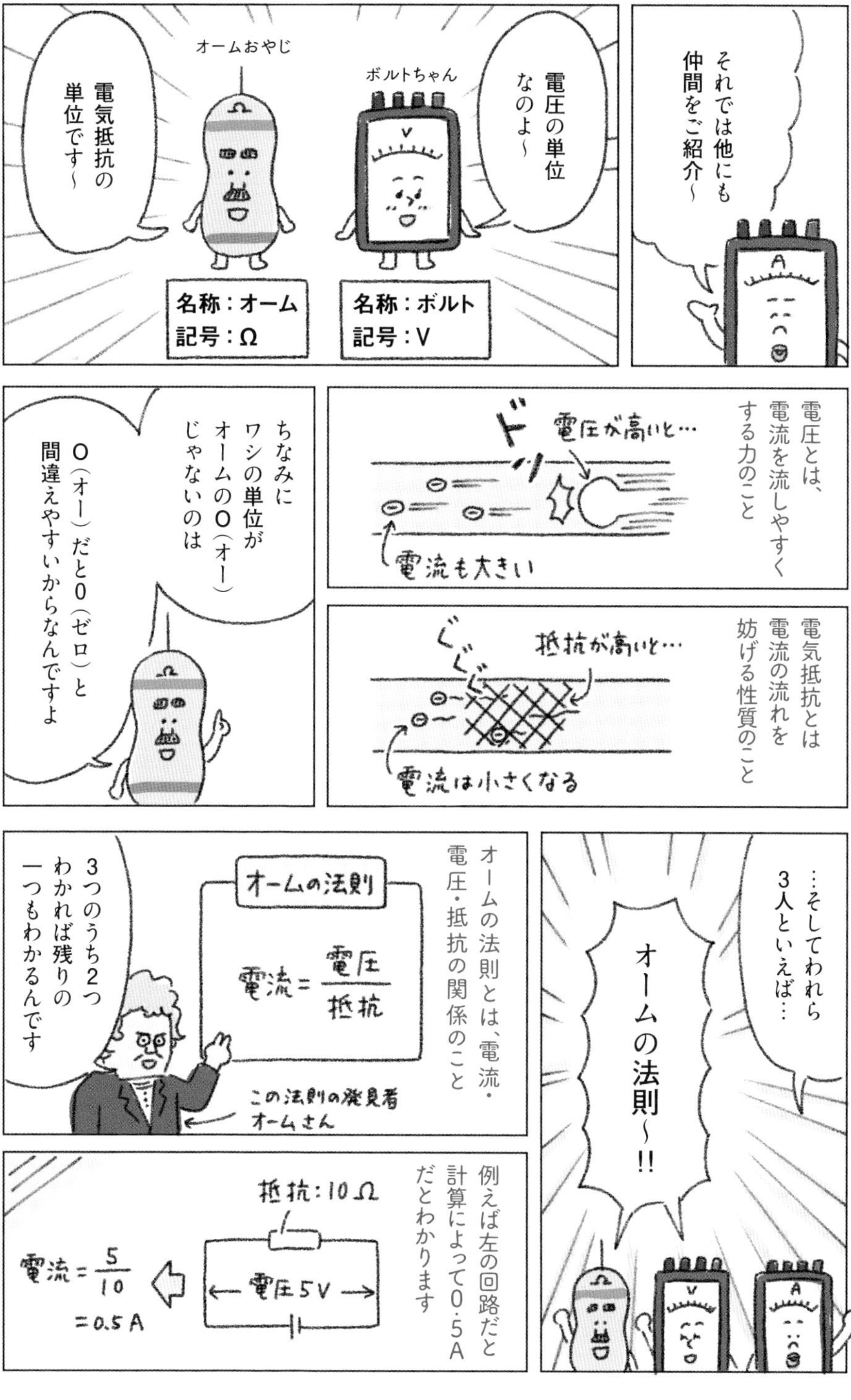

それでは他にも仲間をご紹介〜
ボルトちゃん
電圧の単位なのよ〜
名称：ボルト
記号：V
オームおやじ
電気抵抗の単位です〜
名称：オーム
記号：Ω
電圧とは、電流を流しやすくする力のこと
ドッ
電圧が高いと…
電流も大きい
電気抵抗とは電流の流れを妨げる性質のこと
抵抗が高いと…
電流は小さくなる
ちなみにワシの単位がオームのO（オー）じゃないのは
O（オー）だと0（ゼロ）と間違えやすいからなんですよ
…そしてわれら3人といえば…
オームの法則〜!!
オームの法則とは、電流・電圧・抵抗の関係のこと
オームの法則
電流＝電圧/抵抗
この法則の発見者オームさん
3つのうち2つわかれば残りの一つもわかるんです
例えば左の回路だと計算によって0.5Aだとわかります
抵抗：10Ω
電圧5V
電流＝5/10
＝0.5A

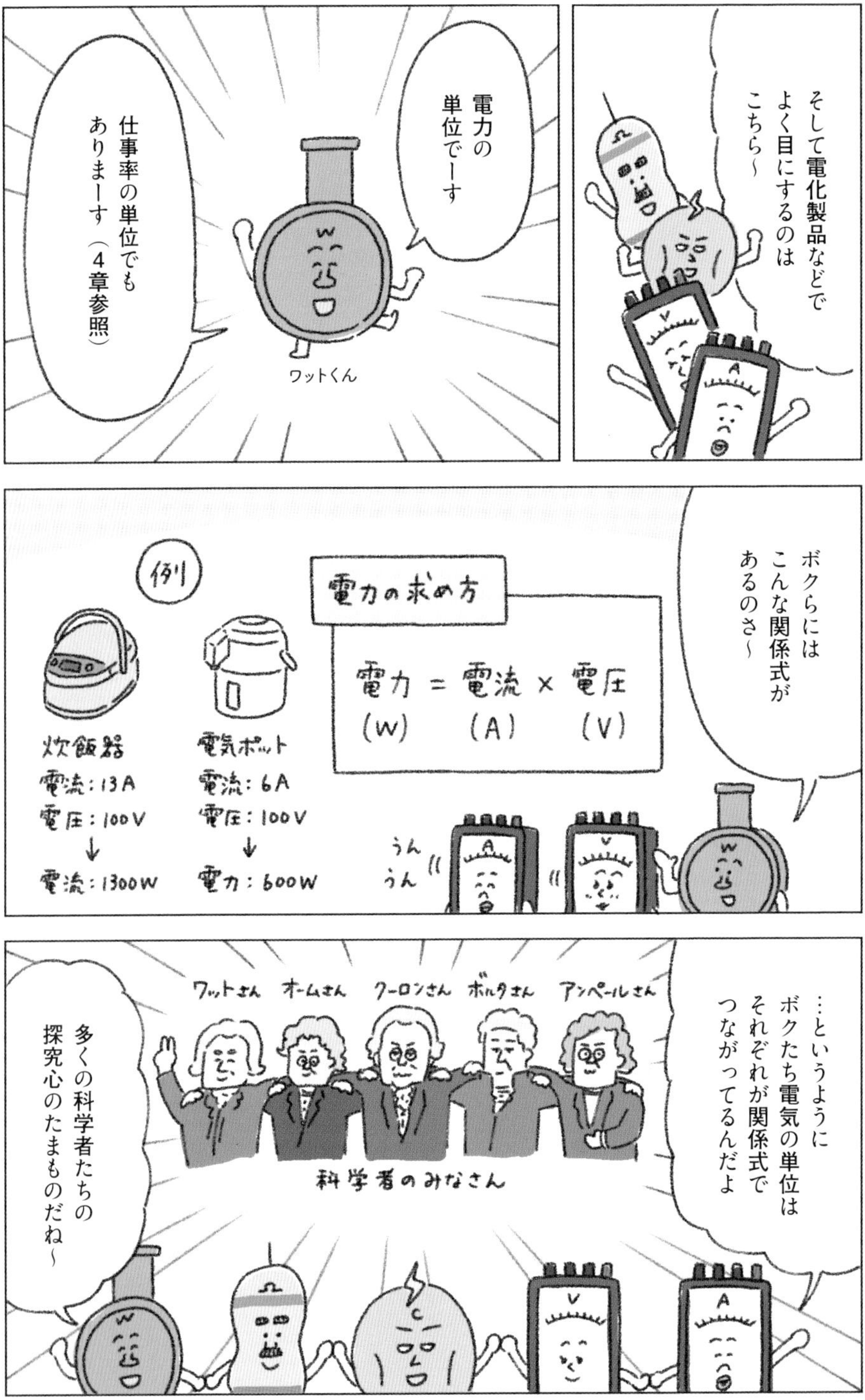

そして電化製品などでよく目にするのはこちら～
電力の単位でーす
仕事率の単位でもありまーす（4章参照）
ワットくん
ボクらにはこんな関係式があるのさ～
電力の求め方
電力 ＝ 電流 × 電圧
(W) (A) (V)
例
炊飯器
電流：13A
電圧：100V
↓
電流：1300W
電気ポット
電流：6A
電圧：100V
↓
電力：600W
うん
うん
…というようにボクたち電気の単位はそれぞれが関係式でつながってるんだよ
ワットさん
オームさん
クーロンさん
ボルタさん
アンペールさん
科学者のみなさん
多くの科学者たちの探究心のたまものだね～

アンペアくん

単位記号　A

定義

真空中に1 m離して平行に置かれた十分に長く細い電線において、1 mあたりに2×10^{-7} Nの力が働くときの電線に流れる電流

電流の例

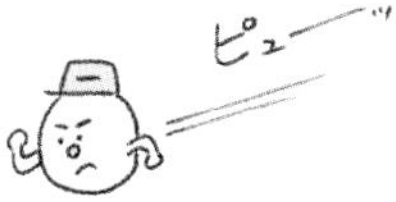

電子1コが1秒間に流れるときの電流
約1.6×10^{-19} A

家庭用電流
10～60 A

落雷
約30 kA

プチ情報

電磁力※と質量がつり合うことで電流値をはかれる電流天秤というものがある

特技

メガネをかけて電流をはかることができる

性格

好きなことはとことんつきつめるタイプ

※電流と磁界の相互作用で発生した力のこと

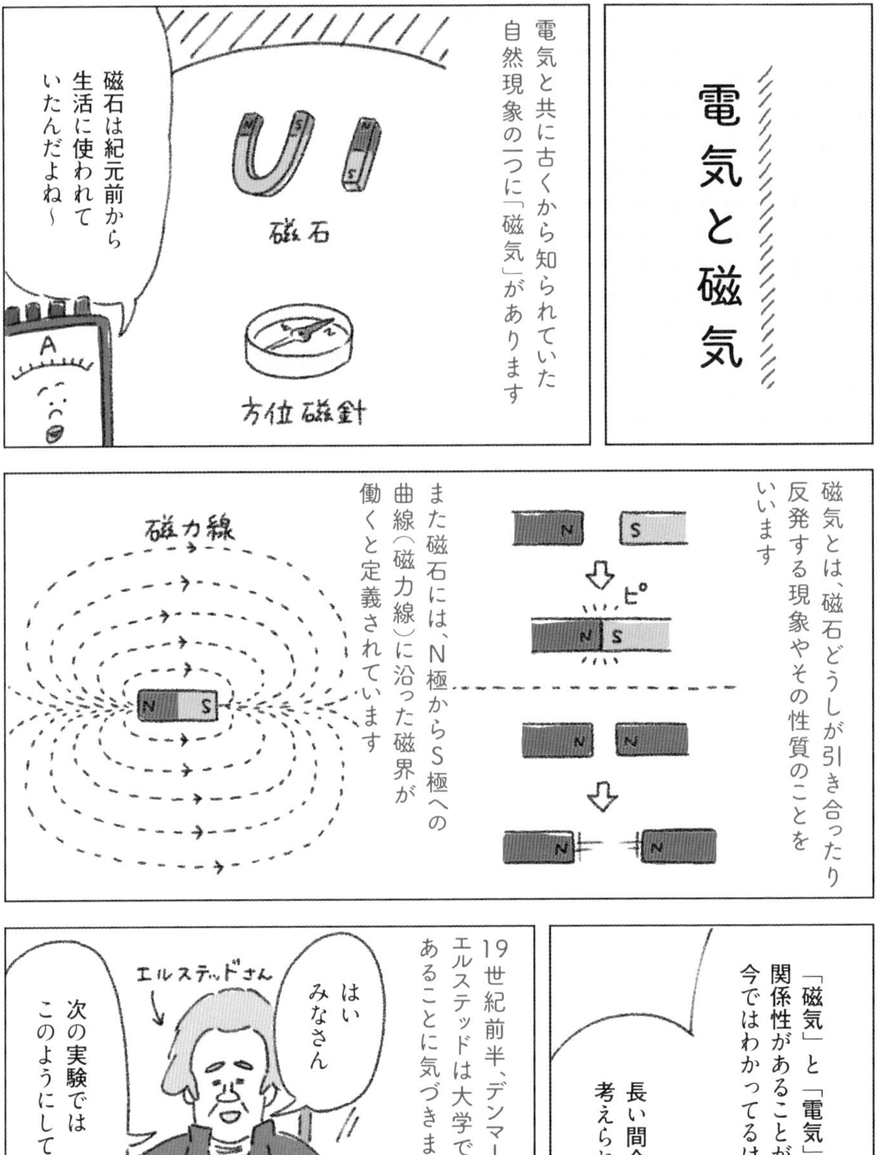
電気と磁気
電気と共に古くから知られていた自然現象の一つに「磁気」があります
磁石
方位磁針
磁石は紀元前から生活に使われていたんだよね〜
A
磁気とは、磁石どうしが引き合ったり反発する現象やその性質のことをいいます
N
S
ピ
N
S
N
N
N
N
また磁石には、N極からS極への曲線（磁力線）に沿った磁界が働くと定義されています
磁力線
N
S
「磁気」と「電気」には関係性があることが今ではわかってるけど
長い間全く別の物と考えられていたんだ
A
19世紀前半、デンマークの物理学者エルステッドは大学での講義中にあることに気づきました
はい みなさん
エルステッドさん
次の実験ではこのようにして電流を…

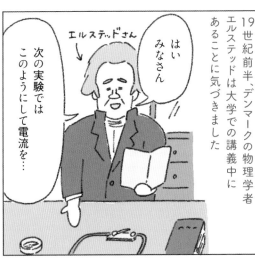

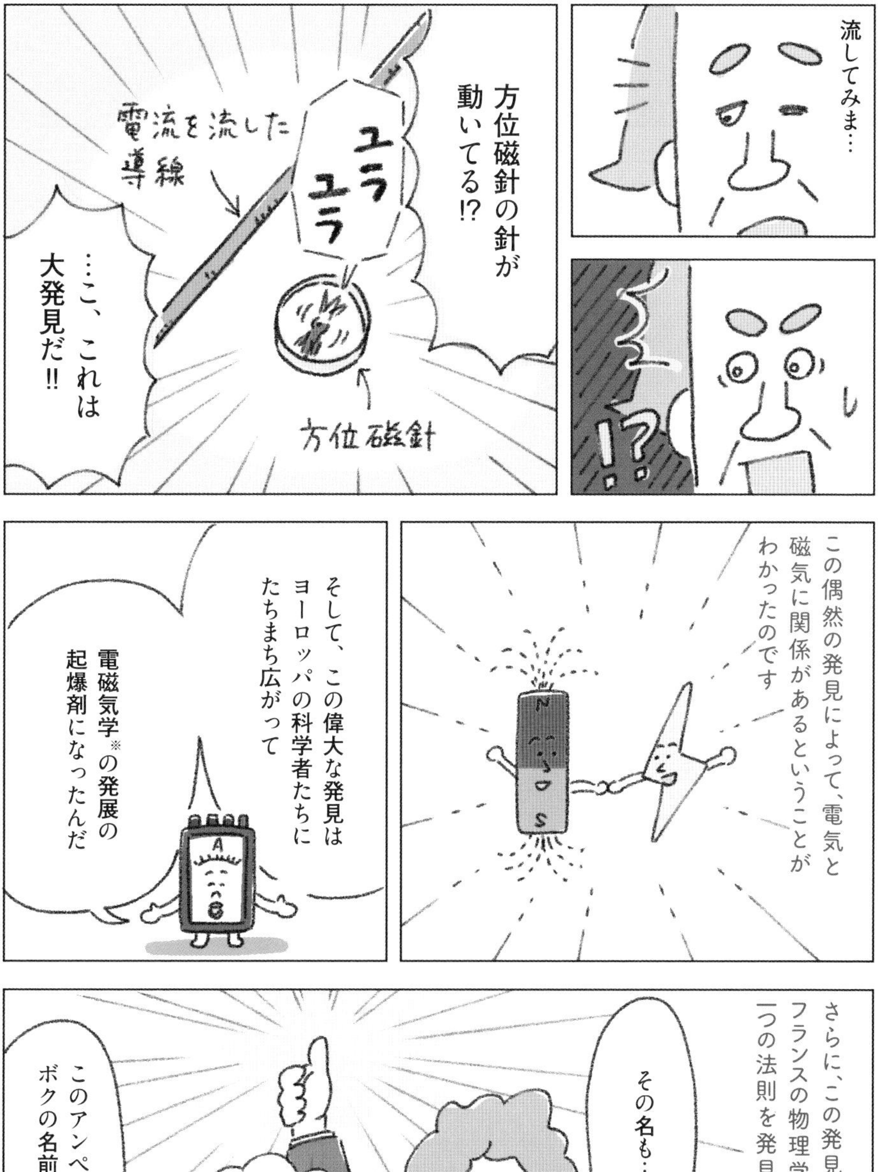

※電磁気学：電気と磁気に関する現象を扱う物理学の一分野

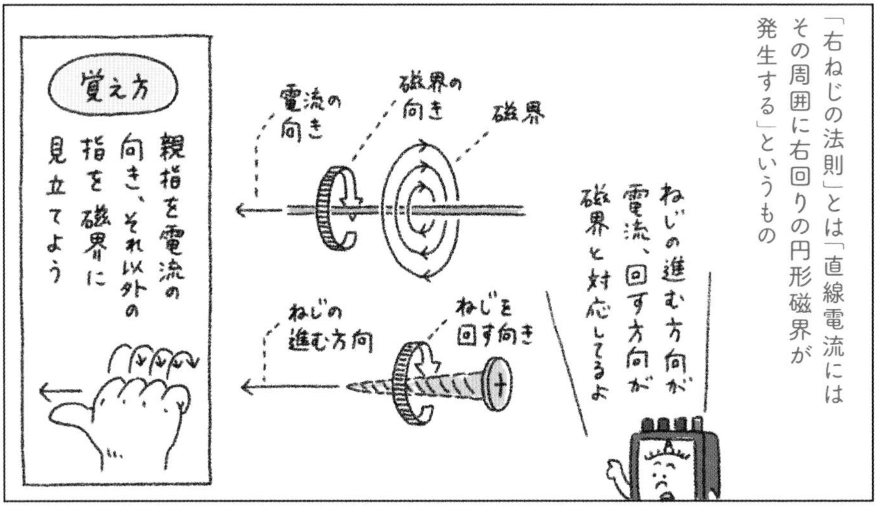
「右ねじの法則」とは「直線電流にはその周囲に右回りの円形磁界が発生する」というもの
ねじの進む方向が電流、回す方向が磁界と対応してるよ
磁界
磁界の向き
電流の向き
ねじを回す向き
ねじの進む方向
覚え方
親指を電流の向き、それ以外の指を磁界に見立てよう

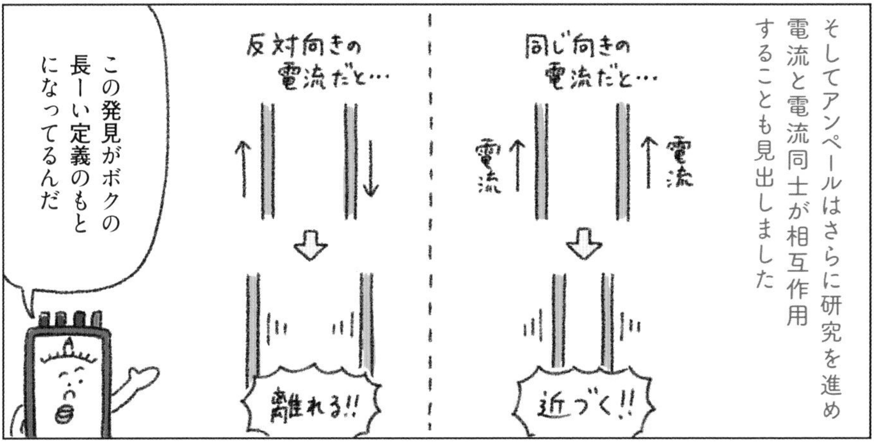
そしてアンペールはさらに研究を進め電流と電流同士が相互作用することも見出しました
同じ向きの電流だと…
電流
電流
近づく!!
反対向きの電流だと…
離れる!!
この発見がボクの長ーい定義のもとになってるんだ

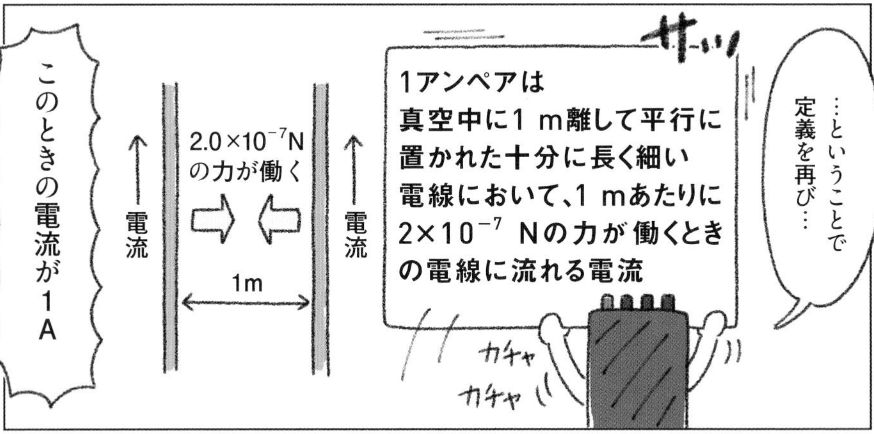
…ということで定義を再び…
サーッ
1アンペアは真空中に1 m離して平行に置かれた十分に長く細い電線において、1 mあたりに2×10^{-7} Nの力が働くときの電線に流れる電流
カチャ
カチャ
電流
2.0×10^{-7}N の力が働く
1m
電流
このときの電流が1A

電磁気の現象や法則

たくさんある中から
2つをご紹介

◎ファラデーの電磁誘導…コイルに磁石を出し入れするとそのときだけ電流が流れる現象

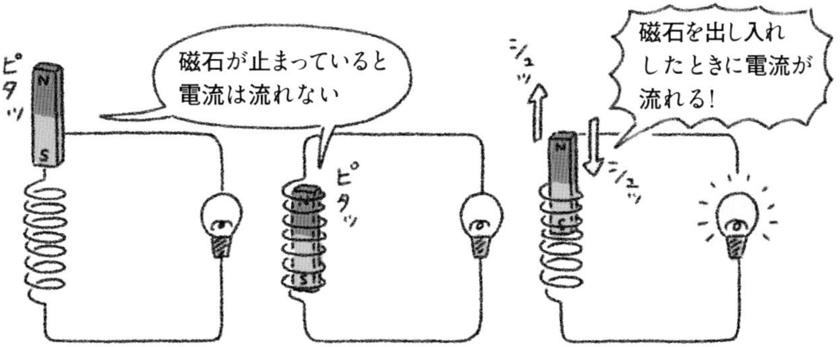
ピタッ
N
S
磁石が止まっていると電流は流れない
ピタッ
シュッ
シュッ
磁石を出し入れしたときに電流が流れる!

◎フレミングの左手の法則…電流・磁界・作用する力の方向の関係性をわかりやすくするための法則

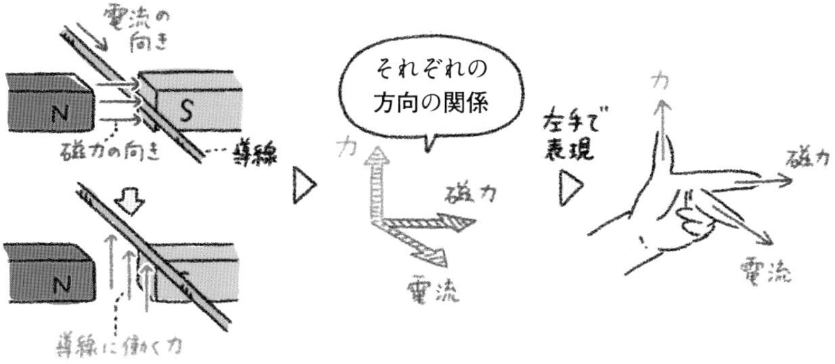
電流の向き
N
S
磁力の向き
導線
導線に働く力
それぞれの方向の関係
力
磁力
電流
左手で表現
力
磁力
電流

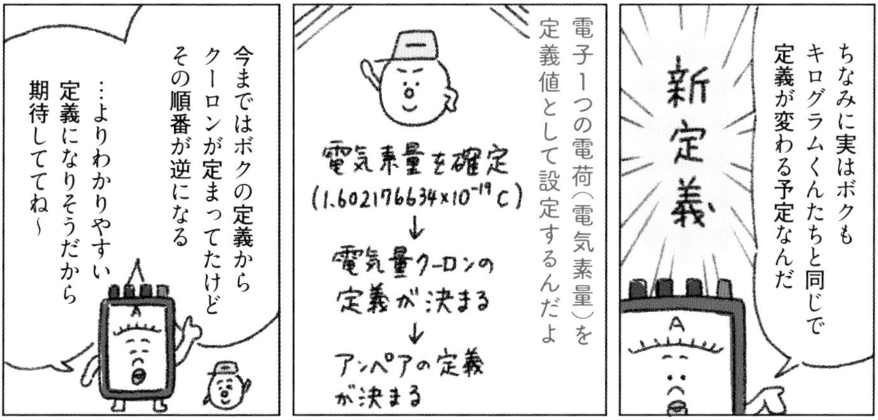
ちなみに実はボクもキログラムくんたちと同じで定義が変わる予定なんだ
新定義
電子1つの電荷(電気素量)を定義値として設定するんだよ
電気素量を確定
(1.602176634×10^-19 C)
↓
電気量クーロンの定義が決まる
↓
アンペアの定義が決まる
今まではボクの定義からクーロンが定まってたけどその順番が逆になる
…よりわかりやすい定義になりそうだから期待しててね〜

貢献した偉人たち

たくさんいる中から
18～19世紀に活やく
した方々を中心に
ご紹介～

クーロン
1736-1806

フランスの物理学者。電磁気学の基本法則のクーロンの法則を発見。電気量の単位クーロン（C）の由来。

ボルタ
1745-1827

イタリアの物理学者。銅、亜鉛、硫酸を用いたボルタ電池を発明。電圧の単位ボルト（V）の由来。

ガルバーニ
1737-1798

イタリアの解剖学者。解剖中のカエルの脚が2種類の金属の接触でけいれんすることを発見。ボルタ電池発明のきっかけとなった。

エルステッド
1777-1851

デンマークの物理学者。
電流の磁気作用を発見し、電磁気学の基礎を築いた。

アンペール
1775-1836

フランスの物理学者。右ねじの法則を発見。電流の単位アンペア（A）の由来。

電磁気学の発展に

オーム
1789-1854

ドイツの物理学者。オームの法則を発見。電気抵抗の単位オーム（Ω）の由来。

ガウス
1777-1855

ドイツの数学者。電荷と電場の関係を表すガウスの法則を発見するなど、数学以外の分野でも活やく。

ファラデー
1791-1867

イギリスの物理学者·化学者。電磁誘導の法則を発見。静電容量の単位ファラド（F）の由来。

ダニエル
1790-1845

イギリスの化学者。ボルタ電池を改良し起電力の変化が少なく実用性の向上したダニエル電池を発明。

マクスウェル
1831-1879

イギリスの物理学者。ファラデーが発見した事実を数学によって整理し、電磁気学の理論を確立。

ウェーバー
1804-1891

ドイツの物理学者。地磁気（地球が持つ磁気）の観測や電磁気の単位統一に貢献。磁束の単位ウェーバ（Wb）の由来。

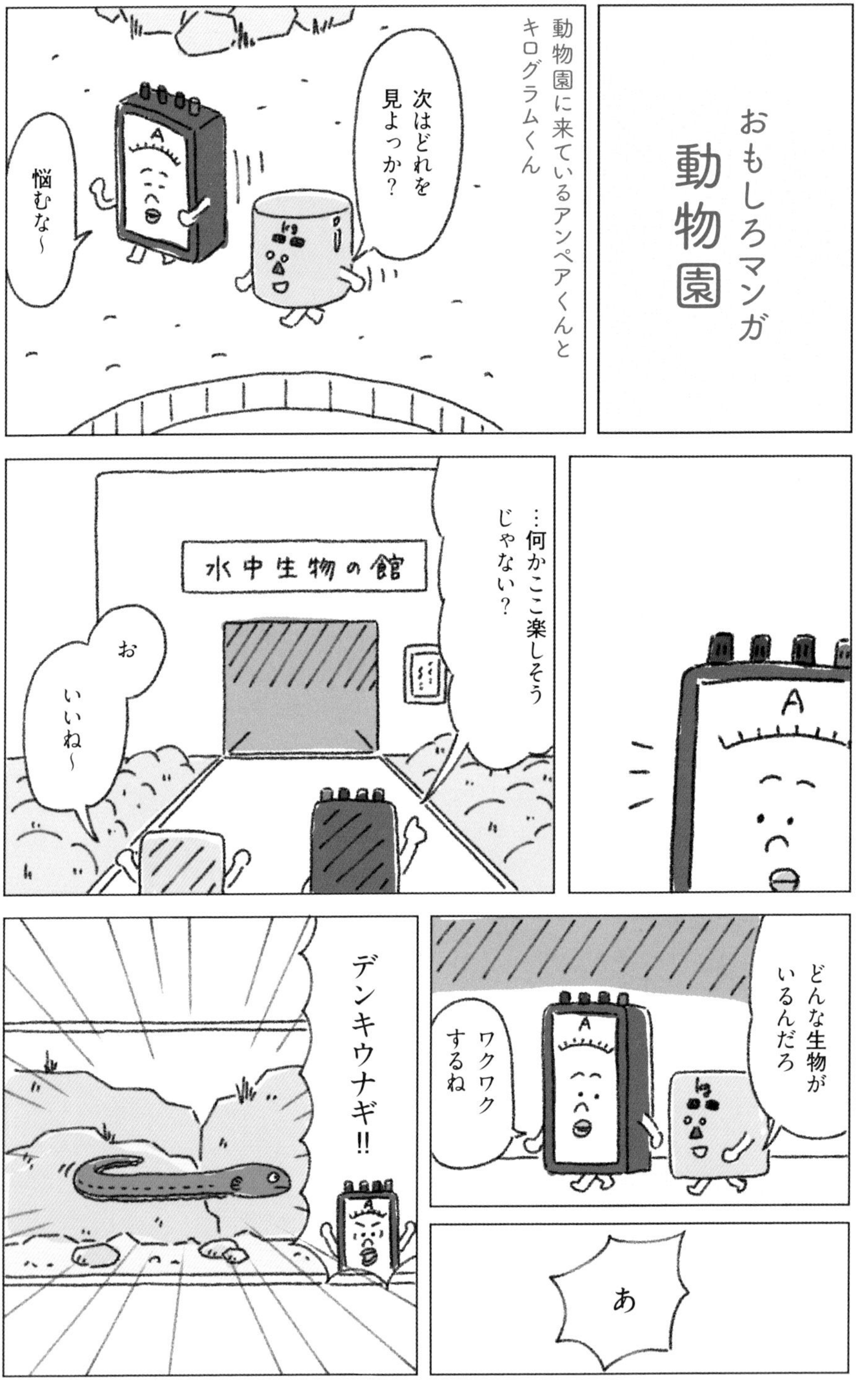
おもしろマンガ
動物園
動物園に来ているアンペアくんとキログラムくん
次はどれを見よっか?
悩むな~
…何かここ楽しそうじゃない?
水中生物の館
お
いいね~
どんな生物がいるんだろ
ワクワクするね
あ
デンキウナギ!!

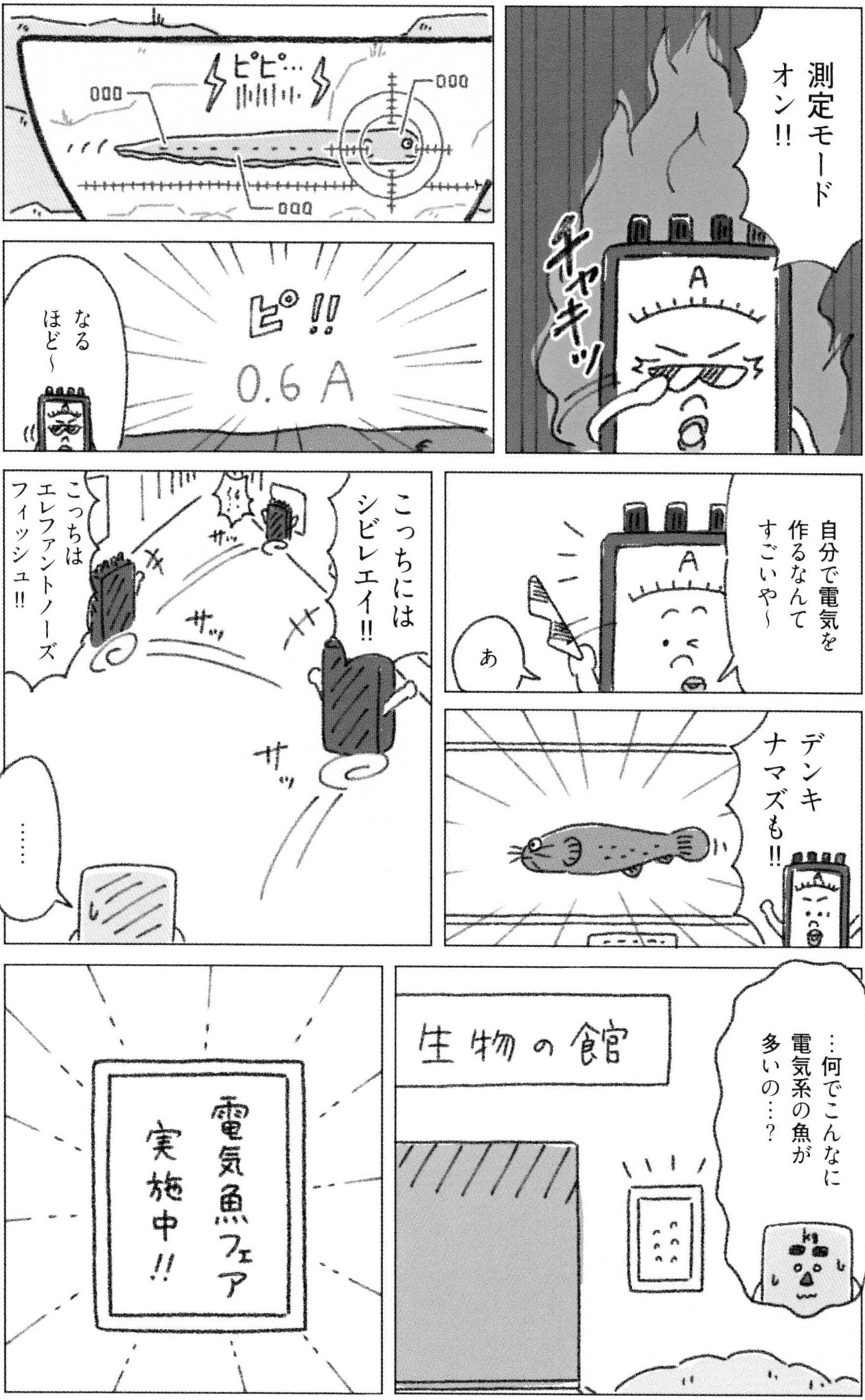
測定モード
オン!!
チャキッ
ピピ…
ピ!!
0.6 A
なるほど~
自分で電気を作るなんてすごいや~
あ
デンキナマズも!!
こっちにはシビレエイ!!
こっちはエレファントノーズフィッシュ!!
サッ
サッ
サッ
……
生物の館
…何でこんなに電気系の魚が多いの…?
電気魚フェア
実施中!!

COLUMN

なぜなに単位のひみつ
幸運な抵抗

先日出張で泊まった部屋は1823号室でした。フロントで少し顔色が変わり、鼓動が高まったことが伝わったかもしれません。エレベータに乗り部屋番号を確認して鍵を開けるときにある確信を持ちます。早速部屋に入ると荷物もそのままに計算をしてみます。その通り、素数でした。その出張の仕事はすでにうまくいったような気持ちになります。科学者はみんな素数が好きです。たぶん。

物理学者のトランクの鍵番号は「0137」です。数学者の車のナンバーは「1729」です。そう決まっているのです。それは彼らが最も好む数字だからです。本当の所は、トランクの鍵の番号についてはあまりにも自明ですぐバレるのでそうはしないように心がけますし、車のナンバーも家族の反対でそうできないこともあります。その場合は「2525（ニコニコ）」とかちょっと恥ずかしいナンバーに落ち着くこと間違いなしです。「137」は素粒子物理学でよく出てくる微細構造定数の逆数に近い値で、かつ素数です。物理学者はみんな知っていますし好きな数の一つです。「1729」はハーディとラマヌジャンのタクシーにまつわる逸話で有名になった2通りの2つの立方数の和で表せる最小の数です。数学者はみんな知っていますし好きな数の一つです。

産業技術総合研究所 計量標準総合センター
物理計測標準研究部門 首席研究員
応用電気標準研究グループ長
金子晋久

それぞれ覚えやすい桁数の数字です。

微細構造定数の逆数は光速、磁気定数（真空の透磁率と呼ばれることもあります）、プランク定数そして電気素量（電子の電荷）の二乗の値の組み合わせで記述される無次元量です。これら基礎物理定数がそれぞれ極端に大きかったり小さかったりするのに比べそれらを組み合わせた137は綺麗な数字ですね。例えば光速は10^{8}のオーダーの値だし、磁気定数は10^{-7}、プランク定数に至っては10^{-34}、電気素量は10^{-19}で既にかなり小さい値ですがその二乗ですから10^{-38}のオーダーです。これらの組み合わせがうまい具合にオーダーをキャンセルし合い、偶然にも約137というわかりやすい数になっているのです。

現在のＳＩでは光速と磁気定数は定義値です。それを考えると微細構造定数の逆数の測定の不確かさはプランク定数と電気素量の二乗の測定の不確かさに直結しています。具体的には微細構造定数の逆数は（プランク定数）÷（電気素量の二乗）に比例する形で記述されます。その比例係数に光速と磁気定数が入ります。

実は、（プランク定数）÷（電気素量の二乗）そのもので記述される基礎物理定数があります。それはフォン・クリッツイング定数と呼ばれていて、２５８１３程度の値を取ります。これも綺麗な覚えやすい桁数の値です。美しいですね。だいぶん前の私のコンピュータのパスワードです。すぐバレるので使ってはいけません。

さらに驚くべきことにフォン・クリッツイング定数の単位は抵抗、Ωとなります。すなわち（プランク定数）÷（電気素量の二乗）～２５８１３Ωなのです。ここでちょっと遠い話だった素粒子物理学が、なんと皆さんおなじみテスターで測れる電気測定に繋がります。実際この定数は量子化抵抗と呼ばれ、しばしば物性物理学、特にナノ構造を用いた物理学に出てきますし、その定数の発見者フォン・クリッツイング先生のノーベル賞受賞のきっかけになった論文題名もズバリ「量子化ホール抵抗による微細構造定数精密測定の新手法」です。

この量子化ホール抵抗は極めて高い普遍性と安定性を持つことから〝抵抗標準〟として利用されています。実際にはこの半分の値、約１２９０６Ωの量子化ホール抵抗値が用いられます。さらに嬉しいことに現在の電子技術で最も不確かさが小さく抵抗を測定できるのは、１００００Ω付近であり、まさにこのスイートスポットにはまっているのです。極めて大きかったり小さかったりする値の組合せが、我々人類が発明した測定方法で非常に測りやすい値に来てくれていることはすごいことです。幸運です。あるいはなんらかの必然が潜んでいるのでしょうか。もし基礎物理定数が少しでも異なる世界でしたら、抵抗標準はちょっと使いづらいものだったかもしれません。勿論その世界では願わくば少し変わった〝知的生物〟が少し変わった精密測定をしているかもしれません。それはそれで面白い幸運があるのでしょうね。

電気魚フェア
実施中!!
あ…
こんなフェア
やってたのか
なっとく…
うおーー!!
すごーーい!!

第 7 章

光度

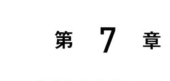

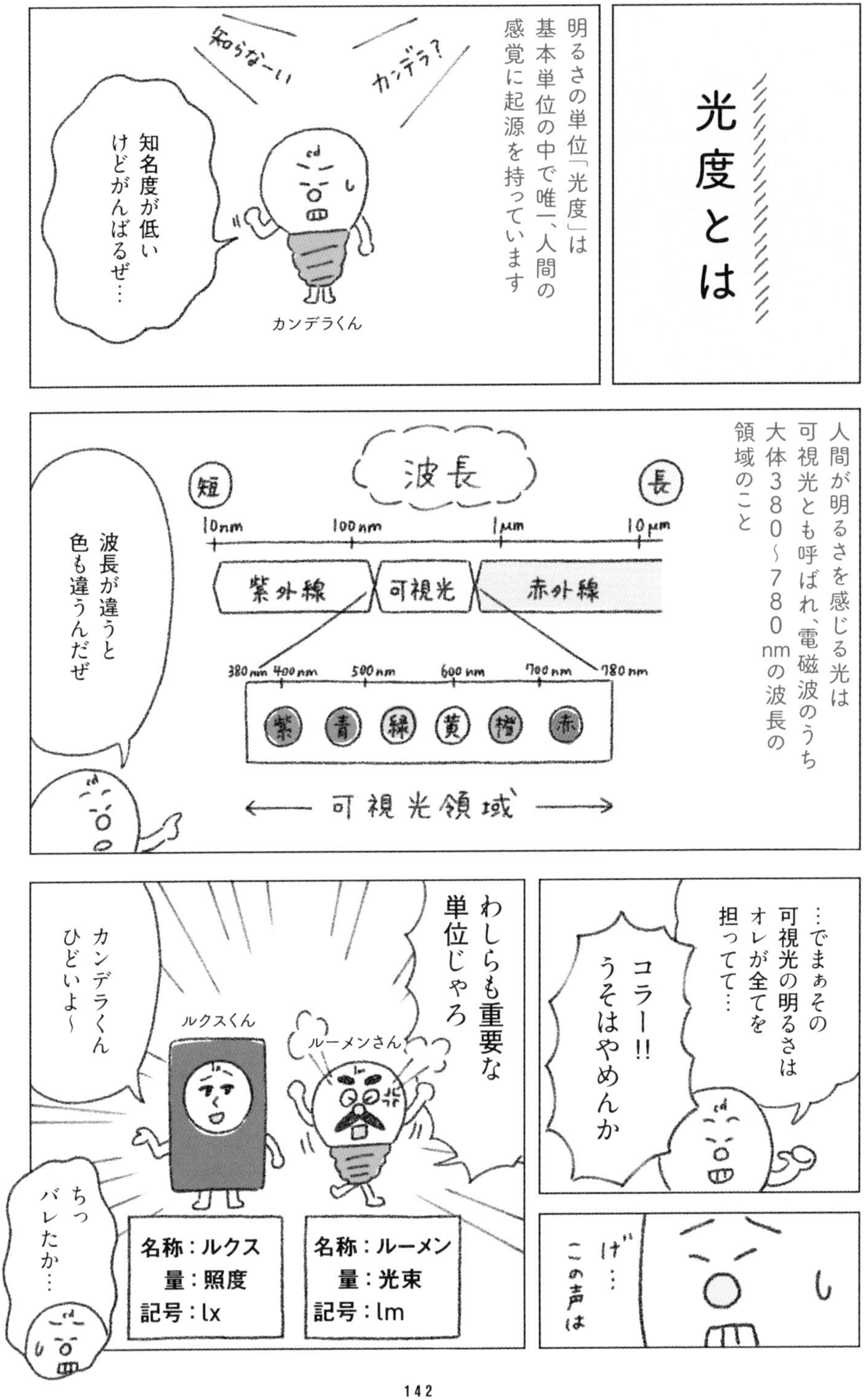
光度とは
明るさの単位「光度」は基本単位の中で唯一、人間の感覚に起源を持っています
カンデラ？
知らなーい
知名度が低いけどがんばるぜ…
カンデラくん
人間が明るさを感じる光は可視光とも呼ばれ、電磁波のうち大体380～780nmの波長の領域のこと
波長
短
長
10nm
100nm
1μm
10μm
紫外線
可視光
赤外線
380nm
400nm
500nm
600nm
700nm
780nm
紫
青
緑
黄
橙
赤
可視光領域
波長が違うと色も違うんだぜ
…でまぁその可視光の明るさはオレが全てを担ってて…
コラー!! うそはやめんか
げ…
この声は
わしらも重要な単位じゃろ
カンデラくんひどいよ～
ルクスくん
ルーメンさん
名称：ルクス
量：照度
記号：lx
名称：ルーメン
量：光束
記号：lm
ちっバレたか…

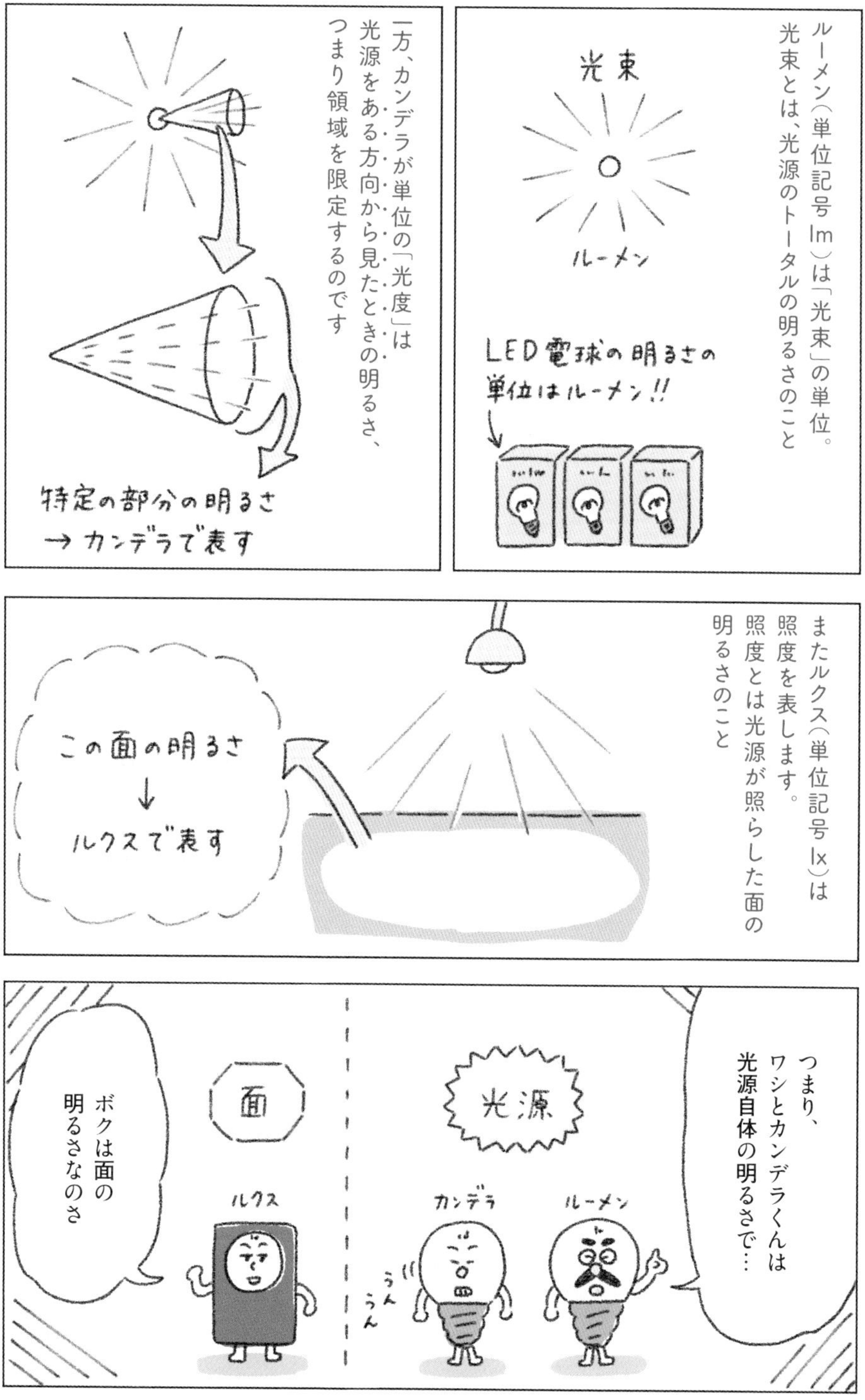
ルーメン（単位記号lm）は「光束」の単位。
光束とは、光源のトータルの明るさのこと
光束
ルーメン
LED電球の明るさの単位はルーメン!!
一方、カンデラが単位の「光度」は
光源をある方向から見たときの明るさ、
つまり領域を限定するのです
特定の部分の明るさ
→カンデラで表す
またルクス（単位記号lx）は
照度を表します。
照度とは光源が照らした面の
明るさのこと
この面の明るさ
↓
ルクスで表す
つまり、
ワシとカンデラくんは
光源自体の明るさで…
光源
ルーメン
カンデラ
うんうん
面
ルクス
ボクは面の
明るさなのさ

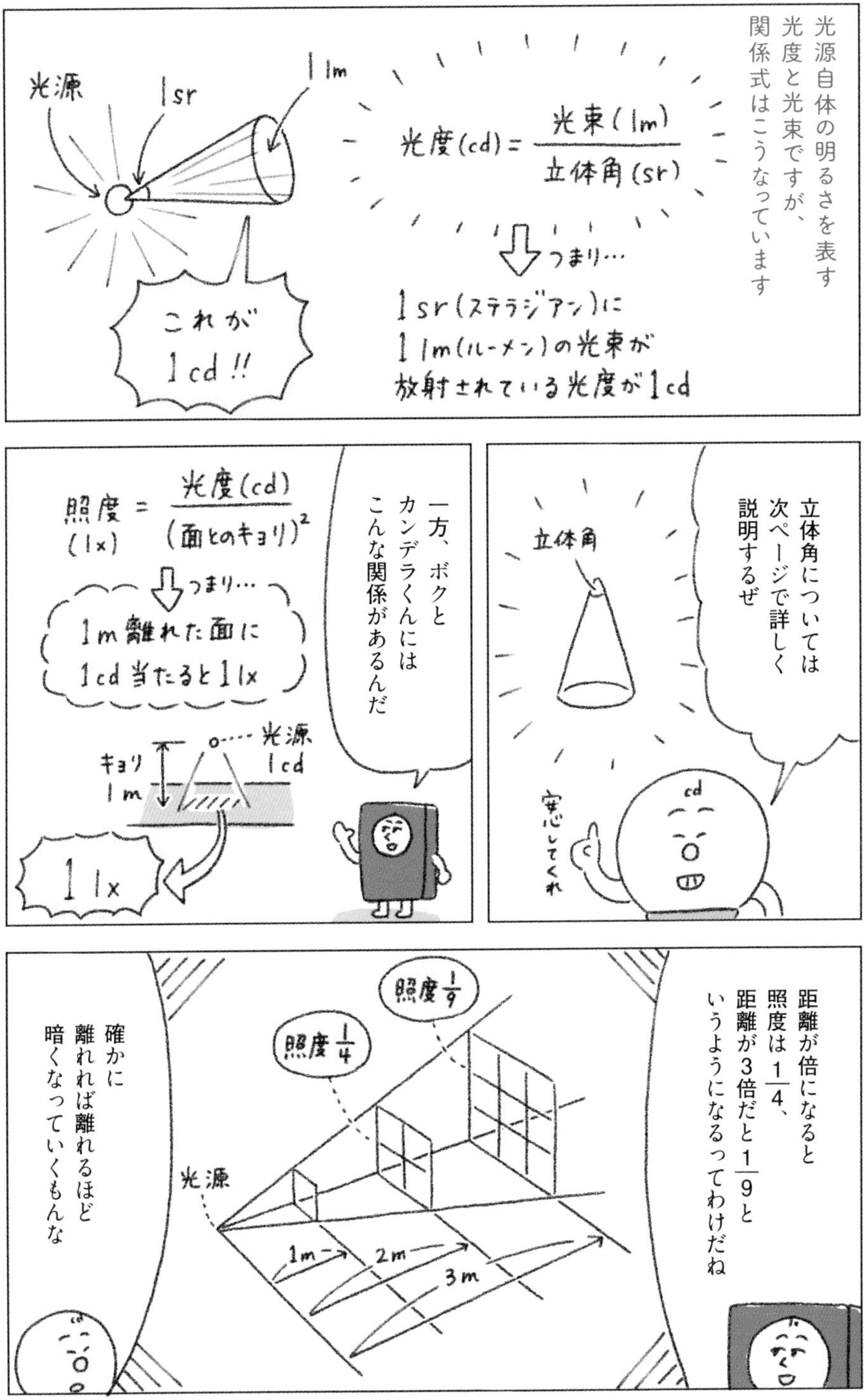
光源自体の明るさを表す光度と光束ですが、関係式はこうなっています
光源
1sr
1lm
光度(cd)＝光束(lm)/立体角(sr)
つまり…
1sr(ステラジアン)に
1lm(ルーメン)の光束が
放射されている光度が1cd
これが1cd!!
立体角についてはは次ページで詳しく説明するぜ
立体角
cd
安心してくれ
一方、ボクとカンデラくんにはこんな関係があるんだ
照度(lx)＝光度(cd)/(面とのキョリ)²
つまり…
1m離れた面に
1cd当たると1lx
キョリ1m
光源1cd
1lx
距離が倍になると照度は1/4、距離が3倍だと1/9というようになるってわけだね
照度1/9
照度1/4
光源
1m
2m
3m
確かに離れれば離れるほど暗くなっていくもんな

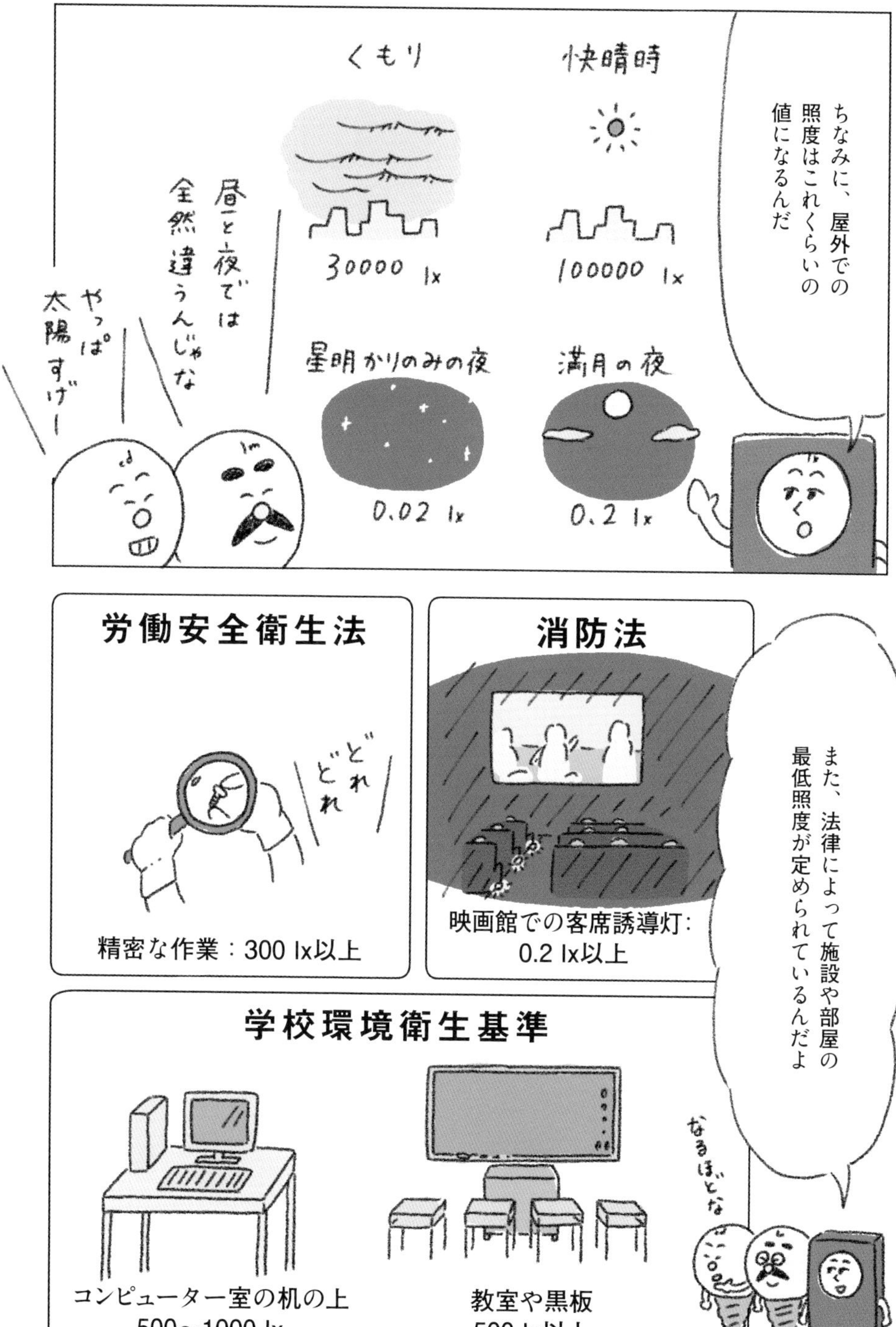
ちなみに、屋外での照度はこれくらいの値になるんだ
くもり
30000 lx
快晴時
100000 lx
星明かりのみの夜
0.02 lx
満月の夜
0.2 lx
昼と夜では全然違うんじゃな
やっぱ太陽すげー
また、法律によって施設や部屋の最低照度が定められているんだよ
労働安全衛生法
どれどれ
精密な作業：300 lx以上
消防法
映画館での客席誘導灯：
0.2 lx以上
学校環境衛生基準
コンピューター室の机の上
500～1000 lx
教室や黒板
500 lx以上
なるほどな

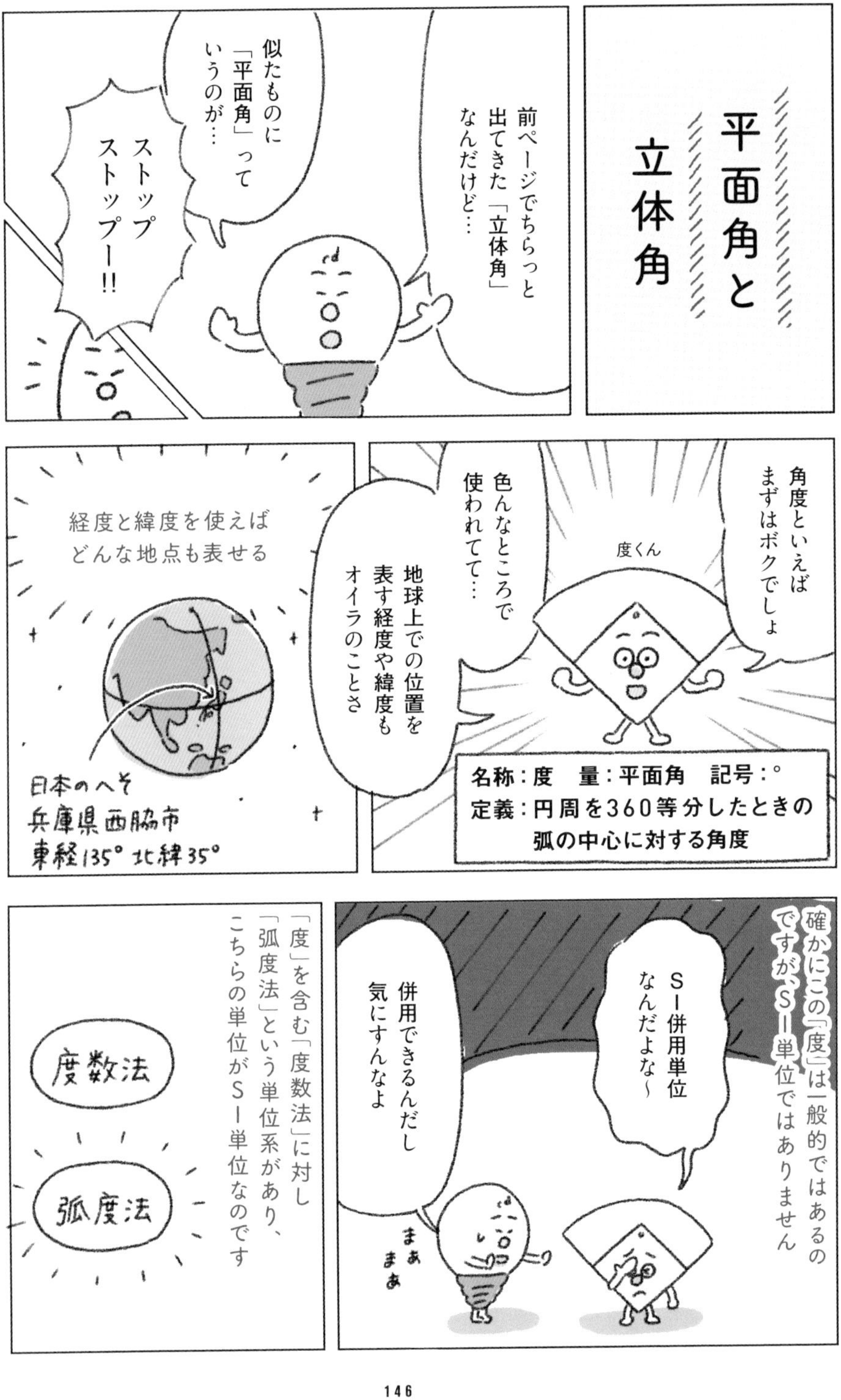

平面角と立体角
前ページでちらっと出てきた「立体角」なんだけど…
似たものに「平面角」っていうのが…
ストップ ストップー!!
角度といえばまずはボクでしょ
度くん
色んなところで使われてて…
地球上での位置を表す経度や緯度もオイラのことさ
名称：度　量：平面角　記号：°
定義：円周を360等分したときの弧の中心に対する角度
経度と緯度を使えばどんな地点も表せる
日本のへそ 兵庫県西脇市 東経135° 北緯35°
確かにこの「度」は一般的ではあるのですが、SI単位ではありません
SI併用単位なんだよな〜
併用できるんだし気にすんなよ
まあまあ
「度」を含む「度数法」に対し「弧度法」という単位系があり、こちらの単位がSI単位なのです
度数法
弧度法

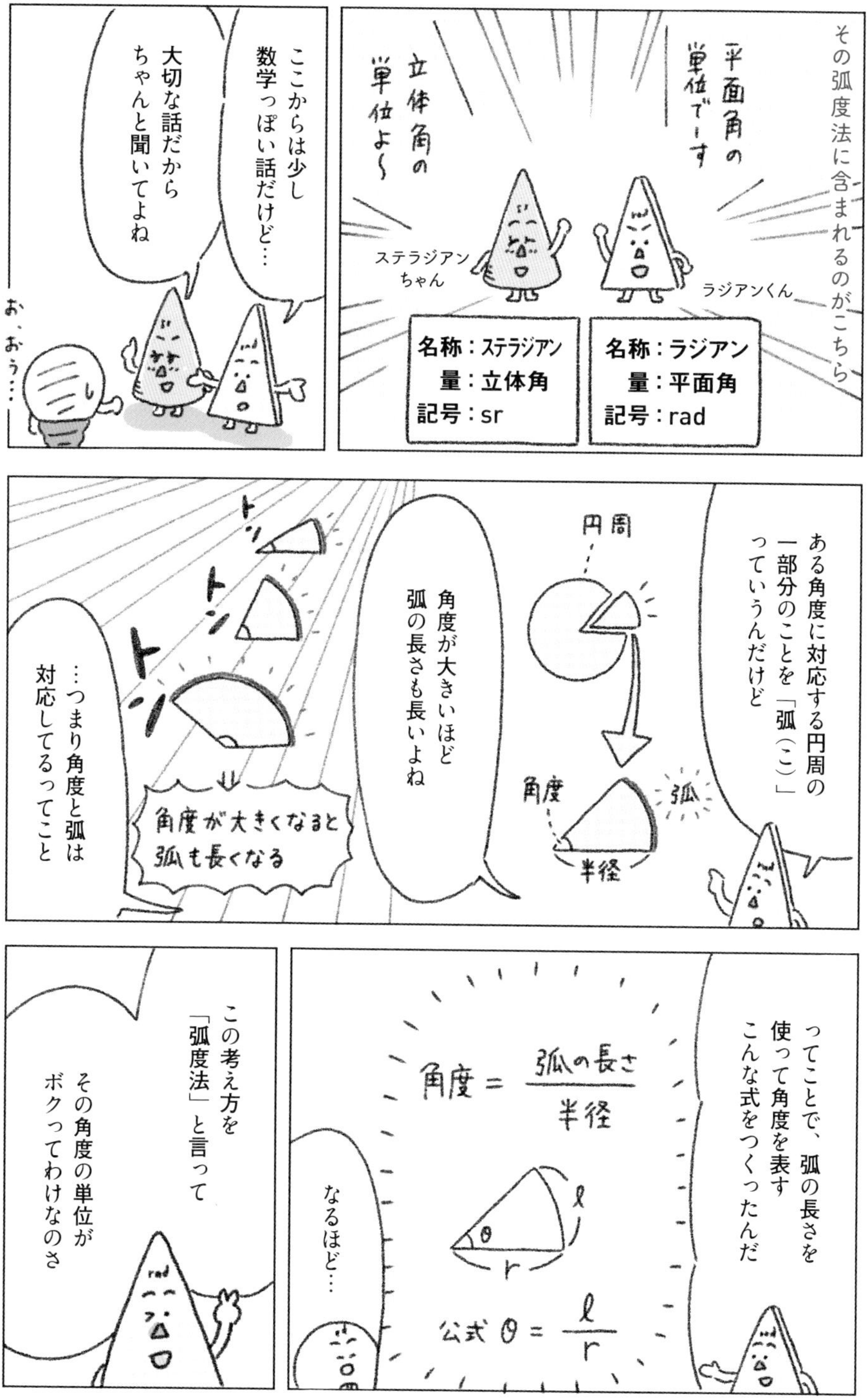

その弧度法に含まれるのがこちら
平面角の単位でーす
立体角の単位よ〜
ステラジアンちゃん
ラジアンくん
名称：ラジアン
量：平面角
記号：rad
名称：ステラジアン
量：立体角
記号：sr
ここからは少し数学っぽい話だけど…
大切な話だからちゃんと聞いてよね
お、おう…
ある角度に対応する円周の一部分のことを「弧（こ）」っていうんだけど
円周
角度
弧
半径
角度が大きいほど弧の長さも長いよね
ト
ト
ト
角度が大きくなると弧も長くなる
…つまり角度と弧は対応してるってこと
ってことで、弧の長さを使って角度を表すこんな式をつくったんだ
角度 = 弧の長さ / 半径
θ
l
r
公式 θ = l / r
なるほど…
この考え方を「弧度法」と言って
その角度の単位がボクってわけなのさ
rad

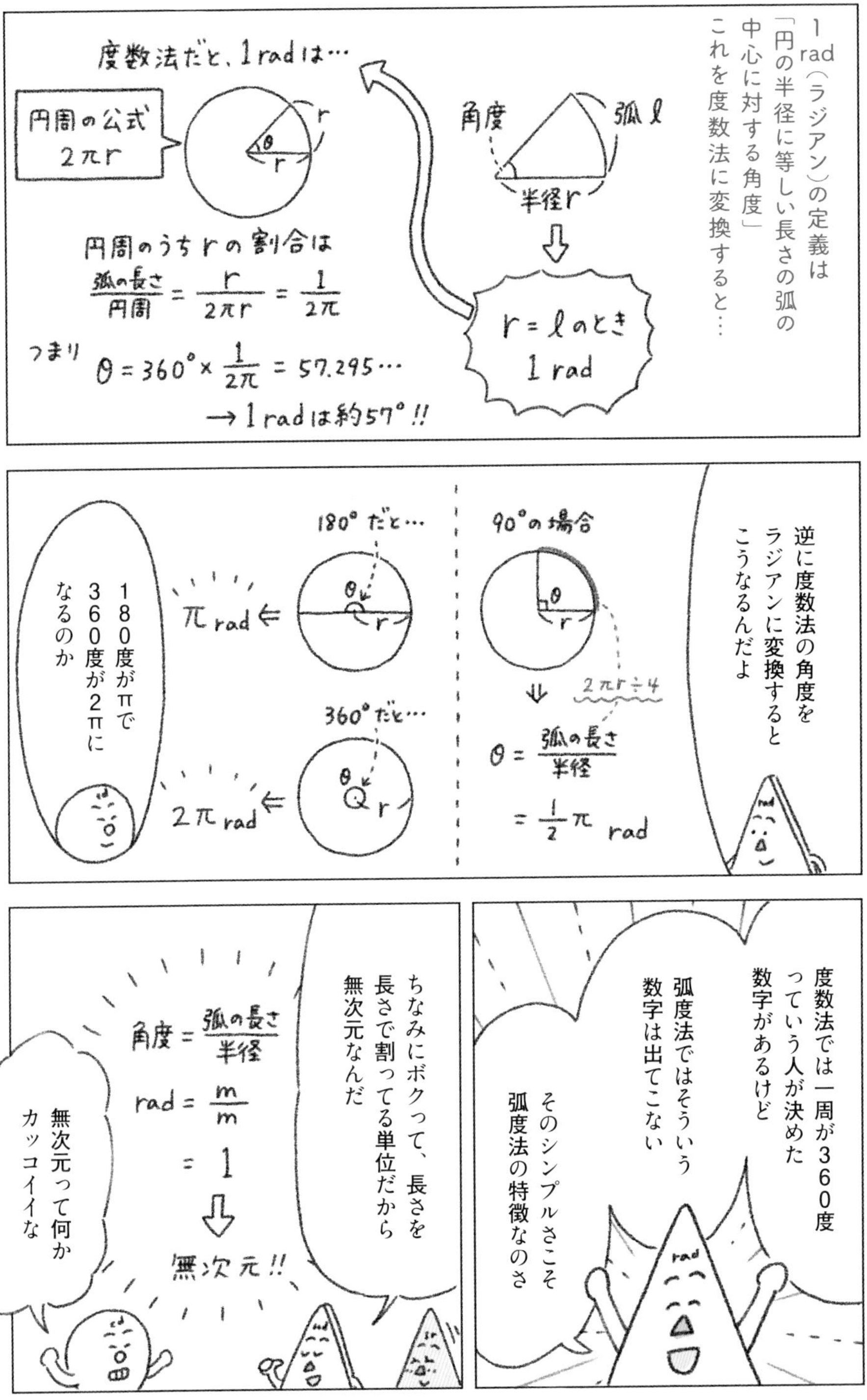

1rad（ラジアン）の定義は「円の半径に等しい長さの弧の中心に対する角度」
これを度数法に変換すると…
角度
弧 l
半径 r
r = l のとき 1 rad
度数法だと、1 rad は…
円周の公式 2πr
θ
r
r
円周のうち r の割合は
弧の長さ / 円周 = r / 2πr = 1 / 2π
つまり θ = 360° × 1/2π = 57.295…
→ 1 rad は約57° !!
逆に度数法の角度をラジアンに変換するとこうなるんだよ
90°の場合
θ
r
2πr ÷ 4
θ = 弧の長さ / 半径
= 1/2 π rad
180°だと…
θ
r
π rad ⇐
360°だと…
θ
r
2π rad ⇐
180度がπで360度が2πになるのか
rad
度数法では一周が360度っていう人が決めた数字があるけど
弧度法ではそういう数字は出てこない
そのシンプルさこそ弧度法の特徴なのさ
rad
ちなみにボクって、長さを長さで割ってる単位だから無次元なんだ
角度 = 弧の長さ / 半径
rad = m / m
= 1
無次元!!
無次元って何かカッコイイな

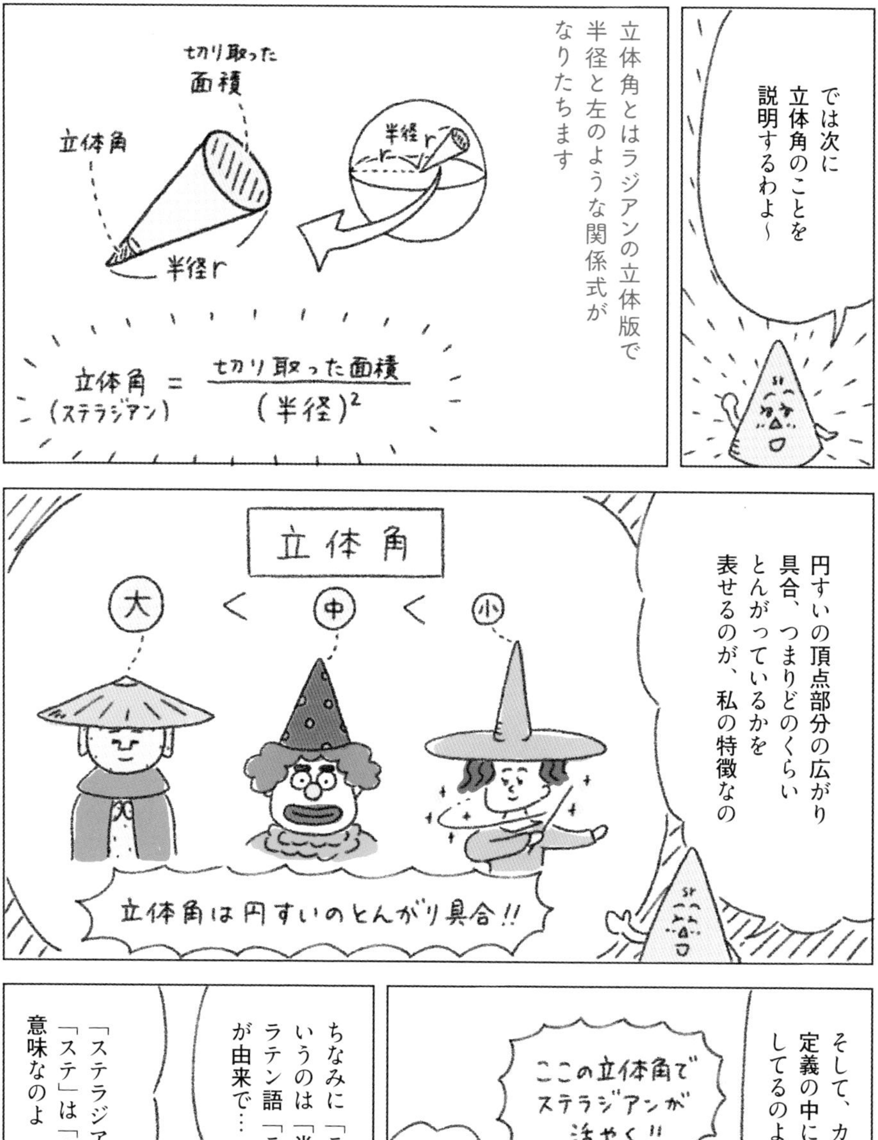
では次に立体角のことを説明するわよ〜
立体角とはラジアンの立体版で半径と左のような関係式がなりたちます
切り取った面積
立体角
半径r
半径r
r
立体角（ステラジアン）＝切り取った面積／（半径）²
円すいの頂点部分の広がり具合、つまりどのくらいとんがっているかを表せるのが、私の特徴なの
立体角
大 ＜ 中 ＜ 小
立体角は円すいのとんがり具合!!
そして、カンデラくんの定義の中にも私が活躍してるのよね〜
ここの立体角でステラジアンが活やく!!
光源
いつもありがとな〜
ちなみに「ラジアン」っていうのは「半径」の意味のラテン語「ラジウス」が由来で…
「ステラジアン」の「ステ」は「立体」って意味なのよ

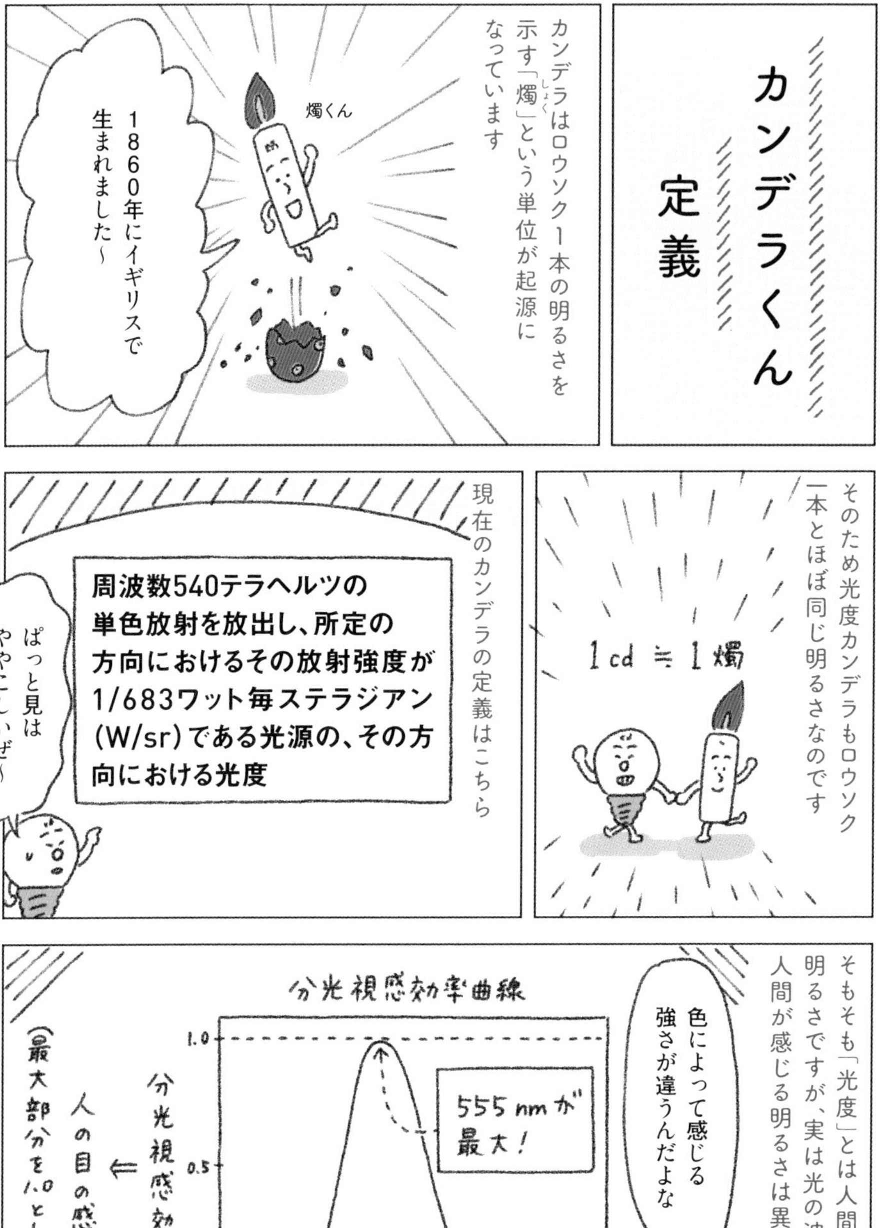

カンデラくん
定義
カンデラはロウソク1本の明るさを示す「燭《しょく》」という単位が起源になっています
燭くん
1860年にイギリスで生まれました〜
そのため光度カンデラもロウソク一本とほぼ同じ明るさなのです
1cd ≒ 1燭
現在のカンデラの定義はこちら
周波数540テラヘルツの単色放射を放出し、所定の方向におけるその放射強度が1/683ワット毎ステラジアン(W/sr)である光源の、その方向における光度
ぱっと見はややこしいぜ〜
そもそも「光度」とは人間が感じる明るさですが、実は光の波長によって人間が感じる明るさは異なるのです
色によって感じる強さが違うんだよな
分光視感効率曲線
1.0
0.5
0.0
555nmが最大!
400
500
600
700
800
紫
青
緑
黄
橙
赤
光の波長(nm)
分光視感効率
⇐ 人の目の感度
(最大部分を1.0としたときの割合)

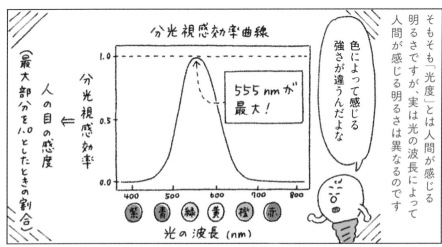

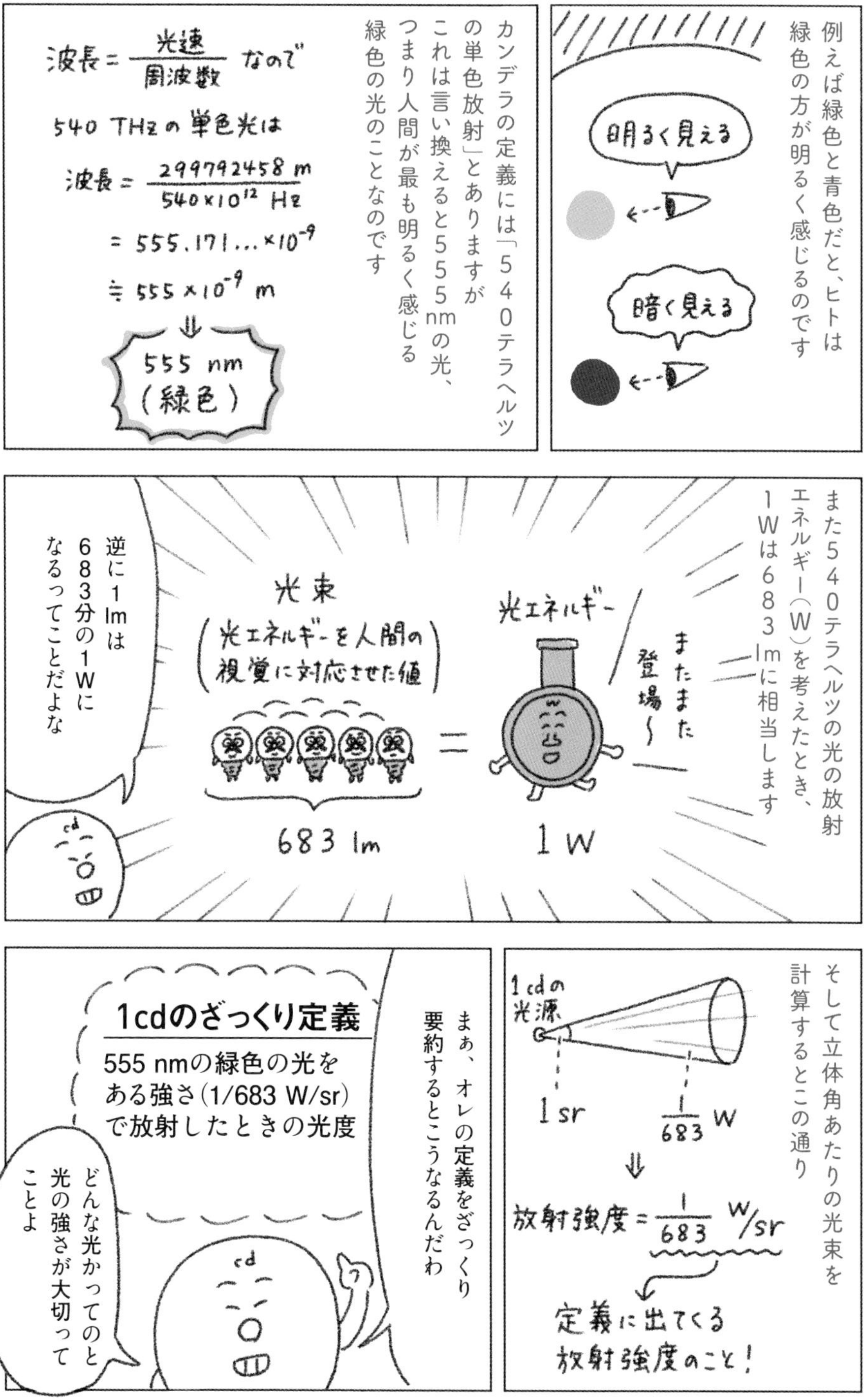
例えば緑色と青色だと、ヒトは緑色の方が明るく感じるのです
明るく見える
暗く見える
カンデラの定義には「540テラヘルツの単色放射」とありますが これは言い換えると555nmの光、つまり人間が最も明るく感じる緑色の光のことなのです
$波長 = \frac{光速}{周波数}$ なので
540 THzの単色光は
$波長 = \frac{299792458\ m}{540 \times 10^{12}\ Hz}$
$= 555.171\ldots \times 10^{-9}$
$\fallingdotseq 555 \times 10^{-9}\ m$
⇓
555 nm (緑色)
また540テラヘルツの光の放射エネルギー(W)を考えたとき、1Wは683 lmに相当します
光エネルギー
またまた登場〜
光束 (光エネルギーを人間の視覚に対応させた値)
683 lm
＝
1 W
cd
逆に1 lmは683分の1Wになるってことだよな
そして立体角あたりの光束を計算するとこの通り
1cdの光源
1sr
$\frac{1}{683}$ W
⇓
$放射強度 = \frac{1}{683}\ W/sr$
定義に出てくる放射強度のこと！
まぁ、オレの定義をざっくり要約するとこうなるんだわ
1cdのざっくり定義
555 nmの緑色の光をある強さ(1/683 W/sr)で放射したときの光度
どんな光かってのと光の強さが大切ってことよ
cd

カンデラくん

単位記号　cd

定義

周波数540テラヘルツの単色放射を放出し、所定の方向におけるその放射強度が1/683ワット毎ステラジアン(W/sr)である光源の、その方向における光度

光度の例

ロウソク
約1 cd

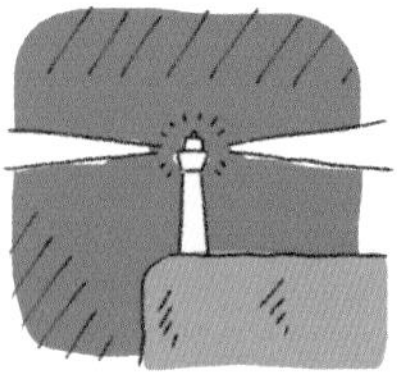

灯台
約1 Mcd

太陽
3×10^{27} cd

プチ情報

「カンデラ」という名称は「キャンドル」が由来になっている

特技

光度をはかること

性格

ぶっきらぼうなところがあるが根は素直で良いヤツ

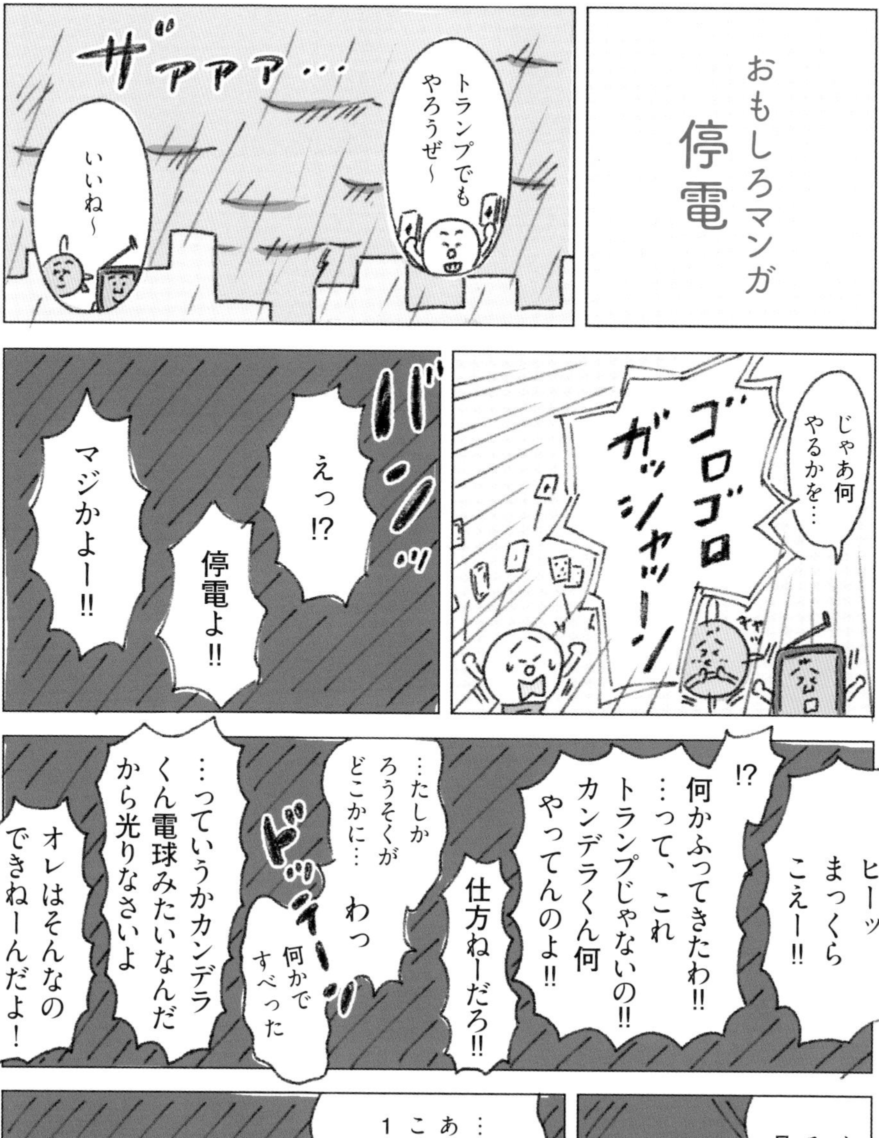
おもしろマンガ
停電
ザァァァ…
トランプでもやろうぜ～
いいね～
じゃあ何やるかを…
ゴロゴロ
ガッシャッーン
バツンッ
えっ!?
停電よ!!
マジかよー!!
ヒーッ まっくら こえー!!
!?
何かふってきたわ!!
…って、これトランプじゃないの!! カンデラくん何やってんのよ!!
仕方ねーだろ!!
…たしかろうそくがどこかに… わっ
何かですべった
…っていうかカンデラくん電球みたいなんだから光りなさいよ
オレはそんなのできねーんだよ!
イテテテ…ろうそくを見つけたよ～
ボッ
…えっと あ、ホラこの光って1cdなんだぜ
へへへ…
…
…

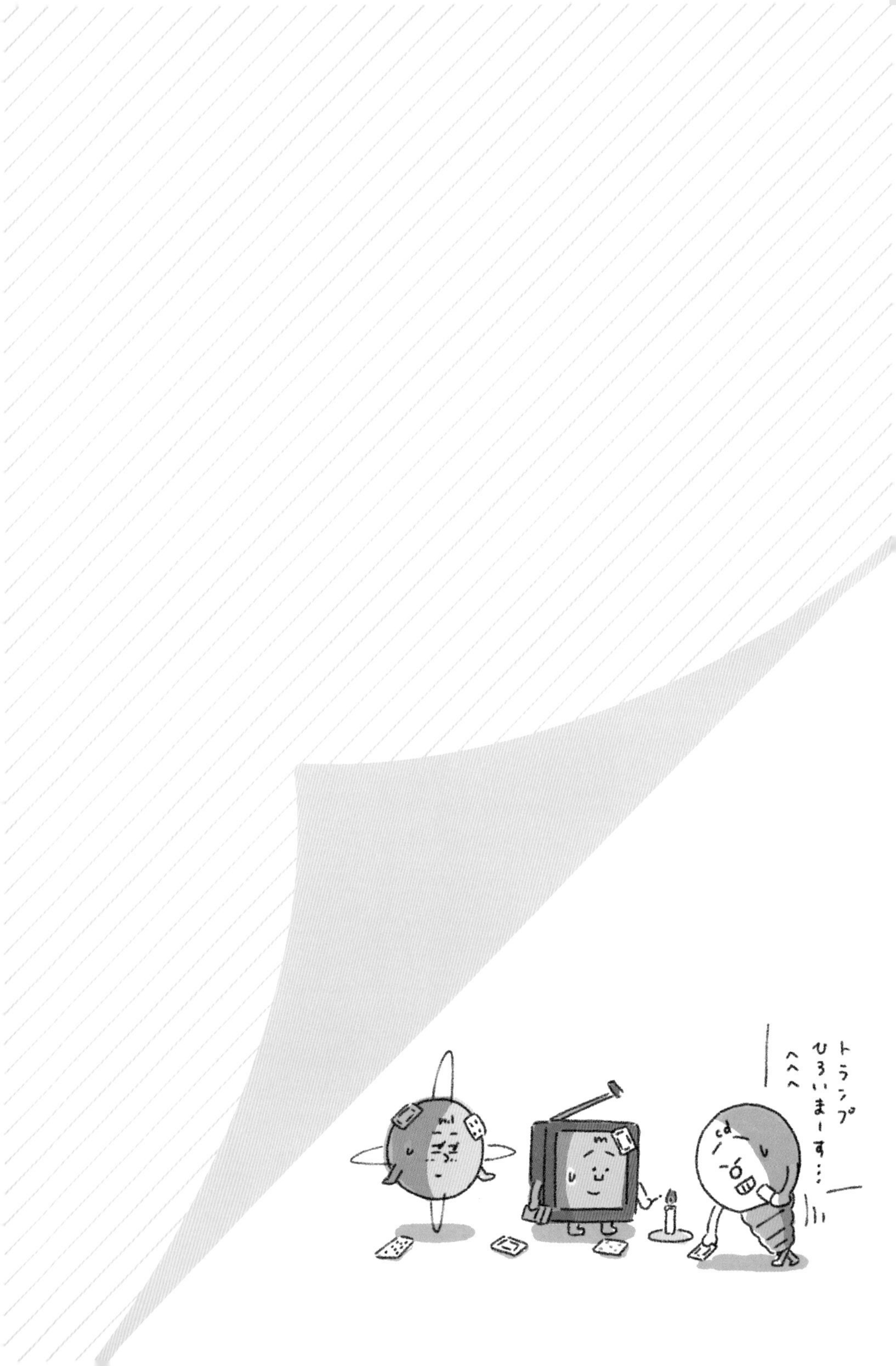
トランプ
ひろいまーす…
へへへ

第 8 章

物質量

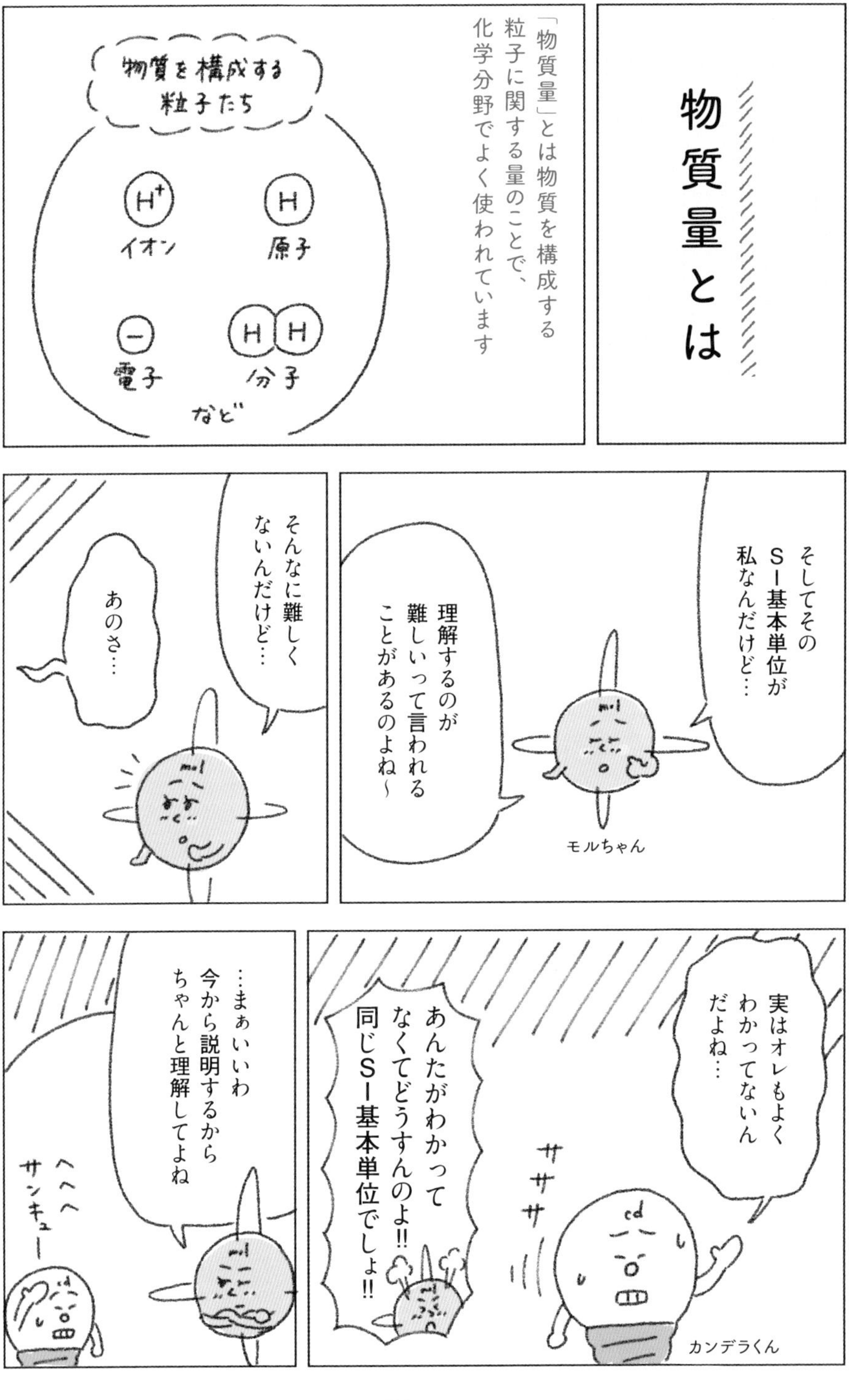

物質量とは
「物質量」とは物質を構成する粒子に関する量のことで、化学分野でよく使われています
物質を構成する粒子たち
H^+ イオン
H 原子
− 電子
H H 分子
など
そしてそのSI基本単位が私なんだけど…
理解するのが難しいって言われることがあるのよね～
モルちゃん
そんなに難しくないんだけど…
あのさ…
実はオレもよくわかってないんだよね…
サササ
あんたがわかってなくてどうすんのよ!! 同じSI基本単位でしょ!!
カンデラくん
…まぁいいわ 今から説明するからちゃんと理解してよね
へへへ サンキュー

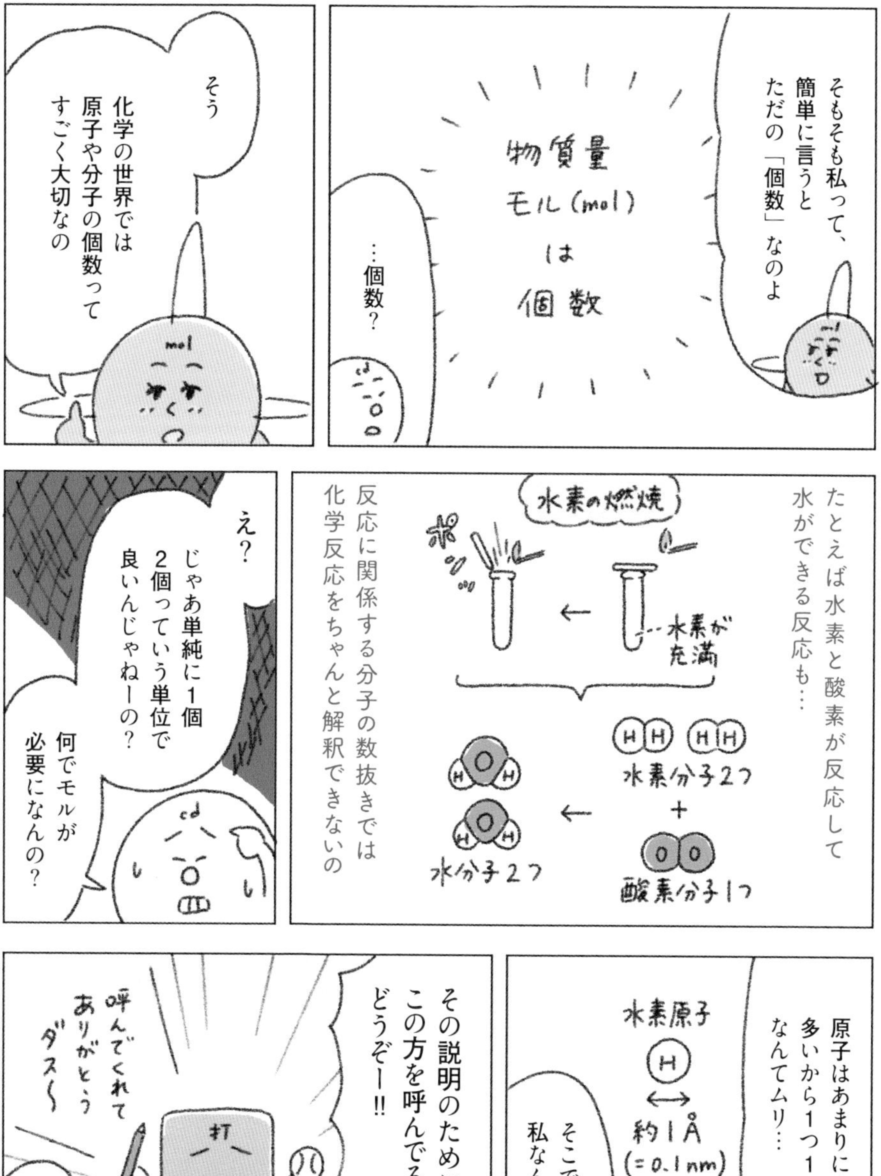

そもそも私って、簡単に言うとただの「個数」なのよ
物質量
モル(mol)
は
個数
…個数？
そう
化学の世界では原子や分子の個数ってすごく大切なの
たとえば水素と酸素が反応して水ができる反応も…
水素の燃焼
ポッ
水素が充満
HH HH
水素分子2つ
+
OO
酸素分子1つ
HOH HOH
水分子2つ
反応に関係する分子の数抜きでは化学反応をちゃんと解釈できないの
え？
じゃあ単純に1個2個っていう単位で良いんじゃねーの？
何でモルが必要になんの？
原子はあまりに小さくて多いから1つ1つ数えるなんてムリ…
水素原子
H
約1Å
(=0.1nm)
そこで考えられたのが私なんだけど
その説明のためにこの方を呼んでるの!!どうぞー!!
呼んでくれてありがとうダス〜
ダースさん
…ダース？

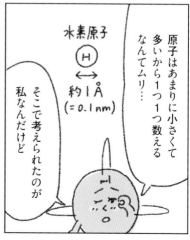

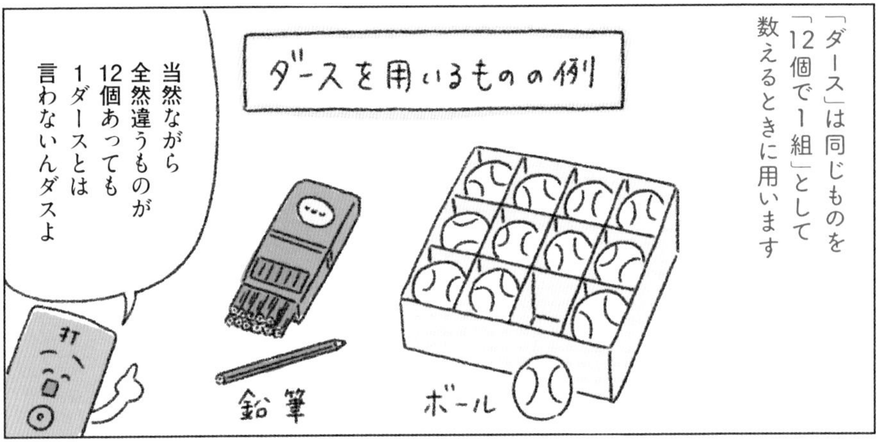
「ダース」は同じものを「12個で1組」として数えるときに用います
ダースを用いるものの例
鉛筆
ボール
当然ながら全然違うものが12個あっても1ダースとは言わないんダスよ

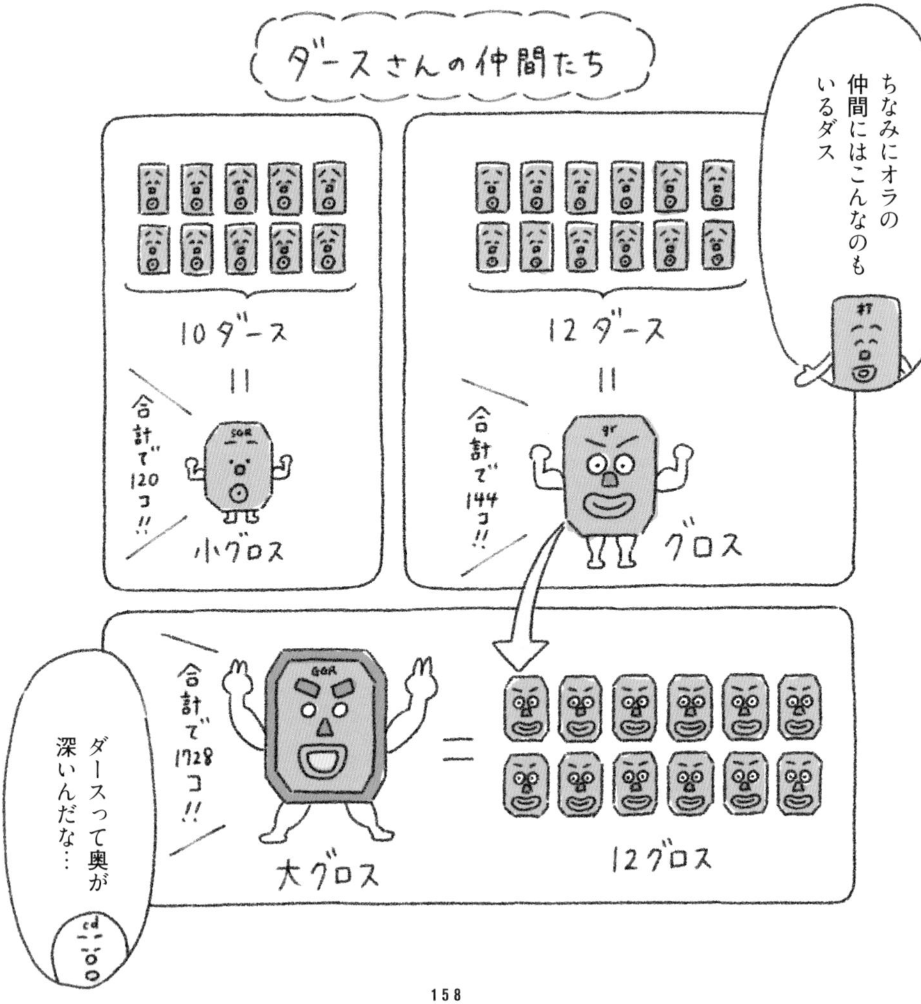
ダースさんの仲間たち
ちなみにオラの仲間にはこんなのもいるダス
12ダース
=
合計で144コ!!
グロス
10ダース
=
合計で120コ!!
小グロス
合計で1728コ!!
大グロス
=
12グロス
ダースって奥が深いんだな…

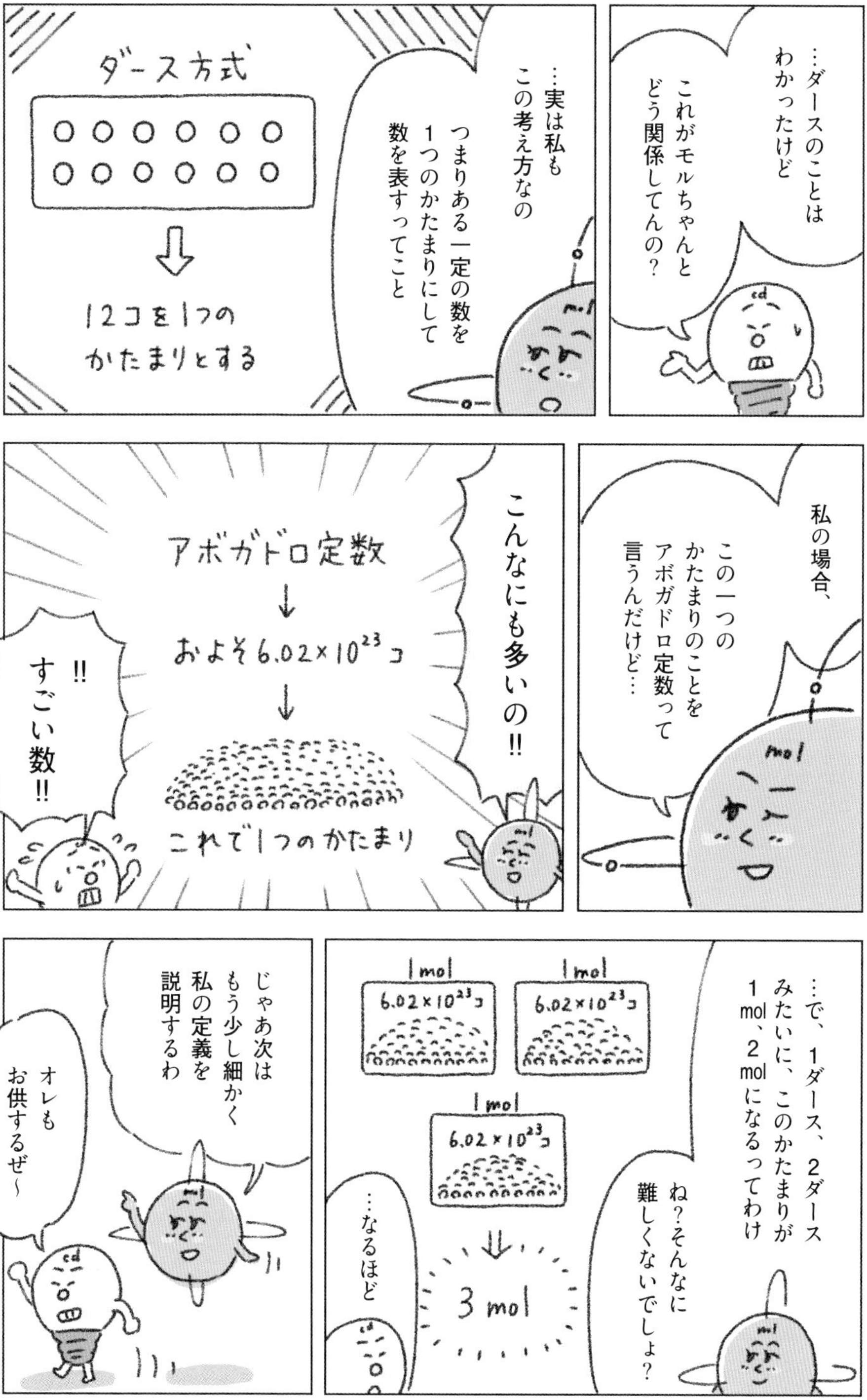
…ダースのことはわかったけど
これがモルちゃんとどう関係してんの？
…実は私もこの考え方なの
つまりある一定の数を1つのかたまりにして数を表すってこと
ダース方式
12コを1つのかたまりとする
私の場合、
この一つのかたまりのことをアボガドロ定数って言うんだけど…
こんなにも多いの!!
アボガドロ定数
およそ6.02×10^{23}コ
これで1つのかたまり
すごい数!!
…で、1ダース、2ダースみたいに、このかたまりが1 mol、2 molになるってわけ
ね？そんなに難しくないでしょ？
1 mol
6.02×10^{23}コ
1 mol
6.02×10^{23}コ
1 mol
6.02×10^{23}コ
3 mol
…なるほど
じゃあ次はもう少し細かく私の定義を説明するわ
オレもお供するぜ～

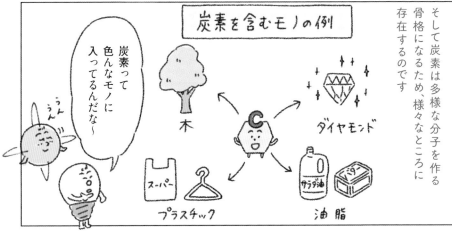

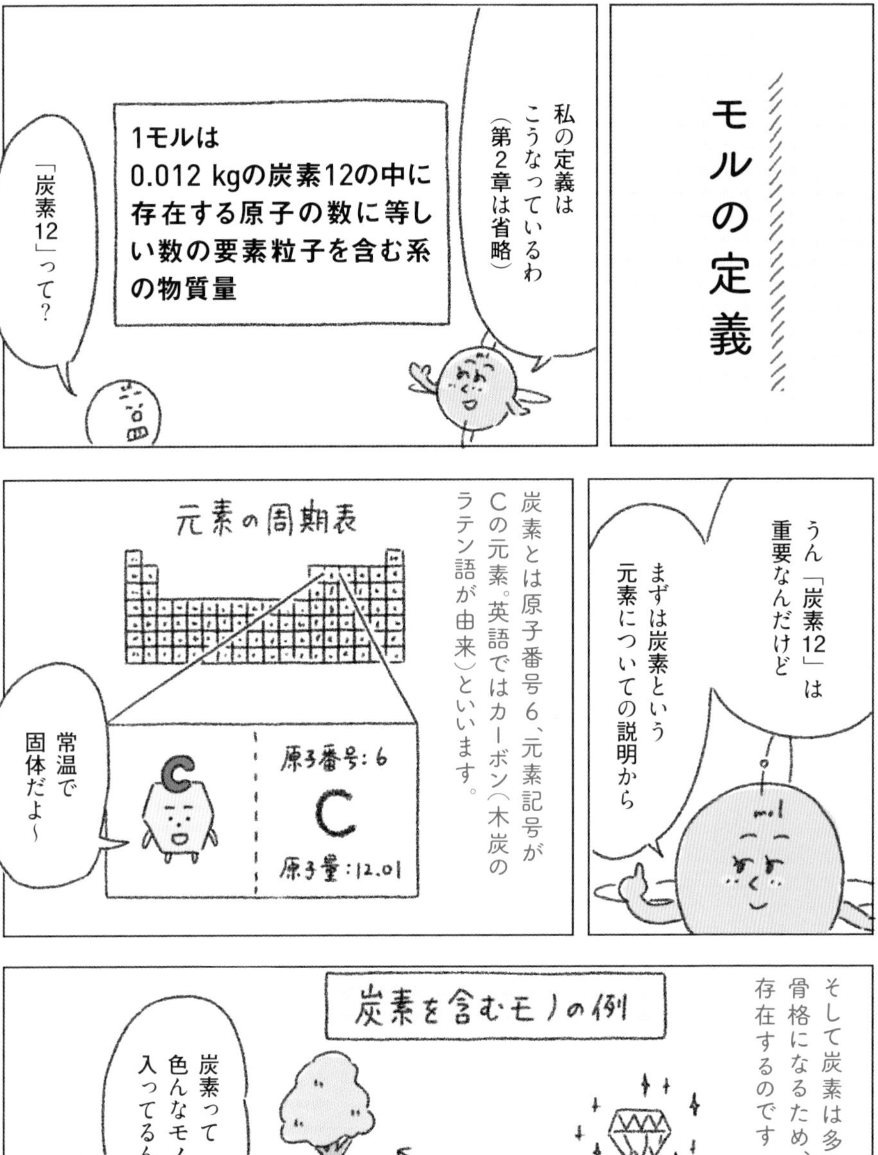

モルの定義
私の定義はこうなっているわ（第2章は省略）
1モルは0.012 kgの炭素12の中に存在する原子の数に等しい数の要素粒子を含む系の物質量
「炭素12」って？
うん「炭素12」は重要なんだけど
まずは炭素という元素についての説明から
炭素とは原子番号6、元素記号がCの元素。英語ではカーボン（木炭のラテン語が由来）といいます。
元素の周期表
原子番号：6
C
原子量：12.01
常温で固体だよ～
そして炭素は多様な分子を作る骨格になるため、様々なところに存在するのです
炭素を含むモノの例
木
ダイヤモンド
スーパー
プラスチック
サラダ油
バター
油脂
炭素って色んなモノに入ってるんだな～
うんうん

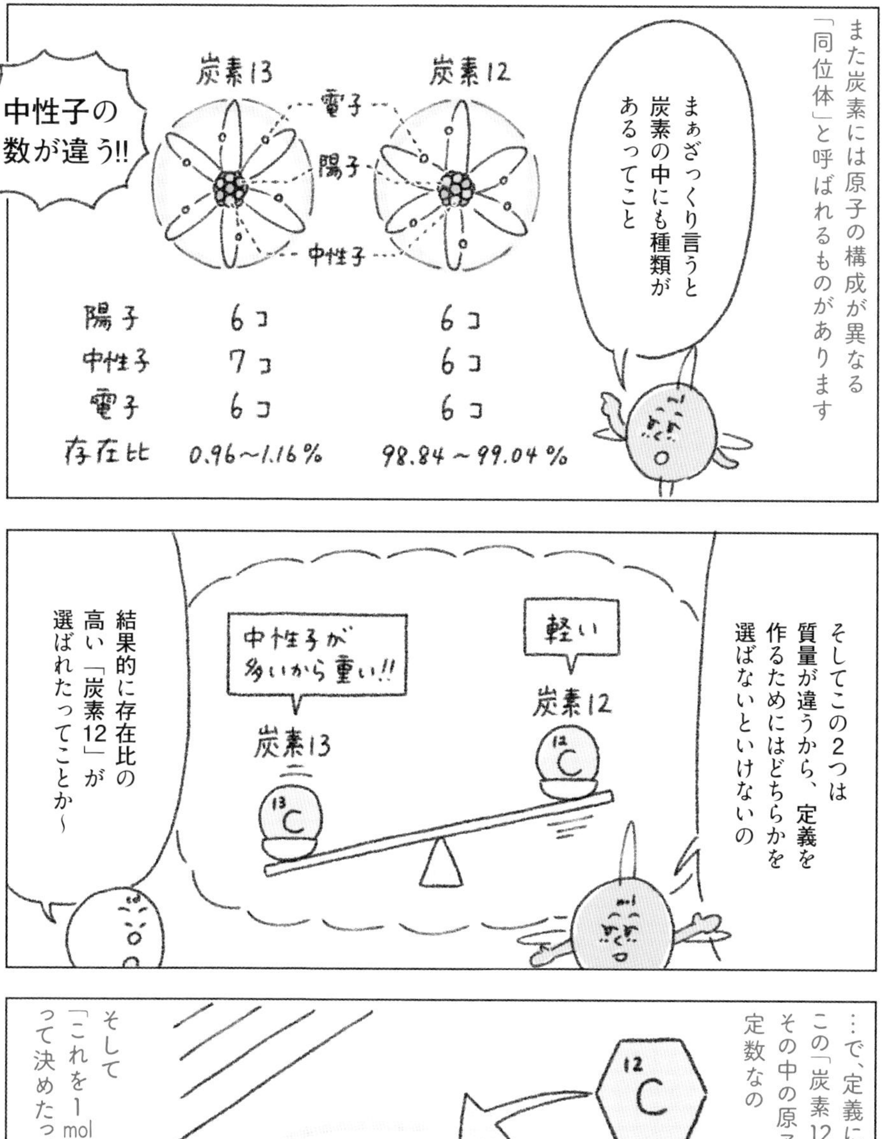

また炭素には原子の構成が異なる「同位体」と呼ばれるものがあります
まぁざっくり言うと炭素の中にも種類があるってこと
中性子の数が違う!!
炭素13
炭素12
電子
陽子
中性子
陽子 6コ 6コ
中性子 7コ 6コ
電子 6コ 6コ
存在比 0.96～1.16% 98.84～99.04%
そしてこの2つは質量が違うから、定義を作るためにはどちらかを選ばないといけないの
軽い
炭素12
中性子が多いから重い!!
炭素13
結果的に存在比の高い「炭素12」が選ばれたってことか～
…で、定義に戻るんだけど、この「炭素12」が12 gのとき、その中の原子の数がアボガドロ定数なの
12g
中に含まれる原子の数
およそ6.02×10²³コ
(アボガドロ定数)
そして「これを1 molにします」って決めたってわけ
これを1 mol
としましょう!!

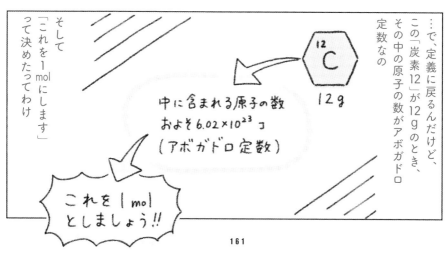

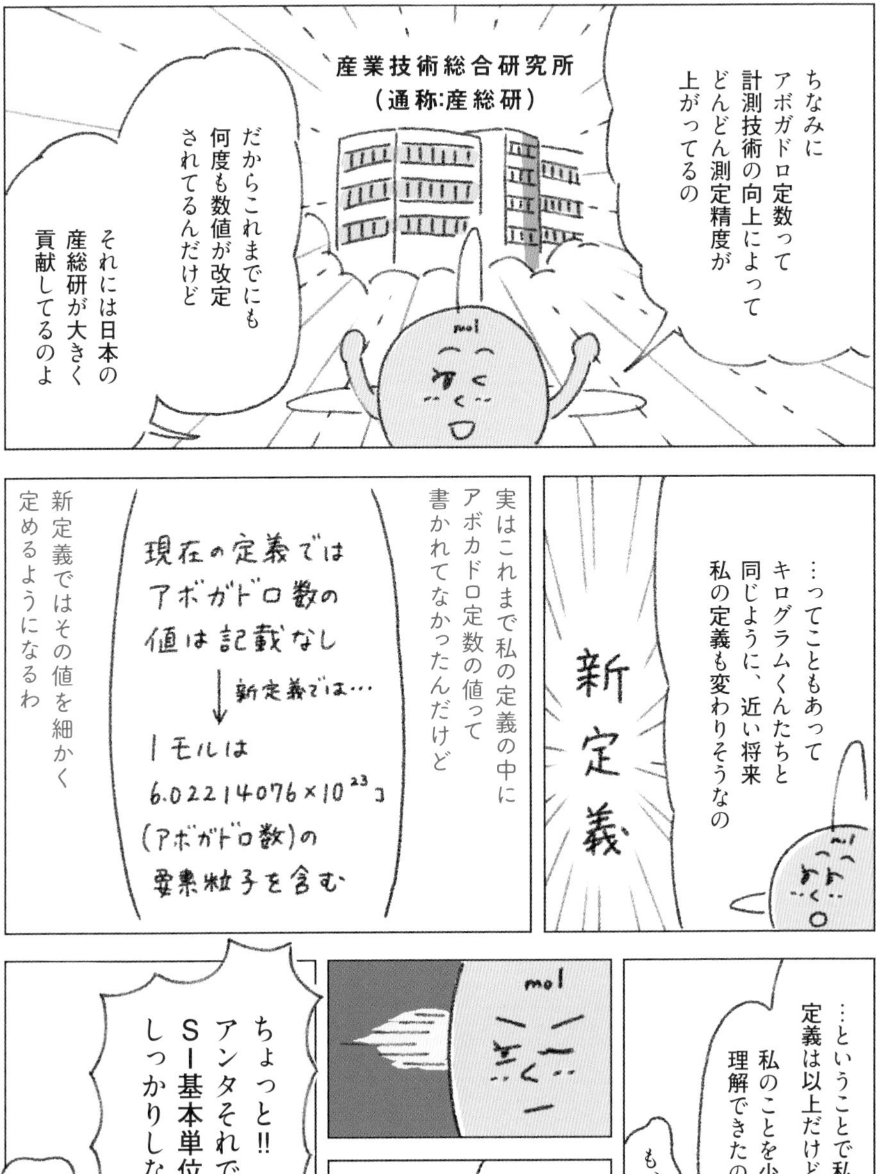
ちなみに アボガドロ定数って 計測技術の向上によって どんどん測定精度が 上がってるの
産業技術総合研究所
(通称:産総研)
だからこれまでにも 何度も数値が改定 されてるんだけど
それには日本の 産総研が大きく 貢献してるのよ
…ってこともあって キログラムくんたちと 同じように、近い将来 私の定義も変わりそうなの
新定義
実はこれまで私の定義の中に アボカドロ定数の値って 書かれてなかったんだけど
現在の定義では アボガドロ数の 値は記載なし
↓ 新定義では…
1モルは $6.02214076 \times 10^{23}$コ (アボガドロ数)の 要素粒子を含む
新定義ではその値を細かく 定めるようになるわ
mol
…ということで私の 定義は以上だけど 私のことを少しは 理解できたのかしら?
も、もちろん…
…じゃあ私の 定義を最初から 説明してみてよ
うっ…
ちょっと!! アンタそれでも SI基本単位なの!? しっかりしなさいよ~
ごめんって~

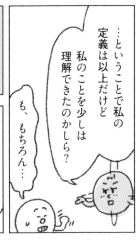

モルちゃん

単位記号 mol

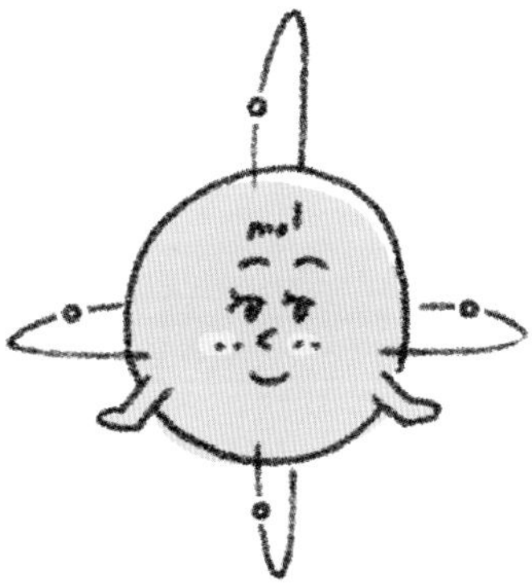

定義

①0.012 kgの炭素12の中に存在する原子の数に等しい数の要素粒子を含む系の物質量

②モルを用いるとき、要素粒子が指定されなければならないが、それは原子、分子、イオン、電子、その他の粒子又はこの種の粒子の特定の集合体であってよい

物質量の例

1円玉に含まれる
アルミニウム
37 mmol

コップ1杯の水
(180g)に含まれる
水分子
10 mol

東京タワーに
含まれる鉄
70 Mmol

プチ情報

「モル」はmolecule
(分子の意)が由来

特技

見ただけで物質量を
はかること

性格

わりとツッコミは強め

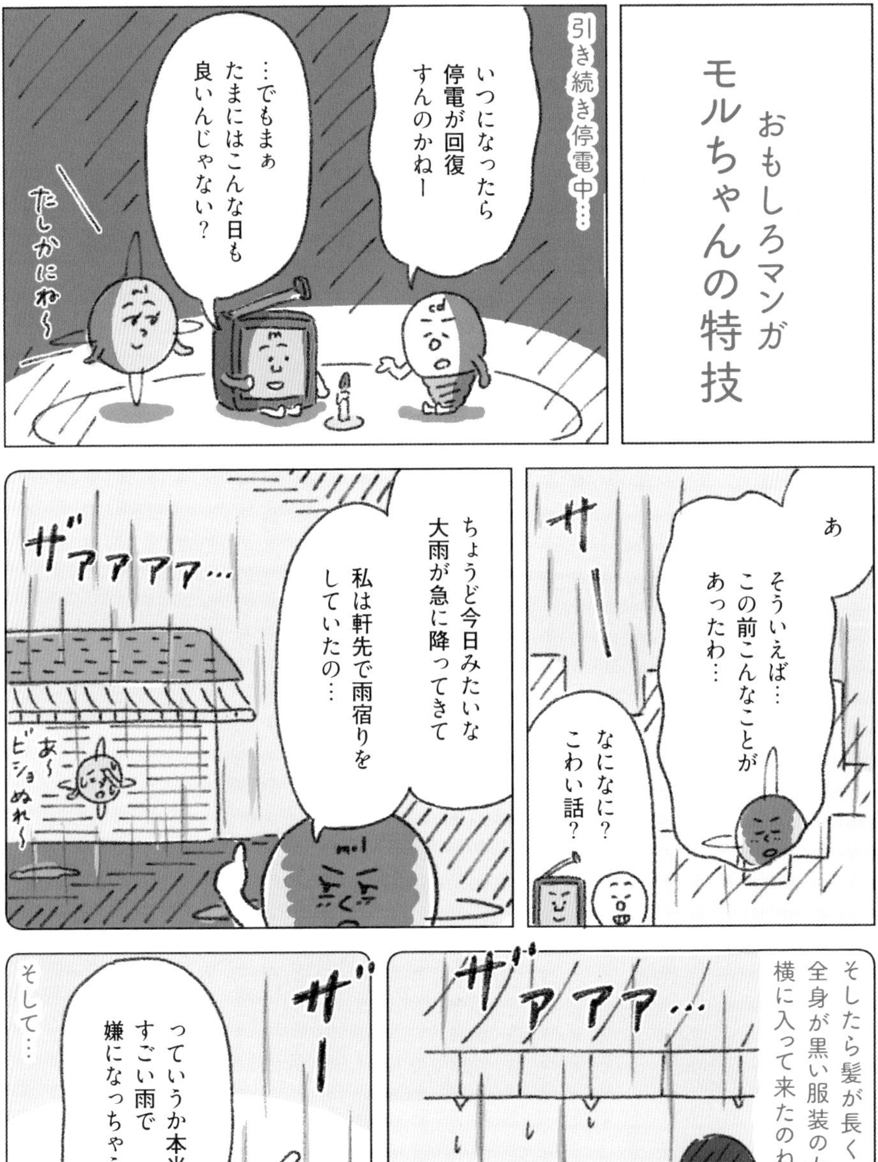
おもしろマンガ
モルちゃんの特技
引き続き停電中…
いつになったら停電が回復すんのかねー
…でもまぁたまにはこんな日も良いんじゃない？
たしかにねー
ザー
あ
そういえば…この前こんなことがあったわ…
なになに？こわい話？
ザアアアア…
ちょうど今日みたいな大雨が急に降ってきて私は軒先で雨宿りをしていたの…
あ〜ビショぬれ〜
そしたら髪が長くて全身が黒い服装の女性が横に入って来たのね
ザアアア…
ヌッ
この人もカサをもってないのかな
そして…
ザー
っていうか本当にすごい雨で嫌になっちゃうわ
くるっ

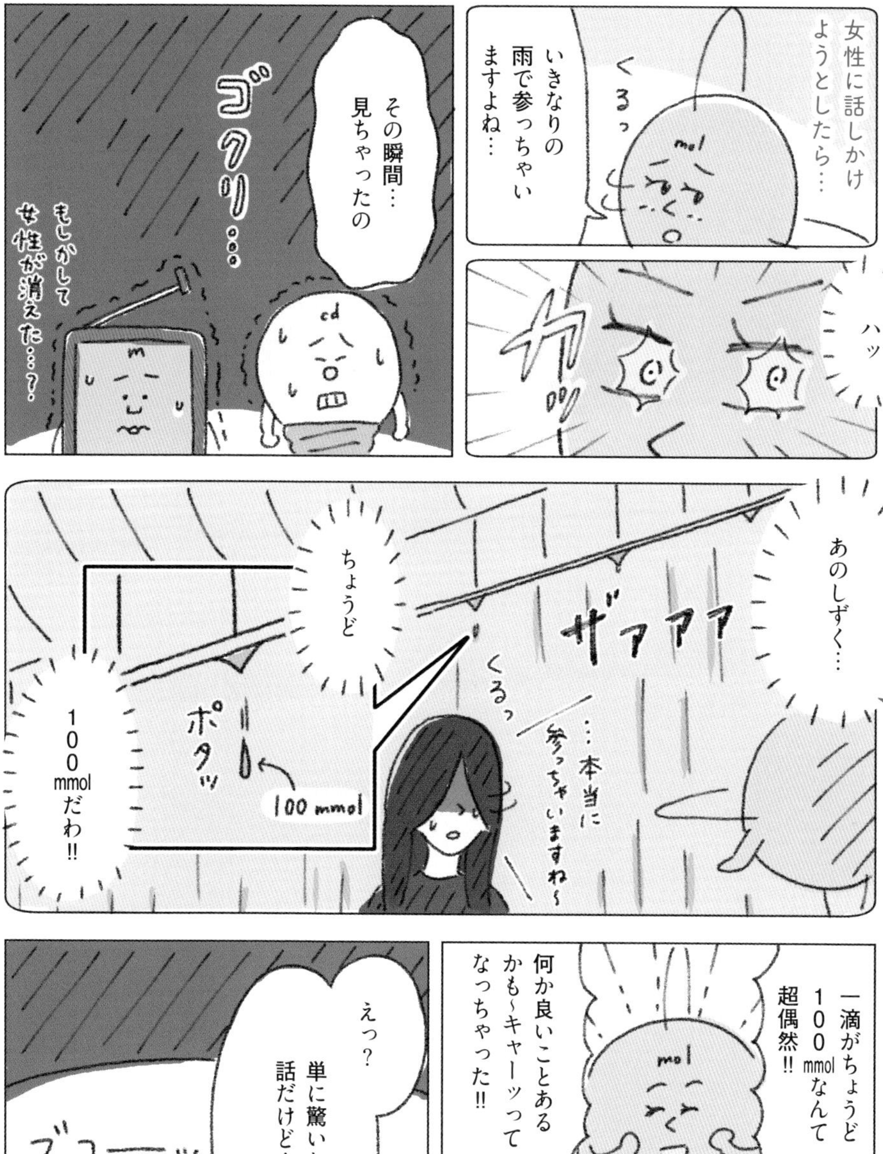
女性に話しかけようとしたら…
くるっ
いきなりの雨で参っちゃいますよね…
ハッ
カッ
その瞬間…見ちゃったの
ゴクリ…
もしかして女性が消えた…？
あのしずく…
ザァァァ
くるっ
…本当に参っちゃいますね～
ちょうど
ポタッ
100 mmol
100mmolだわ!!
一滴がちょうど100mmolなんて超偶然!!
何か良いことあるかも～キャーッってなっちゃった!!
…
…これって
こわい話？
えっ？
単に驚いた話だけど…
ズコーーッ

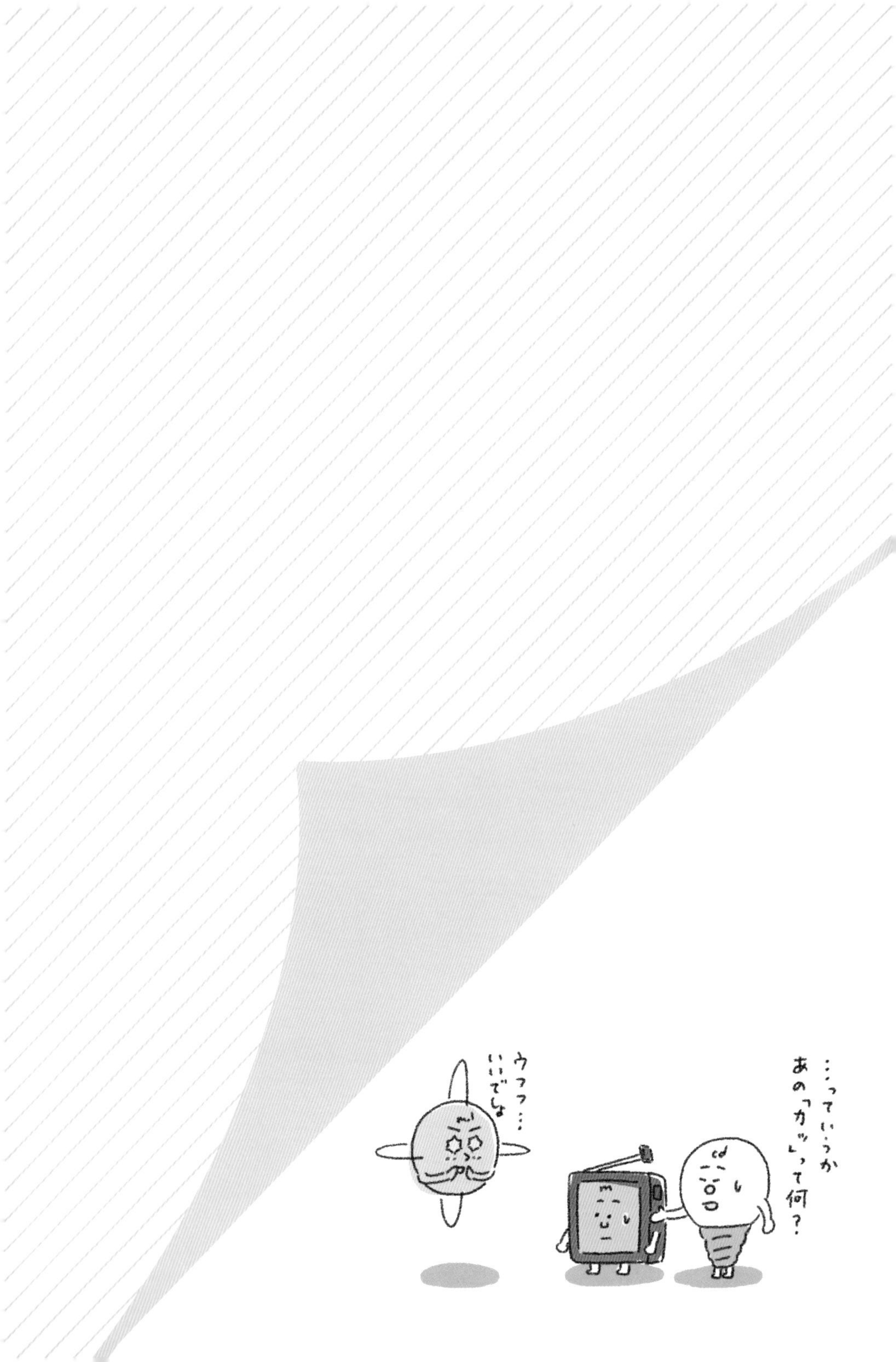
…っていうか
あの「カッ」って何？
ウフフ…
いいでしょ

第9章

おまけ
産総研に行ってみたよ!

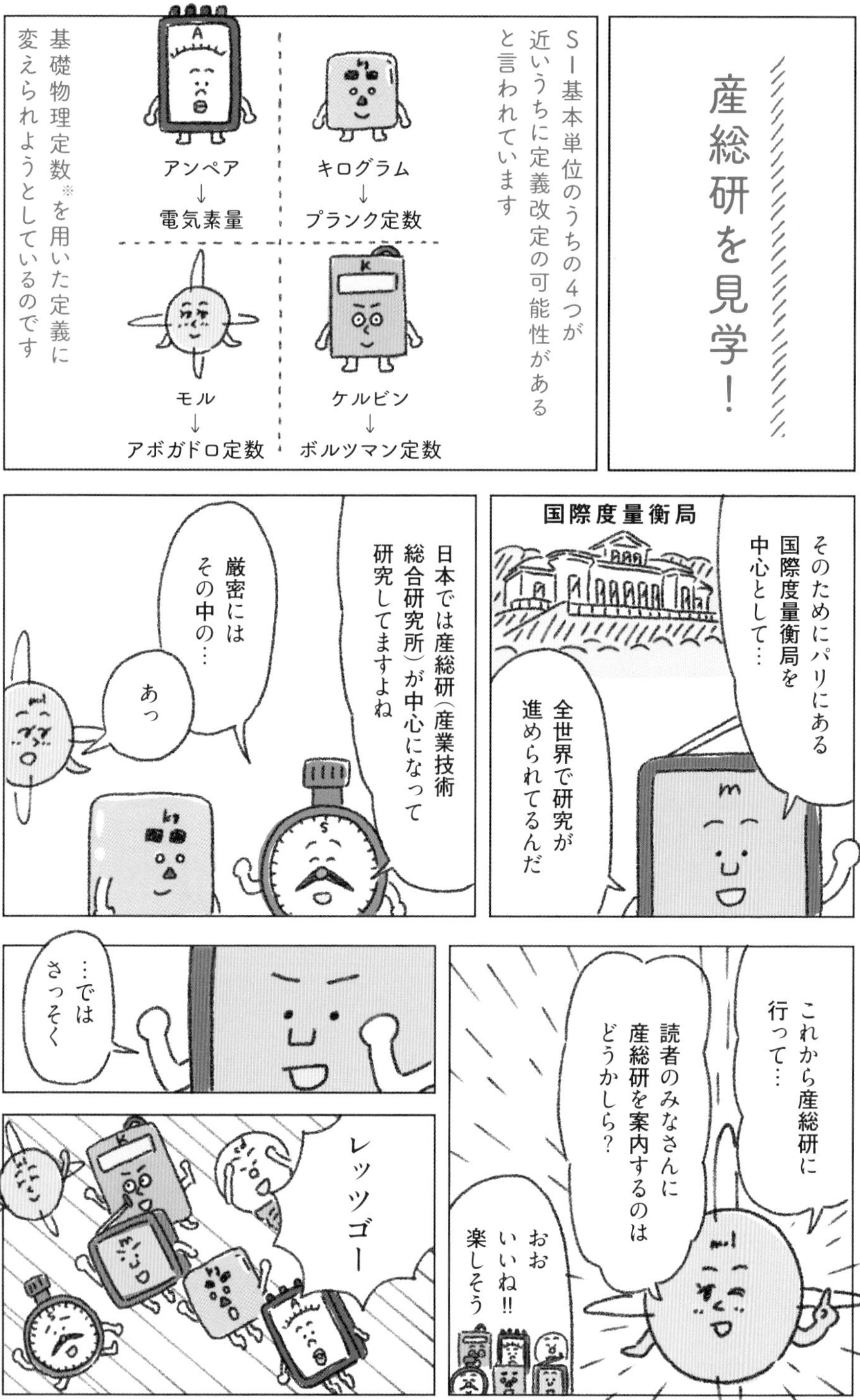

※物理法則を支配する普遍的な定数

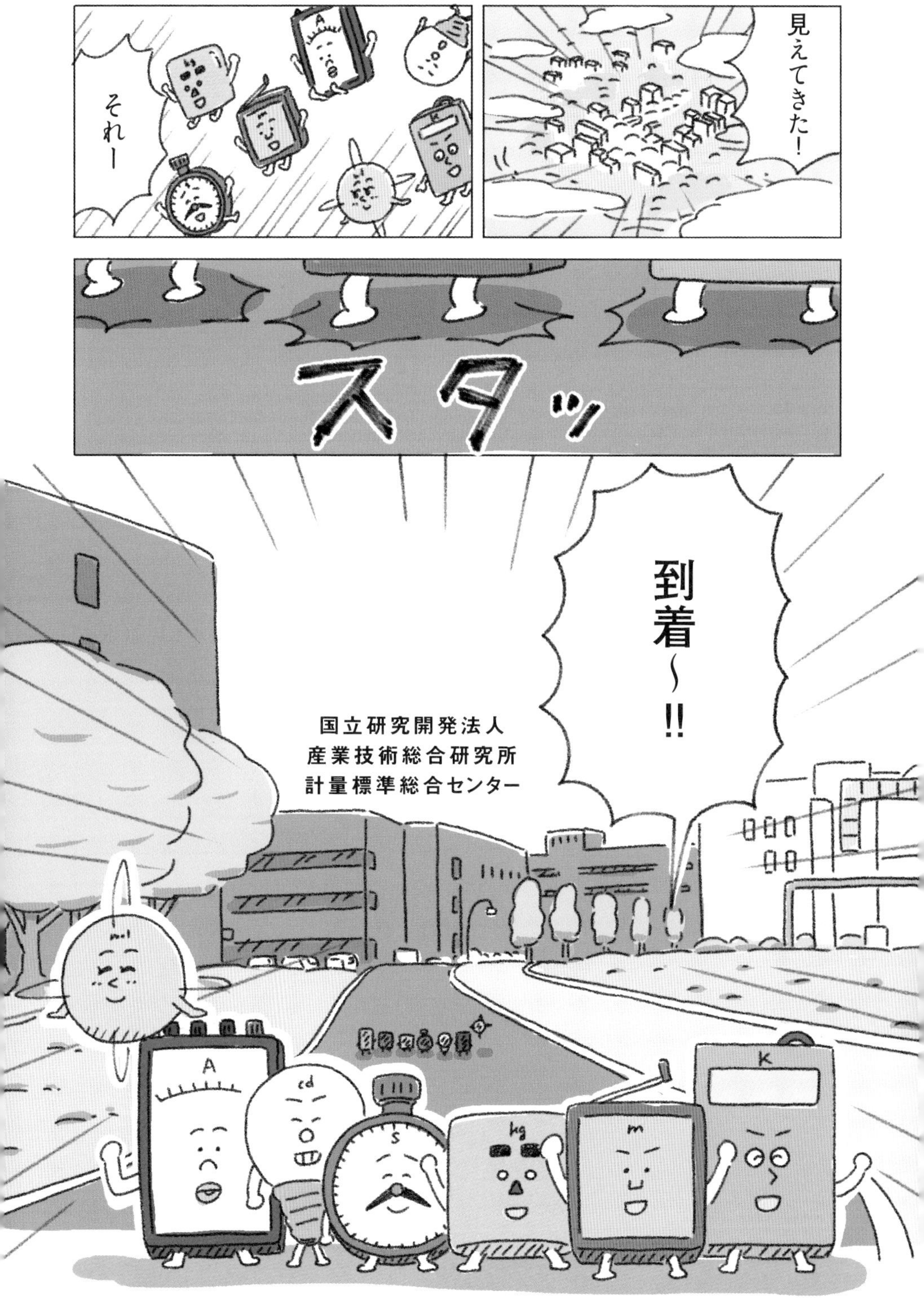
見えてきた！
それー
スタッ
到着～!!
国立研究開発法人
産業技術総合研究所
計量標準総合センター

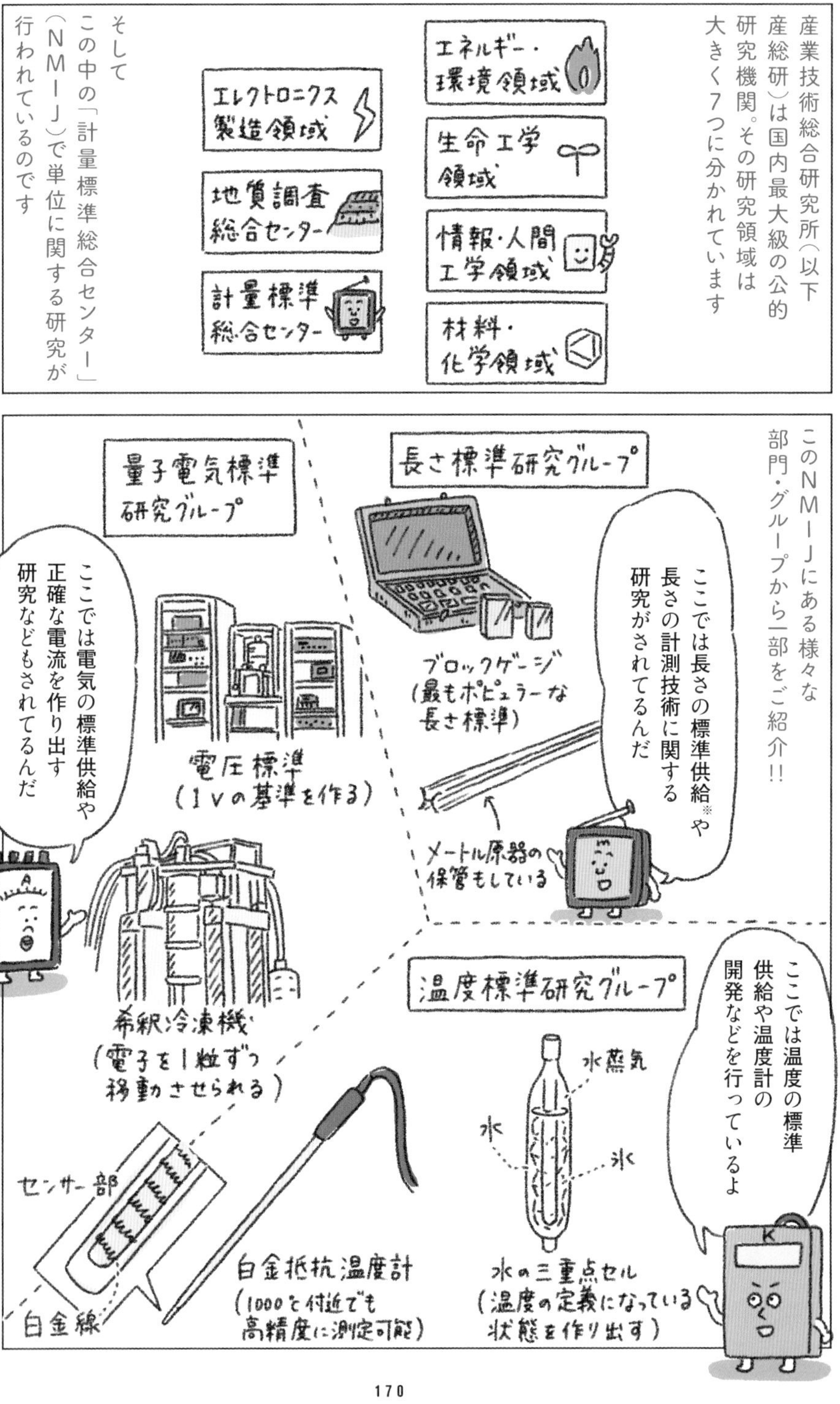

※標準供給：基準に基づいて、計量器の校正・試験を実施すること

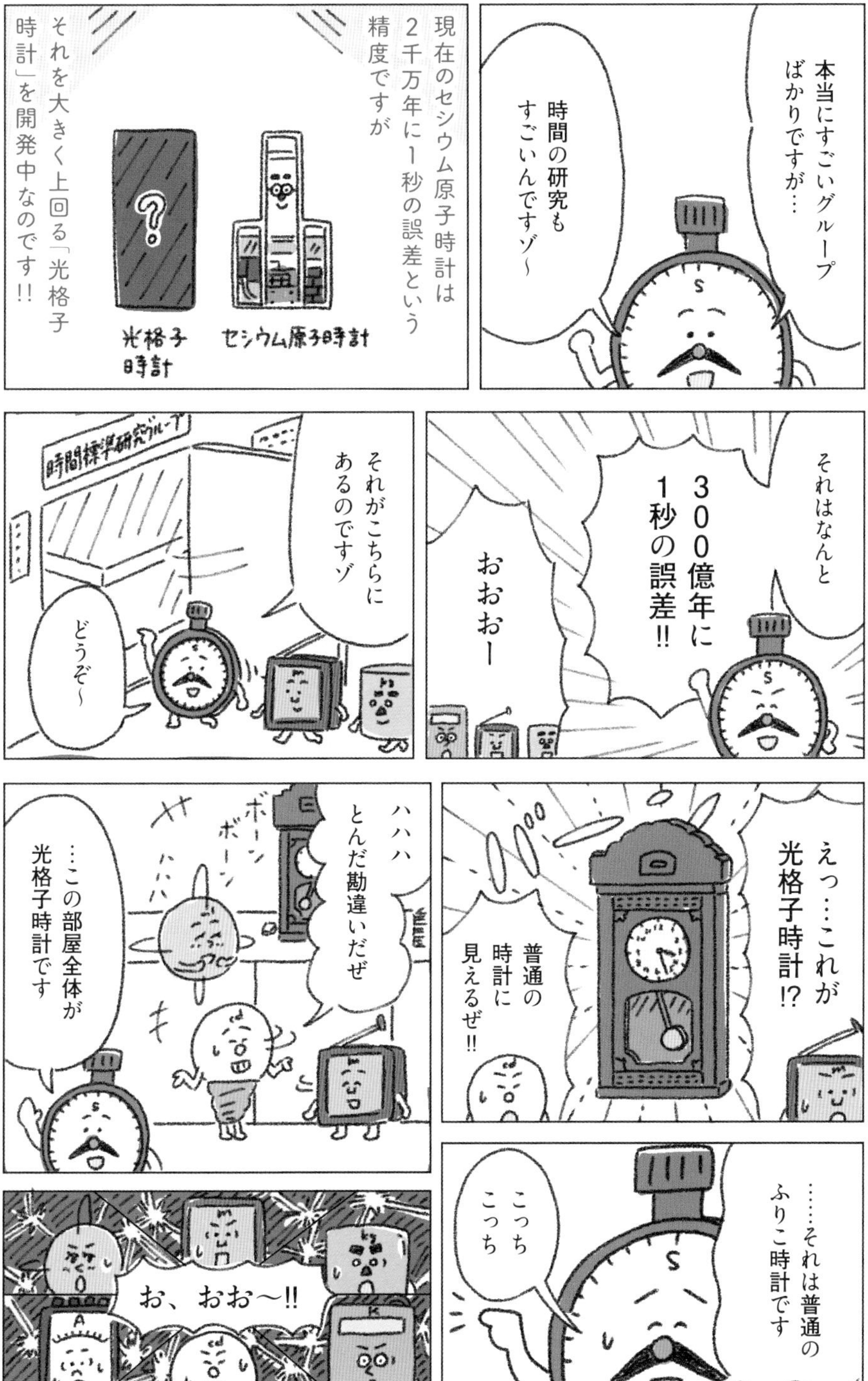
本当にすごいグループばかりですが…
時間の研究もすごいんですゾ〜
現在のセシウム原子時計は2千万年に1秒の誤差という精度ですが
それを大きく上回る「光格子時計」を開発中なのです!!
セシウム原子時計
光格子時計
それはなんと
300億年に1秒の誤差!!
おおおー
時間標準研究グループ
それがこちらにあるのですゾ
どうぞ〜
えっ…これが光格子時計!?
普通の時計に見えるぜ!!
ハハハ とんだ勘違いだぜ
ボーン ボーン
…この部屋全体が光格子時計です
……それは普通のふりこ時計です
こっち こっち
お、おお〜!!

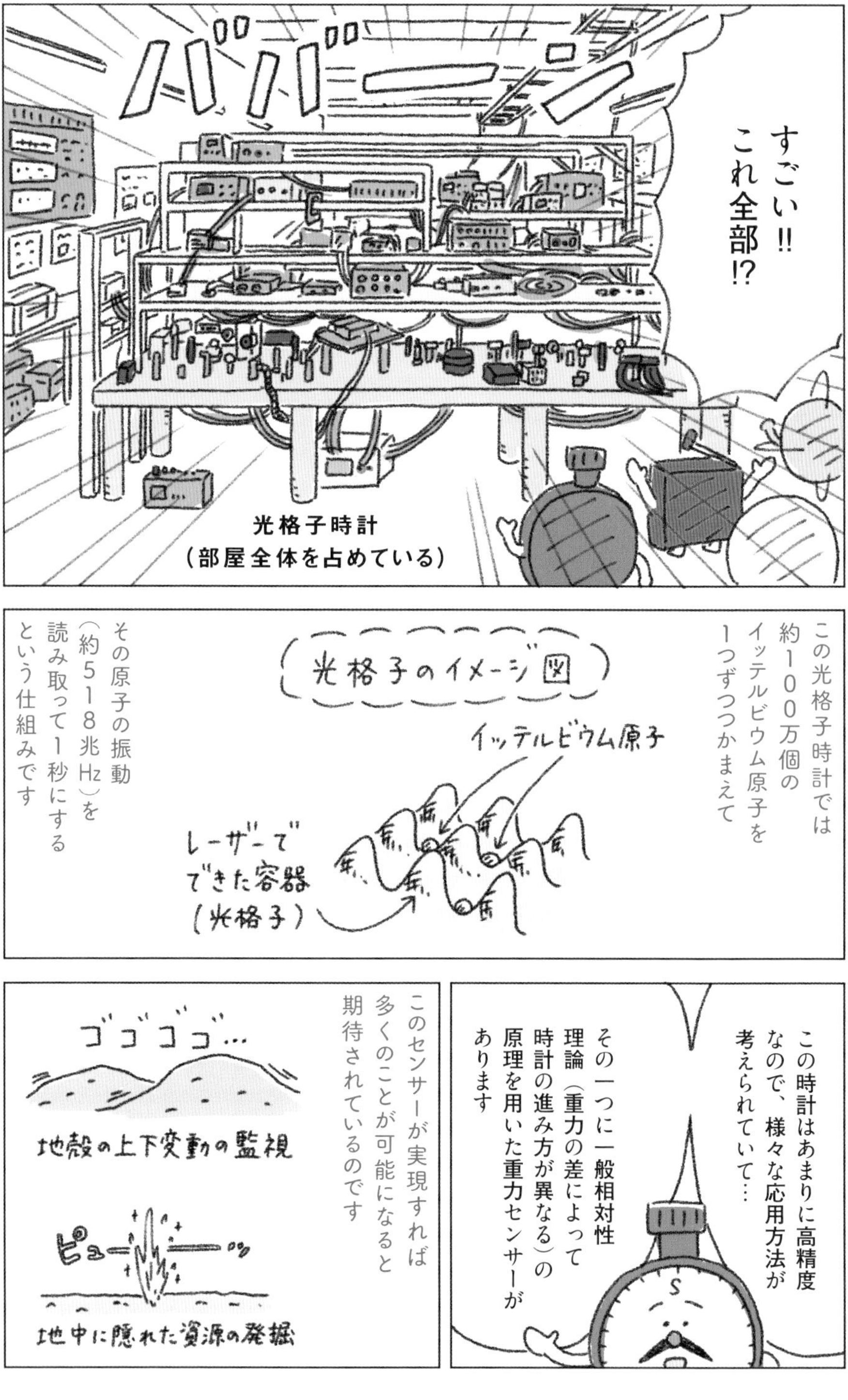
ババーン
すごい!! これ全部!?
光格子時計
(部屋全体を占めている)
この光格子時計では約100万個のイッテルビウム原子を1つずつつかまえて
光格子のイメージ図
イッテルビウム原子
レーザーでできた容器(光格子)
その原子の振動(約518兆Hz)を読み取って1秒にするという仕組みです
この時計はあまりに高精度なので、様々な応用方法が考えられていて…
その一つに一般相対性理論(重力の差によって時計の進み方が異なる)の原理を用いた重力センサーがあります
このセンサーが実現すれば多くのことが可能になると期待されているのです
ゴゴゴゴ…
地殻の上下変動の監視
ピューーー
地中に隠れた資源の発掘

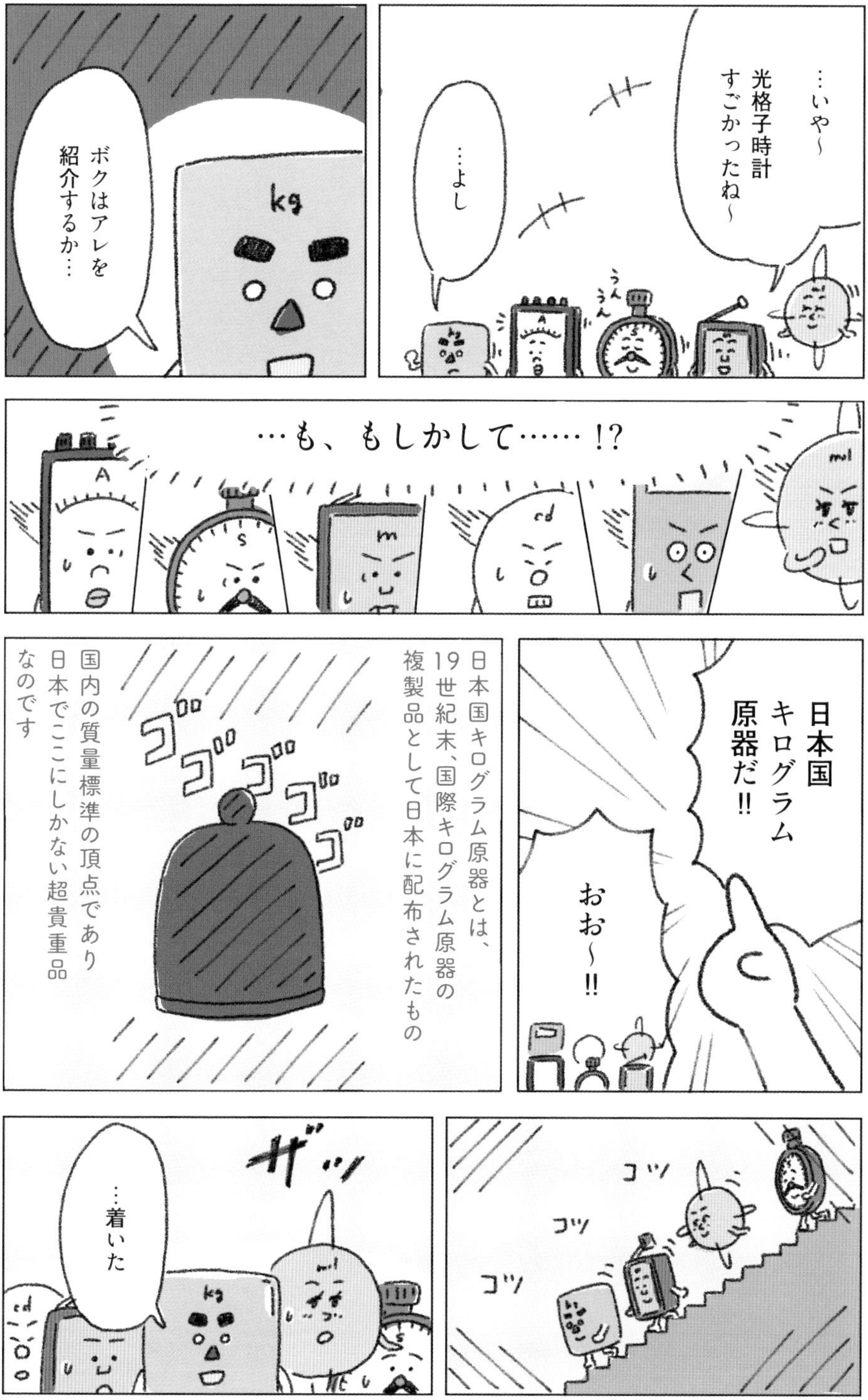
…いや～ 光格子時計 すごかったね～
…よし
うん うん
ボクはアレを 紹介するか…
…も、もしかして……!?
日本国 キログラム 原器だ!!
おお～!!
ゴゴゴゴゴ
日本国キログラム原器とは、19世紀末、国際キログラム原器の複製品として日本に配布されたもの
国内の質量標準の頂点であり 日本でここにしかない超貴重品 なのです
コツ
コツ
コツ
ザッ
…着いた

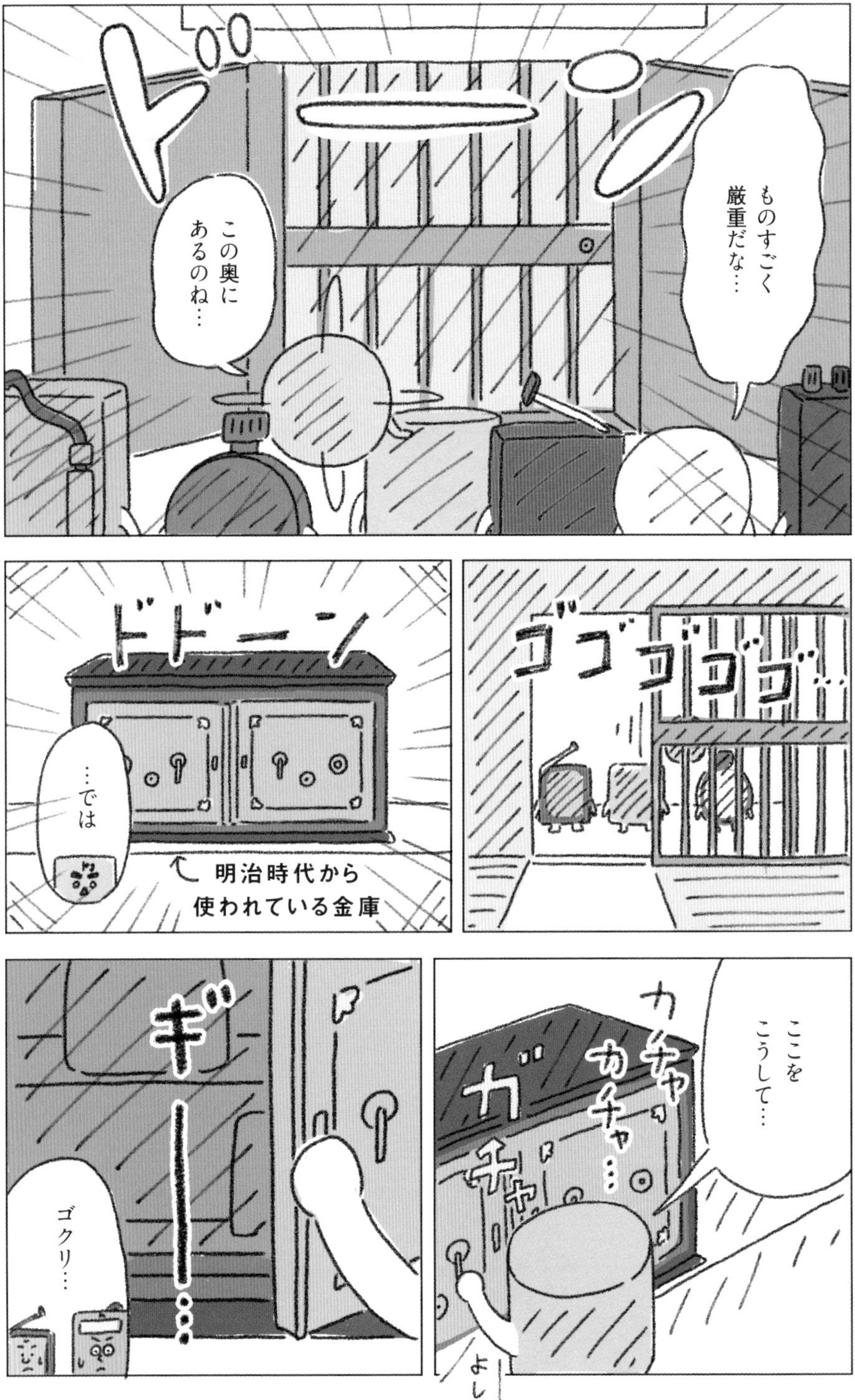
ドーン
ものすごく厳重だな…
この奥にあるのね…
ゴゴゴゴゴ…
ドドーン
…では
明治時代から
使われている金庫
ここをこうして…
カチャ
カチャ…
ガチャ
よし
ギー…
ゴクリ…

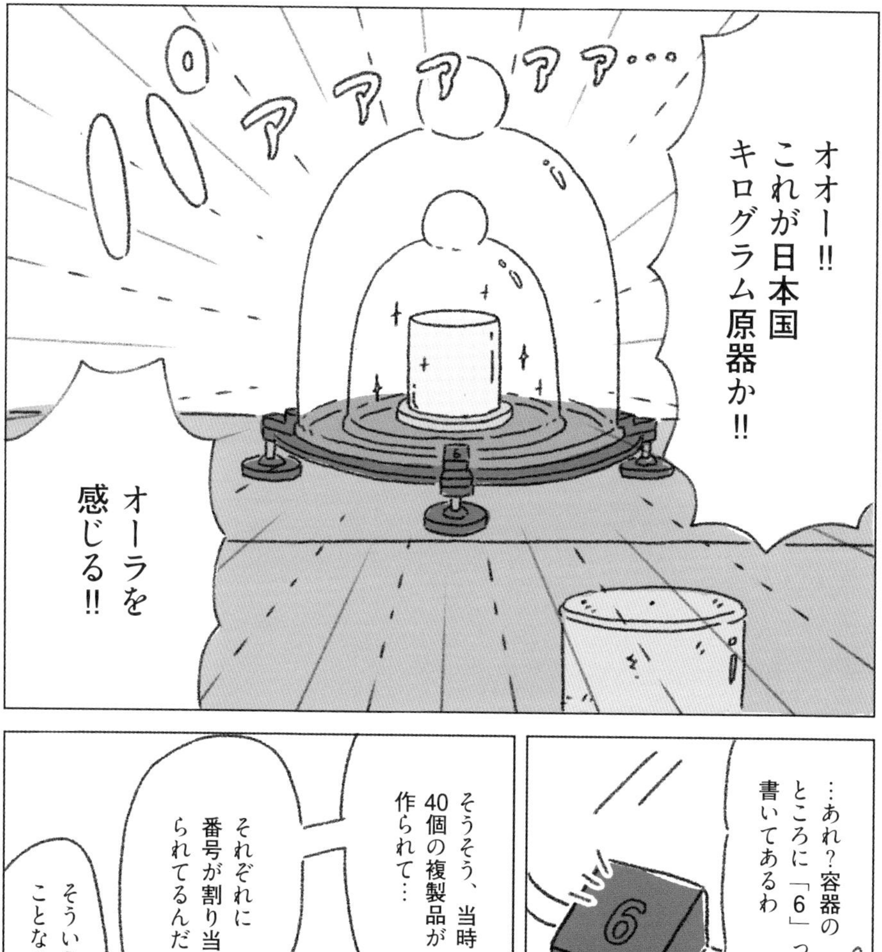
パアアアア…
オオー!!
これが日本国
キログラム原器か!!
オーラを
感じる!!
…あれ？容器の
ところに「6」って
書いてあるわ
そうそう、当時
40個の複製品が
作られて…
それぞれに
番号が割り当て
られてるんだ
そういう
ことなのねー
ちなみに
前にあるこれは
貫原器※ね
パカ…
キログラム原器と
一緒に作って
もらったものなんだ
どちらも
本当に貴重な
モノだよね～
うん
うん

※当時、日本でよく使われていた単位「貫」に合わせた特注品

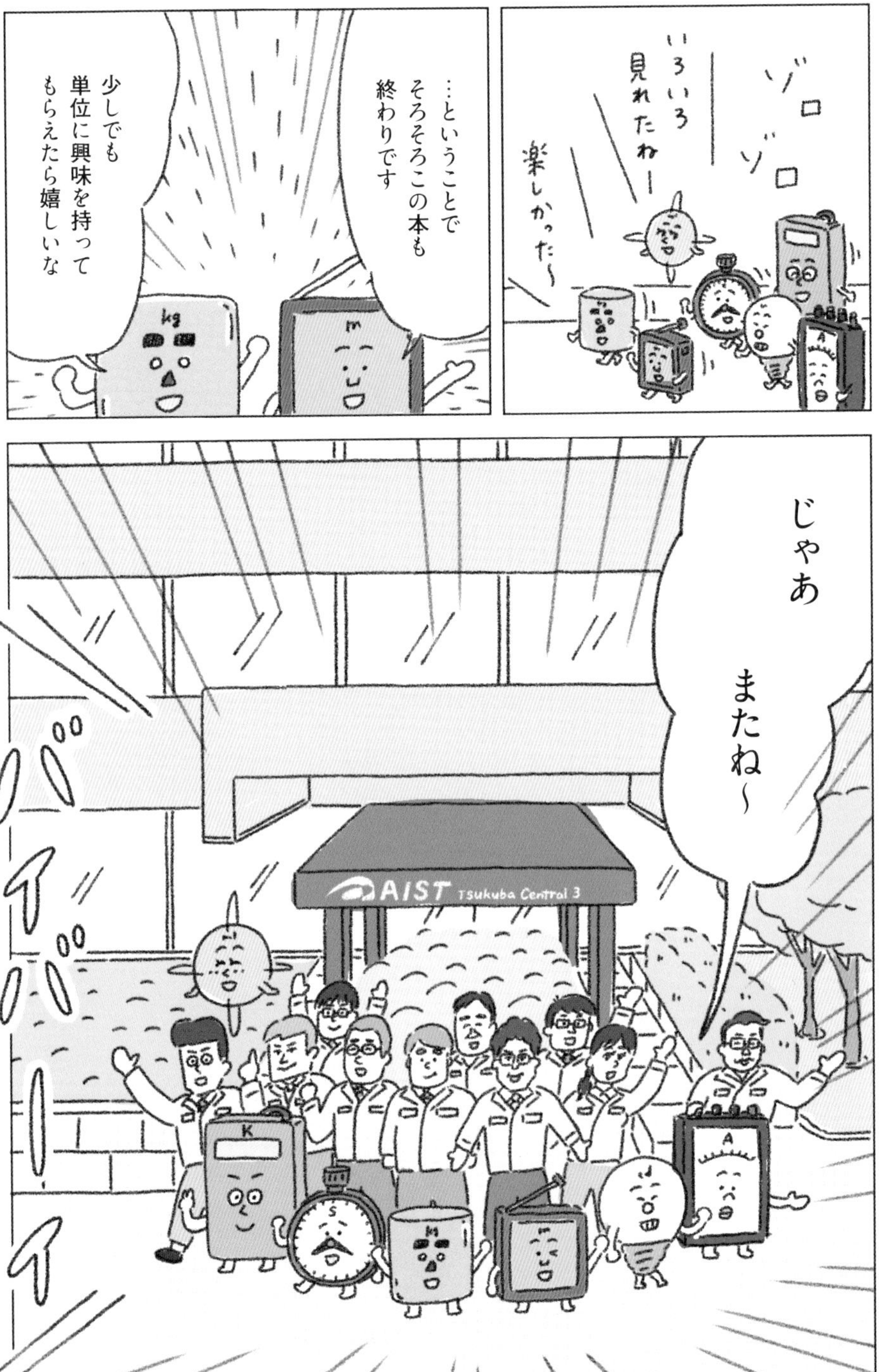
ゾロゾロ
いろいろ見れたねー
楽しかった～
…ということでそろそろこの本も終わりです
少しでも単位に興味を持ってもらえたら嬉しいな
じゃあまたね～
AIST Tsukuba Central 3
バイバーイ

おわり……と見せかけて実は次のページに付録があるんだ〜
あれ？バイバイじゃないの？

〔体積〕

	m^3	L	dL	cm^3
1 m^3	1	1000	10000	1000000（100万）
1 L	0.001	1	10	1000
1 dL	0.0001	0.1	1	100
1 cm^3(=1 mL)	0.000001（100万分の1）	0.001	0.01	1

〔質量〕

	t	kg	g	mg
1 t	1	1000	1000000（100万）	1000000000（10億）
1 kg	0.001	1	1000	1000000（100万）
1 g	0.000001（100万分の1）	0.001	1	1000
1 mg	0.000000001（10億分の1）	0.000001（100万分の1）	0.001	1

〔速度〕

	km/h	m/h	m/min	m/s
1 km/h	×1	×1000	÷0.06	÷3.6
1 m/h	÷1000	×1	÷60	÷3600
1 m/min	×0.06	×60	×1	÷60
1 m/s	×3.6	×3600	×60	×1

小中学生向け

単位換算表

基本的な単位をピックアップしたよ!

〔長さ〕

	km	m	cm	mm	μm
1 km	1	1000	100000（10万）	1000000（100万）	1000000000（10億）
1 m	0.001	1	100	1000	1000000（100万）
1 cm	0.00001（10万分の1）	0.01	1	10	10000
1 mm	0.000001（100万分の1）	0.001	0.1	1	1000
1 μm	0.000000001（10億分の1）	0.000001（100万分の1）	0.0001	0.001	1

〔面積〕

	km^2	ha	a	m^2	cm^2
1 km^2	1	100	10000	1000000（100万）	10000000000（100億）
1 ha	0.01	1	100	10000	100000000（1億）
1 a	0.0001	0.01	1	100	1000000（100万）
1 m^2	0.000001（100万分の1）	0.0001	0.01	1	10000
1 cm^2	0.0000000001（100億分の1）	0.00000001（1億分の1）	0.000001（100万分の1）	0.0001	1

セ氏温度くん
→P.111

センチメートルくん
→P.38

大グロスさん
→P.158

ダースさん
→P.157

坪くん
→P.45

度くん
→P.146

斗《と》さん
→P.49

トンさん
→P.88

ナノグラムくん
→P.88

ナノメートルくん
→P.38

ニュートンくん
→P.96

ノットさん
→P.74

パスカルちゃん
→P.98

バールくん
→P.99

日おじさん
→P.72

秒おじさん
→P.64

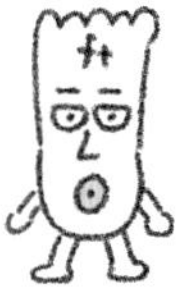
フィートくん
→P.39

分おじさん
→P.72

ヘクタールくん
→P.45

ヘクトパスカルさん
→P.99

ヘルツくん
→P.73

ボルトちゃん
→P.127

ポンドさん
→P.89

マイクログラムくん
→P.88

マイクロメートルおやじ
→P.38

ミリグラムくん
→P.88

ミリメートルくん
→P.38

メートルくん
→P.36

モルちゃん
→P.163

匁《もんめ》さん
→P.89

ヤードくん
→P.39

ラジアンくん
→P.147

リットルくん
→P.47

ルクスくん
→P.142

ルーメンさん
→P.142

ワットくん
→P.101

キャラクター インデックス

参考文献

『単位の歴史』イアン・ホワイトロー 大月書店（2009）

『温度をはかる』板倉聖宣 仮説社（2002）

『新しい1キログラムの測り方』臼田孝 講談社（2018）

『最新知識 単位・定数小事典』海老原寛 講談社（2005）

『時計の科学』織田一朗 講談社（2017）

『暦の科学』片山真人 ベレ出版（2012）

『万物の尺度を求めて メートル法を定めた子午線大計測』ケン・オールダー 早川書房（2006）

『光と電磁気 ファラデーとマクスウェルが考えたこと』小山慶太 講談社（2016）

『単位の成り立ち』西條敏美 恒星社厚生閣（2009）

『きちんとわかる計量標準』産業技術総合研究所 白日社（2007）

『暦の歴史』ジャクリーヌ・ド・ブルゴワン 創元社（2001）

『単位と記号』白鳥敬 学研プラス（2013）

『天才たちのつくった単位の世界』高橋典嗣（監修） 綜合図書（2016）

『単位の辞典』二村隆夫（監修） 丸善（2002）

『図解・よくわかる単位の事典』星田直彦 KADOKAWA／メディアファクトリー（2014）

『単位１７１の新知識 読んでわかる単位のしくみ』星田直彦 講談社（2005）

『温度のおはなし』三井清人 日本規格協会（1986）

『新版 電気の技術史』山崎俊雄・木本忠昭 オーム社（1992）

『新・単位がわかると物理がわかる』和田純夫ほか ベレ出版（2014）

うえたに夫婦（うえたに・ふうふ）

奈良県出身・神奈川県在住。化粧品メーカー資生堂の元研究員の夫と理系ではない妻の夫婦で活動しているユニット。オリジナルキャラクター「ビーカーくんとそのなかまたち」グッズの制作・販売をはじめ、最近では理系の知識を活かして「理系イラストレーター」としても活動中。主な著書に『ビーカーくんとそのなかまたち』『ビーカーくんのゆかいな化学実験』（誠文堂新光社）、『ビーカーくんと放課後の理科室』（仮説社）、『マンガでおもしろい！　わかる元素の本』（大和書房）、『レンズくんと行く工場ツアー　すごい！品質検査』（PHP研究所）などがある。
twitterで随時情報更新中@uetanihuhu

新装版

メートルくんとキログラムくんと単《たん》位《い》の仲《なか》間《ま》たち

本作品は小社より2018年8月に刊行された『ザ☆単位のマンガ～メートルくんたちが教える単位の話』を改題した新装版です。

2020年12月5日　新装第1刷発行
2022年7月20日　新装第2刷発行

監　修　国《こく》立《りつ》研《けん》究《きゅう》開《かい》発《はつ》法《ほう》人《じん》 産《さん》業《ぎょう》技《ぎ》術《じゅつ》総《そう》合《ごう》研《けん》究《きゅう》所《じょ》
計《けい》量《りょう》標《ひょう》準《じゅん》総《そう》合《ごう》センター
著　者　うえたに夫《ふう》婦《ふ》
発行者　佐藤 靖
発行所　大《だい》和《わ》書房
東京都文京区関口1－33－4
電話　03－3203－4511
ブックデザイン　小口翔平＋奈良岡菜摘（tobufune）
印　刷　歩プロセス
製　本　小泉製本

ISBN978-4-479-39358-0

http://www.daiwashobo.co.jp

これで本当に
バイバイだよ〜
バイバーイ
kg
m